ニューディール

JEREMY RIFKIN

グローバル・グリーン・ニューディール

2028年までに化石燃料文明は崩壊、
大胆な経済プランが地球上の生命を救う

THE GLOBAL GREEN NEW DEAL:
WHY THE FOSSIL FUEL CIVILIZATION WILL COLLAPSE BY 2028,
AND THE BOLD ECONOMIC PLAN TO SAVE LIFE ON EARTH

by Jeremy Rifkin

ブックデザイン：秦 浩司

グローバル・グリーン・ニューディール——2020年までに化石燃料文明は崩壊、大胆な経済プランが地球上の生命を救う

目次

第Ⅱ部 廃墟から立ち上がるグリーン・ニューディール

＊本文中の〔 〕は訳注を示す。注番号は巻末の原注を参照。
＊本文中に挙げられた書名は、邦訳版があるものは邦題を表記し、邦訳版がないものは原題とその逐語訳を併記した。

イントロダクション

私たちは今、地球規模の緊急事態に直面している。科学者の見解によれば、人間が化石燃料を燃やしてきたことに起因する気候変動が、この地球上で六度目の生物の大量絶滅を引き起こす可能性があるという。ところが現在、地球上で暮らしているほとんどの人は、こうした現実に気づいていない。二〇一八年一〇月、国連の科学機関、「気候変動に関する政府間パネル（IPCC）」はこう警告した――温室効果ガスの排出が増大しており、このままいけば異常気象が発生しつづけ、地球上の生命の存続が脅かされる可能性がある、と。IPCCの推定によれば、現在、地球の気温は産業革命以前の水準から一℃上昇しており、もし一・五℃以上上昇すれば、連鎖反応により温暖化が暴走し、地球の生態系が破壊されるなどの事態が生じるというのである。[1]そうなると、もはや今日のような生命にあふれた地球は永遠に戻ってこない。

著名なハーバード大学の生物学者エドワード・O・ウィルソンによれば、「人間活動によって絶滅する種の数は増えつづけており、このスピードでいくと今世紀末にはすべての種の半分以上が絶滅することになる」という。つまり今、よちよち歩きの子どもが老齢期に達するころにはそうなるということだ。[2]前回、地球がこれほどの規模の絶滅を経験したのは、六五〇〇万年前〔国際層序委員会（ICS）の最新データでは六六〇〇万年前とされる〕である。[3]IPCCは、今後一二年間、つまり二〇三〇年までに温室効果ガスの排出量を二〇一〇年レベルの四五％に削減しないかぎり、生態系が破滅的影響を受ける可能性を回避することはできないと結論している。[4] そのためにはグローバル経済と社会のあり方、そして、私たちの生活スタイルを根本的に変革する必要がある。言いかえれば、人類は今後わずかな時間の間に、文明を根底から方向転換させなければならないということだ。

アメリカでは二〇一八年一一月の中間選挙の際、大きな警鐘が鳴らされた。気候変動に対応するために経済を抜本的に方向修正し、同時に新しいグリーンビジネスと雇用を創出してより公正な富の分配を図ることを、熱意をもって訴える若い世代の連邦議会議員が誕生したのだ。同月、若者を中心とした環境NGO「サンライズ・ムーブメント」のメンバーが、連邦下院議長に就任することになった民主党のナンシー・ペロシ議員と下院院内総務に就任するステニー・ホイヤー議員のオフィスに詰めかけ、座り込みを決行した。このアクションには、ニューヨーク州から最年少で連邦下院議員に当選したアレクサンドリア・オカシオ゠コルテスも加わった。

オカシオ゠コルテスは「グリーン・ニューディール」を実現するための特別委員会を下院に設置することを要求した。グリーン・ニューディールの名は、一九三〇年代に大恐慌により経済危機に陥ったアメリカを再建するために実施されたニューディール政策にちなむ。特別委員会は、一〇年以内に経済インフラを一〇〇パーセント脱炭素化すること、新しいビジネスチャンスを創出し、弱い立場にある労働者を一〇〇〇万人規模でグリーン経済に雇用することなどを盛り込んだ産業計画を一年以内に立案することを目指す。これまでアメリカのどの州や郡、都市でも提案されたことのない、大胆で「意欲的」な提言である。[5] けれども新しい連邦議会指導部はこの提言の文言をあいまいにし、その結果、設置された気候危機特別委員会にはほとんど実行能力がなかった。

一方、二〇一九年二月七日、オカシオ=コルテス下院議員とエド・マーキー上院議員は、「グリーン・ニューディール」決議案を議会に提出した。これにはすでに一〇三人の連邦議会議員が賛同の意を示しており、そのなかにはバーニー・サンダース、カマラ・ハリス、コリー・ブッカー、エリザベス・ウォーレン、カーステン・ギリブランドなど次期大統領選の民主党有力候補者も含まれる[6]。大統領選出馬に意欲を示す民主党のフリアン・カストロとベト・オルークも、グリーン・ニューディールへの支持を表明している。アル・ゴア元副大統領や、同じく民主党の有力候補であるインディアナ州サウスベンド市長ピート・ブティジェッジをはじめとする全米の州・地方政府職員三〇〇人も同様である。グリーン・ニューディールが進歩派の政治家や若い有権者を活気づけ、二〇二〇年に行われる国政選挙の大きな争点となることは確実だ。

選出された議員たちは、世論が大きく変化し、ほとんど誰も気にかけていなかった気候変動問題が、アメリカ国民が直面するきわめて重大な問題へと急速に移行しつつあることを察知している。民主党、共和党どちらの支持者が多いかを問わず、全米すべての州で、個人も家族も、労働者も企業も、気候の激甚化と気候変動が生態系に与える破滅的な影響が、広範囲にわたる物的損害や景気循環の混乱、そして人命の喪失を引き起こしていることに危機感を募らせているのだ。

二〇一八年一二月にイエール大学気候変動コミュニケーション・プログラムと、ジョージ・メイソン大学気候変動コミュニケーション　センターが行った意識調査によれば、地球温暖化が実際に起きていると答えた人は七三％（二〇一五年から一〇ポイント増）、温暖化の影響を経験していると答えた人はほぼ半数の四六％（同じく一五ポイント増）だった。さらに、「アメリカの国民が『現時点で』地球温暖化による悪影響を受けている」と答えた人は四八％（同じく一六ポイント増）に上った。最も心穏やかでいられないのは、大多数の人が、地球温暖化は世界の貧困層（六七％）、動植物（七四％）、将来の世代（七五％）に損害を及ぼしていると考えていることだった[7]。

人々のこうした意識の変化は、この一〇年間に壊滅的な気象現象の発生回数が増加しつづけていることの結果だといえよう。気候変動がなぜ恐ろしいかといえば、それが生命の維持に欠かせない地球の水圏に混乱を引き起こすからだ。水は雲を介して絶えず地球上をめぐっているが、地球の生態系はこの水循環と手を携え、悠久の時間をかけて生まれ、発達してきた。問題はここにある。温室効果ガスの排出量増加によって地球の気温が一℃上昇すれば、大気が保持できる水分量は七％ほど増加する。それによって雲のなかでより激しい水分の運動が発生し、極端な気象現象がより頻繁に起きることになる[8]。極寒の冬、大豪雪、大被害をもたらす春の洪水、長期にわたる夏の旱（かん）ばつと恐ろしい山火事、膨大な人的・物的被害や生態系の破壊をもたらすカテゴリー3、4、5のハリケーンなどなど。一番最近の氷河期が終わってから一万一七〇〇年という長い年月をかけて、ほぼ予測可能な水循環とともに発達してきた地球の生物群系は、地球の水循環の急激な暴走にはとうてい追いつくことができず、刻々と崩壊に向かっているのだ[9]。

とすれば、二〇一八年の中間選挙直後にアメリカの有権者を対象に行われた調査で、気候変動対策としてグリーン・ニューディールの実施を支持する人が、支持政党にかかわらず広範囲にわたったことは驚くにあたらない。グリーン・ニューディールには「一〇年以内に、アメリカの全電力を再生可能エネルギーに転換すること、エネルギー供給網・建造物・交通インフラの改善、エネルギー効率の増大、グリーン技術の研究・開発への投資、新しいグリーン経済部門における職業訓練」などが盛り込まれている。民主党支持層の九二％（リベラル派の九三％、中道～中道右派の九〇％）がこれを支持すると答えたのに対し、共和党支持層も六四％（中道～中道左派の七五％、保守派の五七％）が支持すると答えた。無党派層も八二％が支持すると答えている。[10]

　このように党派を超えてグリーン・ニューディールが幅広く支持されていることは、アメリカの政治が今後大きく変化し、二〇二〇年の選挙とそれ以降のアメリカ社会に広範囲にわたる影響を及ぼす可能性を示している。気候変動はもはや学者が議論する問題でも、長期的な政策課題でもない。自国と世界が、人類がかつて経験したことのない悲惨な未来に直面していることを肌で感じる何百万ものアメリカ人にとって、それは背筋の寒くなる現実となったのだ。

　未来への不安と行動の必要性を感じているのは、一般市民だけではない。二〇一九年一月、スイスで開かれた世界経済フォーラム年次総会（通称ダボス会議）に出席した世界各国の政財界のリーダーたちにとっても、気候変動が経済やビジネス、金融業界に及ぼす影響は大きな関心事であり、公式のセッションか私的な会話かを問わず、この話題でもちきりだった。参加者を対象にした調査では、世界経済に損害を与える可能性があると考えられるリスク上位五つのうち、四つまでが気候変動関連のものだった。[11]「ファイナンシャル・タイムズ」紙のジリアン・テット記者はこう書いている。「ダボス会議の参加者たちは、極端な気象現象が日常化しつつあることに不安を募らせている」一方、「今日の世界にはそれに対応する効果的な仕組みがないという点で一致していた[12]」。

ダボス会議と同じ時期、アメリカのノーベル賞受賞者二七人、大統領経済諮問委員会元委員長一五人、連邦準備制度理事会元議長四人、そして元財務長官二人が共同で、米政府に対して緊急声明を発表した。CO_2排出量を削減し、企業によるグリーン技術、グリーンエネルギーおよびグリーンインフラへの転換を最も効率よく、迅速に促進できるのは炭素税の導入だとする提言である。クリントン政権の財務長官を務めたハーバード大学名誉学長のローレンス・サマーズは、声明に名を連ねた者を代表してこう述べた。「気候変動問題の重大性は人々に立場の違いを捨てて、思考を一点に集中させるよう促している。ふだん、ほとんど意見の一致することのない人たちが、この点については一致している――これは実に驚くべきことだ[13]」。

声明によれば、この炭素税は「市場の見えざる手を利用して、経済主体を低炭素社会へと誘導する強力な価格シグナル」になると同時に「経済成長を促進する」。また、この炭素税は「削減目標が達成されるまで毎年引き上げられ、政府の大きさをめぐる論争を避けるために税収中立でなければならない」。そして「着実に炭素価格が上昇することで技術革新や大規模インフラの開発が進み、低炭素あるいはゼロ炭素の財やサービスへの移行が早まる」という。さらに声明は、「この炭素税の公平さと政治的実現可能性を最大限に高めるために」、炭素税による収入はすべて「アメリカ国民に均等一括割り戻しの形で直接還元」するという提言もしている。それによって、

「最も弱い立場にあるものも含め、大部分のアメリカの家庭が、エネルギー価格の上昇分を上回る『炭素配当』を得るという経済的恩恵を受ける」ことになるのだ[14]。

グリーン・ニューディールを求める声はアメリカ以外でも上がっている。一〇年以上前、気候変動に立ち向かう同様の運動が、EU（欧州連合）全域で広がった。この運動も同じく「グリーン・ニューディール」と呼ばれ、多くの活動家を触発してきた。EU加盟国の政党の間でも「グリーン・ニューディール」は今日にいたるまで強力なスローガンとして使われており、二〇一九年の欧州委員長選挙〔七月に実施、初の女性委員長フォン・デア・ライエンが選出された〕と欧州議会議員選挙〔五月に実施、環境保護派が躍進した〕でも争点の一つとなった。

二〇一九年三月一五日、世界各国の一〇〇万人以上の「Z世代（一九九〇年代後半から二〇〇〇年生まれの世代）」の若者たちが授業を欠席し、ミレニアル世代（一九八〇年代～一九九〇年代半ば生まれの世代）の先輩たちとともに街頭に繰り出すという、かつてない大規模な行動に出た。この日、世界一二八カ国で行われた二〇〇〇以上のデモに参加した若者たちは、ポスト炭素社会への転換を地球全体で進める必要性を訴え、各国政府に早急に気候変動対策をとるよう求めた[15]。

政治的立場を問わず政治家たちの間には、ゼロ炭素社会への転換はきわめて困難だという悲観的見解が広範囲にみられる。だが道は閉ざされているわけではない。多くの生命を死滅に追いやる、あと〇・五℃の気温上昇を回避し、私たち人間と地球との関係を新たに立て直す道は存在する。

　その可能性は、太陽光や風力その他の再生可能エネルギーによる発電所が、短期間のうちに次々と稼働を開始していることにある。二〇一八年一一月に大手投資銀行ラザードが行った調査によれば、実用規模の太陽光発電の均等化発電原価（ＬＣＯＥ）は一メガワット時あたり三六ドル、風力発電は一メガワット時あたり二九ドルにまで下がっており、「ほとんどの天然ガス発電所、石炭火力発電所、および原子力発電所のコストを下回っている」[16]。ＬＣＯＥとは、「発電施設の建設から運転、廃棄にいたるまでの全期間にわたる総コストを、その間に発電する総エネルギー量で割ったもの」である。[17]今後八年以内に、太陽光と風力の発電コストは化石燃料による発電コストをはるかに下回り、化石燃料産業と真っ向から対決することになろう。[18]

　ロンドンに本拠をおく非営利シンクタンク、カーボン・トラッカーの報告によれば、太陽光と風力の発電コストが急落している結果、「企業部門には何兆ドルもの座礁（ざしょう）資産が生じ、改革の努力を怠っている産油国が打撃を受けるのは必至」である一方、「進展するエネルギーシフトのスピードに気づかない投資家たちは、何兆ドルもの資産を危機にさらすことになる」という。[19]「座礁資産」とは、需要の下落によって地下に埋蔵されたままになる化石燃料のみならず、パイプラインや海洋プラットフォーム、貯蔵施設、発電所、予備発電装置、石油化学処理施設、および化石燃料文化と密接に結びついた業種の資産など、放棄されるあらゆる資産を含む。

　地球温暖化の原因となっている四つの主要部門——情報通信技術（ＩＣＴ）、エネルギーおよび電力、移動／ロジスティクス（物流）、建設——が化石燃料業界から手を引き、より安価な新しいグリーンエネルギーに乗り換えつつあるなか、水面下では激しい争いが繰り広げられている。

その結果、化石燃料産業では、「およそ二〇〇兆ドルの資産が座礁資産となる恐れがある」[20]。化石燃料資産が過大に評価されていることによって生じるカーボンバブルは、経済バブルとしては史上最大の規模となっている。過去一年間に行われた研究や報告——国際金融界、保険部門、国際業界団体、各国政府、およびエネルギー産業、運輸部門、不動産部門内部の主要コンサルティング機関から出されたもの——によれば、主要部門が化石燃料から、より安価な太陽光、風力などの再生可能エネルギーと、それに伴うゼロ炭素技術にシフトするに伴い、化石燃料産業文明は二〇二三年から二〇三〇年の間に崩壊することが予想されている[21]。現在、世界の産油国のトップに位置するアメリカは早晩、太陽光・風力発電のコスト急落や、原油の供給より先に需要がピークを迎えるという「ピークオイル　ディマンド」の影響と、石油産業の座礁資産のはざまで身動きがとれなくなる[22]。

ここではっきりさせておきたいのは、この大転換（great disrutpion）は大部分、市場が主導権を握っていることによって生じつつあるという点だ。どの国の政府も市場の動きに従わないかぎり、報いを受ける。ゼロ炭素の第三次産業革命の拡大を意欲的に進める国の政府は、時代を先取りするのに対し、市場原理に従って進もうとせず、崩壊しつつある二〇世紀の化石燃料文化にしがみつく政府は低迷を余儀なくされる。

こうした状況を背景に、石油関連業界からの投資撤退（ダイベストメント）を進め、再生可能エネルギーに投資する運動が世界的に加速しつつあることは、驚くにあたらない。なかでも大きいのは四〇兆ドル以上に上る世界の年金基金で、そのうち二五兆四〇〇〇億ドルはアメリカの労働者の年金である[23]。二〇一七年の時点で、世界の資本の最大部分は年金基金で占められていた。もしこのまま年金基金が化石燃料産業に投資しつづけられれば、カーボンバブルがはじけたとき、アメリカの労働者は膨大な損失を被ることになる。

金融業界の内部では目下、真剣な議論が始まっている――従来どおり化石燃料産業に投資しつづけるのか、それともアメリカと世界における自然エネルギーおよびグリーンインフラの建設や拡大に伴う新しい事業や雇用の機会に投資するのか。機関投資家の多くは、すでに化石燃料から再生可能エネルギー投資へとシフトしており、大都市や労働組合をはじめ、世界三七カ国の一〇〇〇を超える機関が化石燃料業界から八兆ドルもの資金を引き揚げ、自然エネルギーやクリーンなテクノロジー、そしてゼロ炭素社会への道筋をつくるビジネスモデルに投資することを宣言している[24]。

カーボンバブルと座礁資産の問題が浮上してくると同時にグリーン・ニューディール政策を求めるグローバルな大衆運動が高まっていることは、今後二〇年間にエコロジカルなゼロ炭素時代に向けてインフラを大規模に転換させる可能性を拓く。しかしその一方で、グリーン・ニューディールを提唱し、支持する人々は、その目的を達成できる「産業革命」への具体的な道筋がまだ明らかになっていないことを認識している。本書は、著者が過去二〇年間にわたってEU、より最近では中国において、ゼロ炭素社会への移行に向けて助言を行ってきた経験を読者と共有するために書かれた。気候変動による影響を軽減するとともに、より公正で人間的な経済をつくることを目指し、アメリカをはじめ世界各国で草の根レベルで広がりつつあるこれらの運動に、本書が役立つことを願っている。

より個人的には、グリーン・ニューディールに対して、また二〇年という短期間にこれほど大規模な経済的転換を実現する可能性に対して懐疑的な人々にこそ、訴えかけたい。私が関わっているグローバル企業や業界——情報通信、電力、移動／ロジスティクス、建設・不動産、先進的製造業、スマート農業〔ＩＣＴやロボット、ＡＩなどを活用した次世代型の農業〕および生命科学、金融界など——は、それが実現可能であることを確信している。すでに世界各地の現場で、実現に向けての具体的な取り組みが始まっているのだ。

さらに、アメリカ国内で、グリーン・ニューディールなど非現実的だと主張する政治家に向けては、こう言いたい——ＥＵや中国の政府は、この大規模な転換が一世代で達成できることを確信し、両者ともまさに今、それに取り組んでいるところだと。アメリカは、そこから後れをとっている。そろそろ目隠しを外し、新しいビジョンへと思考を切り替えればどれだけのことができるかを、世界に示すべきときがきている。アメリカがＥＵや中国をはじめとする国々と歩調を合わせ、ゼロ炭素のエコロジカルな時代へと社会を転換させることを願ってやまない。

アメリカには建国当初から、「やる気で取り組めばできないことはない」という楽観主義的な国民性があった。そのおかげで人々は、これまで二〇〇年以上にわたってさまざまな試練や困難を乗り越えてきた。これはアメリカ人の文化的ＤＮＡといっていい。そして今、アメリカの新しい世代が、国内のみならず国際的なステージに歩み出て、人類史にかつて類をみない任務に取り組もうとしている。グリーン・ニューディールを求める運動が今後も息長く続き、広く一般国民の支持を集めることはほぼ間違いない。とりわけ四〇歳未満の若い世代——いわゆるデジタル世代——は、人類史におけるこの決定的な時期にあって、政治に自分たちの存在を証明する刻印を残したいとの意欲に燃えている。

第Ⅰ部

大転換

――急速に進む化石燃料からの脱却と座礁資産

第1章
要はインフラだ

アメリカと世界はグリーン・ニューディールを必要としている。大都市であれ、小さな町であれ、農村部であれ、その必要は差し迫っているし、実行可能でもある。そして手遅れにならないうちに世界経済を脱炭素化し、再生可能エネルギーとそれに伴う持続可能なサービスによって再活性化するためには、今後二〇年以内に迅速にそれを実行に移さなければならない。そのためにはまず一歩下がって、「歴史における経済の大きなパラダイムシフトは、どのようにして起きるのか？」と問う必要がある。それがわかれば、世界のどの国の政府も、グリーン・ニューディールを実現するためのロードマップを描くことができるはずだ。

第三次産業革命のパラダイム

歴史における大きな経済的転換には共通点がある。それは通信手段、動力源、運搬機構という三つの要素を必要とするという点であり、これらの要素が相互に作用することで、システム全体がうまく機能する。経済活動も社会生活も、通信なしには管理ができず、エネルギーなしには動力が供給できず、輸送とロジスティクスなしには移動できない。この三つの運用システムが、経済用語で言う「汎用技術プラットフォーム」を構成しているのだ。通信やエネルギー、移動インフラが新しくなれば、社会の時間的・空間的方向性、ビジネスモデル、管理・運営のパターン、構築環境（自然環境に対して人工的な環境）、居住環境、そして物語（ナラティブ）のアイデンティティも新しくなる。

一九世紀には、蒸気機関で稼働する印刷機、電報、豊富な石炭、蒸気機関車による鉄道システムが噛み合って汎用技術プラットフォームを形成し、社会の管理、動力供給、移動がなされた結果、第一次産業革命が起こった。二〇世紀には、集中型の電気、電話、ラジオとテレビ、安価な石油、そして道路網を走る内燃機関を搭載した車が、第二次産業革命を支えるインフラを形成したのである。

そして今、私たちは第三次産業革命のただなかにいる。商業用、居住用および工業用などの建物群に組み込まれた「ＩｏＴ」（Internet of Things＝モノのインターネット）のプラットフォームの上に、デジタル化されたコミュニケーションのインターネット、デジタル化された再生可能エネルギーのインターネット（動力源は太陽光と風力）、およびデジタル化された輸送／ロジスティクスのインターネット（自然エネルギーを動力源とし、自動化された電気自動車や燃料電池車を輸送手段とする）が一体化し、二一世紀の社会と経済を変えようとしているのだ。

あらゆる機械や装置にはセンサーが取りつけられ、すべての「モノ」がすべての人間と結びつけられた結果、脳の神経回路網にも似たデジタルネットワークが、グローバル経済全体に張りめぐらされようとしている。すでに資源の流通経路や倉庫、道路システム、工場の生産ライン、送電網、オフィス、家庭、店舗、車両などには何十億、何百億ものセンサーが取りつけられ、二四時間休むことなくその状態や稼働状況をモニターし、新しく生まれつつあるコミュニケーション・インターネット、再生可能エネルギー・インターネット、および輸送／ロジスティクスのインターネットにビッグデータを供給している。二〇三〇年には、数兆個ものセンサーが人間と自然環境を結びつけ、地球規模のインテリジェント・ネットワークが出現する可能性がある。[1]

　あらゆるものをすべての人と結びつけるＩｏＴがもたらす経済的恩恵は膨大だ。この拡大したデジタル経済においては、個人も家族も企業も、家庭や職場でＩｏＴとつながり、ＷＷＷ(World Wide Web) 上に流れるビッグデータにアクセスできるようになる。このビッグデータは、供給（サプライ）チェーン〔財やサービスが原材料調達、生産・流通を経て消費者に届くまでの一連の流れ〕、生産とサービス、そして社会生活のあらゆる側面に影響を与える。個人や企業はビッグデータを自分なりの方法で分析して必要な情報を取り出し、効率や生産性を上げ、CO_2排出量を減らし、財やサービスの生産、流通、消費および廃棄物の再生利用にかかる「限界費用（マージナルコスト）」を削減することで、新たなポスト炭素グローバル経済において事業や家庭をより環境にやさしく、効率的なものにすることができる（限界費用とは、固定費〔生産量の多少にかかわらず固定的にかかるコスト。工場・機械などのための利子、減価償却費、広告費など〕を別にして、財やサービスを追加的に一ユニット生み出すのにかかる費用のこと）。

　さらに、この環境にやさしい（グリーン）デジタル経済において、ある一定の財やサービスの限界費用はゼロに近づき、その結果、資本主義システムは根本的な変革を余儀なくされる。経済学では、企業が財やサービスを限界費用で売るのが最適な市場であると教えている。企業は、生産と流通にかかる限界費用を削減する新しいテクノロジーや、その他の効率向上手段を導入することで、売り値をより安くし、市場シェアを増やし、投資家に十分な利益を還元しようとする。

ところが経済学者にとってまったく想定外だったのは、汎用技術プラットフォームにおける財やサービスの生産と流通の効率が極限まで向上して、限界費用が急落することだった。その結果、利益率が劇的に縮小し、資本主義のビジネスモデルの存在が危うくなる日がくるなど、彼らは予想もしていなかった。限界費用がほぼゼロに近づけば、市場はあまりにも低迷し、ビジネスメカニズムとして意味を失ってしまう。これがまさに、第三次産業革命がもたらすものなのだ。

市場とは、取引機構であるとともに、そのスタートと中断を司る機構である。売り手と買い手がある時点において出会い、取引価格を決定する。財の引き渡しまたはサービスの提供が行われると、両者はその場から立ち去る。取引と取引の間の中断時間は、固定間接費やその他の費用にとっては損失時間であり、その間売り手は宙に浮いた状態にある。生産コストの損失は別にして、売り手と買い手を再び出会わせるのにかかる時間と費用を考えてみよう——宣伝費、マーケティング費、財の保管費用、ロジスティクスとサプライチェーン全般における中断時間、およびその他の間接費がかかる。限界費用と利益の縮小という現象が起きているというのに、売り手と買い手の間の一回限りで中断時間の多い売買取引が行われる従来型の市場は、デジタル的に強化された高速のインフラにおいては、まったく役に立たなくなってしまう。第三次産業革命においては、財の「取引（トランザクション）」は、連日二四時間体制の切れ目のないサービスの「流れ（フロー）」に道を譲るのだ。

この新しい経済システムでは、所有権はアクセスに取って代わられ、市場における売り手と買い手は、部分的にネットワークにおけるプロバイダーとユーザーに取って代わられる。プロバイダー／ユーザー・ネットワークでは、産業や部門は「専門化した能力」に移行し、これらの能力はプラットフォームに集結してスマート・ネットワークにおける財とサービスの途切れないフローを管理し、システムのいたるところで連日二四時間体制で行われる「交換（トラフィック）」を通じて、十分な利益を——低い利益率であっても——もたらす。

しかし、一部の財やサービスの利益率は限りなく「ゼロ」に近づくため、資本主義ネットワークにおいてさえ、利益はほとんど存在しなくなる。そこで生産され流通する財やサービスは、ほとんど無料になるからだ。これはすでに現実になりつつあり、「共有型経済（シェアリングエコノミー）」という新しい現象を生み出している。一日のどの時間をとっても、世界中で何億という人々が自分の音楽やユーチューブの動画をつくったり、ソーシャルメディアに投稿したり、リサーチしたりして、それをシェアしている。無料の大規模オンライン公開講座ＭＯＯＣ（ムーク）に登録して、有名大学の教授の教えを受ける人もいる。大学の単位は多くの場合、無料で取得できる。必要なものはスマートフォンとサービス・プロバイダー、そして電源——それだけだ。

世界中で、太陽光や風力による自家発電を行う人も増えている。自家消費するだけでなく、余った電力を売電に回すこともできる。そしてここでも、限界費用はほとんどゼロに近い。太陽や風から請求書は送られてこないのだから。ミレニアル世代のなかには、住む家や乗り物、服、道具、スポーツ用品をはじめ、さまざまな財やサービスをシェアする人たちが増えている。シェアリング・ネットワークのなかには、配車サービスUber（ウーバー）のような資本主義原理に基づくプロバイダー／ユーザー・ネットワークもある。ここでは利用者とサービス提供者を結びつける限界費用は限りなくゼロに近いが、サービスへのアクセス一回ごとの価格を決めるのは、サービス提供者である。また、メンバーが互いに財やサービス、知識を無料で共有する非営利あるいは生活協同組合型のシェアリング・ネットワークもある。何百万人もの個人の知識が蓄積され、共有されるウィキペディアは無料で利用できる非営利のウェブサイトで、世界第五位のアクセス数を誇る[2]。

　こうしたバーチャルおよび有形の財のシェアリングは、これからの循環型社会の土台となるものだ。シェアリングによって、人類が使う資源の量をはるかに小さくできるだけでなく、使わなくなったものを他人に譲ることでCO_2の排出量を大幅に減らすこともできる。共有型経済はグリーン・ニューディール時代の要となる特徴なのだ。

　共有型経済は今はまだヨチヨチ歩きの状態にあり、今後多方面に進化しようとしている。だがこれだけは確実にいえる。共有型経済は、コミュニケーション、エネルギー、そして輸送のデジタル化されたインフラによって生み出された新しい経済的現象であり、今や経済生活を変えつつあるということだ。この点において、共有型経済は一八世紀と一九世紀に資本主義と社会主義が出現して以来、世界の舞台に登場する初めての新しい経済システムなのである。

　四〇歳未満のデジタルネイティブと呼ばれる若い世代は、すでにこの新しい混合経済のなかにすっぽり納まって生活している。一日のうちのある時間は、世界中のオープンソース・コモンズ

〔コモンズは本来、中世の入会地など、コミュニティによって共同で管理・利用された共有地をさした。著者はその現代版として、人々が共有する自主管理的でオープンソース（設計構造を公開した）な社会的経済的ネットワーク空間を提唱する〕でさまざまな財やサービスをほぼ無料でシェアしているが、その大半はGDP（国内総生産）や標準的な経済計算では測定されない。また別の時間は、資本主義的なプロバイダー／ユーザー・ネットワークとつながって、有料で財やサービスにアクセスしており、その度合いは増している。今後、グリーン・ニューディールはこうした混合経済の場に出現することになるのだ。

グリーン・ニューディールのスマートインフラの構築には、あらゆる産業領域が関わる──通信、ケーブル、インターネット、電子機器などのICT部門、エネルギーおよび電力会社、輸送／ロジスティクス、建設・不動産業、製造部門、小売業、食品・農業・生命科学部門、そして旅行・観光業である。さらにこの新しいスマートインフラは、グリーン経済へのシフトを特徴づける、新しいビジネスモデルや新しい種類の大規模雇用を生み出すことになる。

第二次産業革命から第三次産業革命への転換は、生やさしいものではない──それは農業社会から工業社会への移行にも匹敵するきわめて困難な挑戦であり、二世代にわたるアメリカ国民の集合的能力と技術を必要とする。それを実現するには、何百万という人々を訓練して仕事に就かせる──あるいは再就職させる──ことが必要になる。

まず第一に、化石燃料および原子力インフラ、すなわちパイプラインや発電所、貯蔵施設その他をすべて閉鎖し、解体しなければならない。これはロボットやAIだけでできる仕事ではなく、それよりはるかに機動的な半熟練・熟練労働者および専門家を必要とする。

コミュニケーション・ネットワークも、次世代の超高速ブロードバンドへの移行をはじめ、アップグレードする必要がある。だがそのためのケーブル埋設は人間が行わなければならない。

　エネルギーインフラも、太陽光や風力などの再生可能エネルギーに対応できるよう転換しなければならない。太陽光パネルや風力タービンを設置するのは、ロボットやＡＩではなく人間だ。また従来の中央集権型の送電網（グリッド）は、無数にあるマイクロ発電所でつくられる再生可能エネルギーの流れに対応できるよう、分散型のスマートなデジタル再生可能エネルギー・インターネットに再構成しなければならない。これもまた、半熟練または熟練した専門家にしかできない複雑な仕事である。

　国全体に張りめぐらされた二〇世紀の送電網は、二一世紀型の高電圧のスマート送電網に取って代わられる。これには二〇年以上の時間がかかることが予想され、膨大な労働力を投入する必要がある。

　輸送／ロジスティクスの部門もまたデジタル化され、ＧＰＳ誘導の自動化された移動（モビリティ）のインターネットに転換されなければならない。そこでは、再生可能エネルギーを動力とする電気自動車または燃料電池車両や船が、インテリジェント道路・鉄道・水路システムを運行する。この仕事を担うのも、ローテクまたはハイテクの熟練労働者だ。また、電気自動車や燃料電池自動車が増えれば、何百万カ所もの充電スタンドや水素ステーションを整備する必要があるし、交通の流れや貨物の動きに関する情報をリアルタイムで提供するセンサーをいたるところに設置した、スマート道路も建設しなければならない。ここにも多くの仕事が発生する。

　建物も、エネルギー効率を高めるとともに、再生可能エネルギーを利用できる設備があり、マイクロ発電もできるものに造りかえなければならない。断熱材を入れ、新しい窓やドアを設置するためには熟練労働者を必要とする。また、断続的な再生可能エネルギーの供給に対応するため、建物の各階層にはエネルギー貯蔵装置を組み込まなければならない。ここでも膨大な職が創出される。

実際のところ、第三次産業革命は職を創出すると同時に奪いもする。今世紀半ばまでには、スマートなＩｏＴインフラ――コミュニケーション・インターネット、エネルギー・インターネットおよびロジスティクス・インターネット――が、社会における経済活動の大半を担うようになり、監督者や専門家の数は減少する。

けれども短中期的には、アメリカをはじめ世界各国でのＩｏＴインフラの大規模な構築に伴い、これが最後となる有給の大量雇用が創出され、三〇年間は続くことになる。

中長期的には、雇用はしだいに市場セクターから非営利セクターや社会的経済（ソーシャルエコノミー）〔非営利だが経済活動を行い、社会的利益や公的利益を追求する経済部門〕、共有型経済（シェアリングエコノミー）へと移っていく。市場経済で財やサービスの生産に必要とされる人間は減る一方で、市民社会〔伝統的な用法とは異なり、ここでは国家や市場と区別された社団・財団法人や民間非営利団体などの担う活動領域をさす。現代アメリカ政治学を中心に使われている用法〕で機械が担う役割は小さくなる。なんといっても、社会と深く関わるのも社会資本を蓄えるのも、本来人間の行為だからだ。機械がいつの日か社会資本を生み出すかもしれないという考えは、どんなに熱烈なハイテク好きにも受け入れられることはない。

世界の先進工業国の多くでは、非営利分野での雇用が急成長している。自由に時間を提供する数百万人のボランティアのほかに、雇用されている人も数百万に上る。ジョンズ・ホプキンス大学市民社会研究所が四二カ国で行った調査では、二〇一〇年の時点で非営利セクターにおいて常勤で雇用されている人は五六〇〇万に上った。現在、非営利セクターの被雇用者数が労働力の一割を超える国もある。今後数十年間に、自動化の進む市場経済から労働集約型の社会的経済に雇用が移行していくなかで、こうした雇用が着実に増加するのは確実である[3]。

すぐにではなくとも今世紀半ばまでには、世界中の被雇用者の大多数が非営利セクターで社会的経済の促進に携わる一方で、財やサービスの少なくとも一部を従来の市場で購入しているだろう。従来の資本主義経済は少数の専門家や技術者の監視のもと、知能技術によって管理されることになる。

まず必要なのは、世界各地での第三次産業革命の大規模なインフラ構築に伴う新たな職種とビジネスチャンスへの移行がスムーズにいくよう、既存の労働力の再訓練と、将来労働市場に加わる学生に適切な技能開発を行うことだ。それと同時に、学生には市民社会で新たに生まれる就業機会に伴う専門技能を教育しなければならない。これは大変な尽力を必要とするが、人類は過去にも——とりわけ一八九〇年から一九四〇年までの農業社会から工業社会への急速な移行において——同様の大仕事を成し遂げる力のあることを証明している。

デジタル経済には、さまざまなリスクや困難も伴う。なかでも重要なのは、誰もがネットワークに公平にアクセスできる中立性の保証、プライバシーの保護、データの安全性の確保、そしてサイバー犯罪やサイバーテロを防止することだ。ある国家が他の国のソーシャルメディアに侵入して誤った情報を流し、選挙結果に影響を及ぼそうとするのを、どうやって防げばいいのか？

巨大インターネット企業が独占企業となって、個人のオンラインデータを商業目的で利用しようとする第三者に売るのを、どうやって防げるのか？

こうしたインターネットの影の側面に対処するには、地域、州、国のレベルでの安全性監視制度——何層にもなった冗長性をシステムに組み込んで補強したもの——が必要である。それによって、ＩｏＴのスマートインフラに対するいかなる破壊行為も、ただちに近隣またはコミュニティレベルにおいて分解・分散化し、新しいネットワークに再編することでショックを吸収し、影響が及ぶのを確実に防ぐことができる。

完全にデジタル化された経済と第三次産業革命への転換がもたらす効率の向上は、第二次産業革命によって達成されたものをはるかにしのぐ。一九〇〇年から一九八〇年までの時期、アメリカ国内ではインフラの発展に伴って、総合エネルギー効率（投入されたエネルギーから引き出しうる潜在的な仕事量のうち、変換の過程で失われるものを除いて、実際の有用な仕事に転換される部分の割合）は二・四八％から一二・三％へと着実に上昇した。その後、一九九〇年代後半には一三％前後で横ばいになり、二〇一〇年に第二次産業革命のインフラが完成したことによって一四％のピークに達した。総合エネルギー効率がかなり上昇したことで、アメリカは比類なき生産性と成長を謳歌したものの、第二次産業革命で同国が使ったエネルギーの八六％は、無駄に費やされたことになる。[4] 他の先進工業国でも、総合エネルギー効率はこれと同じようなカーブを描いている。

化石燃料による第二次産業革命のインフラをいくら改善したとしても、総合エネルギー効率と生産性に大きな影響を及ぼすことはできそうにない。化石燃料エネルギーはすでに成熟しきった状態にある。内燃機関とか中央集権型の送電網など、そうしたエネルギーで動くように設計されたテクノロジーは、その生産性を目いっぱい使い尽くしており、これ以上利用できる余地はほとんど残っていない。

しかし最新の研究によれば、ＩｏＴのプラットフォームと第三次産業革命へのシフトにより、今後二〇年間に総合エネルギー効率を最大で六〇％まで向上させることができるという。これが実現すれば、生産性を劇的に高める一方で、ほぼ一〇〇パーセント脱炭素の再生可能エネルギー社会と、高度に強靭（レジリエント）な循環型経済へと移行することができる。[5]

私は日ごろから世界中の政府のトップや知事、市長たちとしばしば会見している。そうした場では、環境にやさしいスマートインフラの整備によって、ゼロ炭素の第三次産業革命経済――まさにグリーン・ニューディールの中核をなすもの――へとシフトすべきであることを話す。その後、気候変動による影響を軽減し、それに伴って新しいビジネスと雇用機会を創出するのにもっと良い案があるかと質問すると、多くの場合、彼らは黙ってしまう。なぜならそれ以外の道は、終焉（しゅうえん）に向かいつつある化石燃料依存の第二次産業革命経済に、とらわれつづけることしかないからだ――そのエネルギー効率も生産性も、何十年も前にピークに達し、今や地球を六度目の大量絶滅へと追い込もうとしているにもかかわらず。ではいったい何が、私たちの行動を妨げているのだろうか。

点と点を結ぶ

持続可能な社会をつくり、気候変動の影響に取り組むための国際的な仕組み、「世界気候エネルギー首長誓約」には、九〇〇〇を超す都市や地方政府の首長が参加している。[6] これらの都市では、太陽光・風力発電設備、電気自動車や燃料電池車、LEED（建築物の環境性能を評価する国際的認証制度）の認証を受けた建物、資源リサイクル計画など、注目度の高い「パイロットプロジェクト」を数多く実施しているところもある。だがコミュニティは往々にして相互のつながりを欠き、せっかくの取り組みも孤立したものになりがちだ。

こうした孤立したプロジェクトを結びつける「神経系」の役割を果たすのが、第三次産業革命のグリーンインフラである。インフラはとかく、商業や社会生活の単なる付属物にすぎないと見なされがちだが、それは間違いだ。新しく生まれ変わった国や地域コミュニティで構成される国家身体（ボディ・ポリティック）にとっては、常に新しいインフラが欠くことのできない「延長された身体」となるのである。

最も深いレベルにおいて、インフラは新しいコミュニケーション・テクノロジー、新しいエネルギー源、新しい移動／ロジスティクスの方法、そして新しく構築された環境を結びつける技術的・社会的な絆となる。それによって、コミュニティの経済活動や社会生活、運営をより効率的に管理し、動力を供給し、機能させることが可能になるのだ。コミュニケーション・テクノロジーは、経済的有機体を監視し、調整し、管理する脳にほかならない。エネルギーは国家身体を循環する血液であり、自然の恵みを財やサービスに転換して経済を生かし、成長させるための栄養を補給する。移動／ロジスティクスは私たちの手足の延長であり、コミュニティ同士が時間的・空間的な領域で物理的な相互関係を築き、財やサービス、ヒトの動きを促進できるようにする。建築物は皮膚であり、半透過性の膜だ。それは人間を風雨その他の自然の力から守るだけでなく、私たちが身体的健康を維持するのに必要なエネルギーその他の資源を貯蔵し、生活を向上させるのに必要な財やサービスを生産するための安全で確実な場所を提供し、人々が家族を養い、社会生活を送るために集まる場所を提供する。このように、インフラは巨大な技術的有機体にたとえることができる。そこには多くの人々が集結して、いわば拡大家族を形成し、より複雑化しつつある経済的・社会的・政治的関係を結んでいるのだ。

たとえば二〇世紀の第二次産業革命を、新しい経済パラダイムを管理する技術的な神経系だと考えてみよう。アメリカの都市部は一九〇〇年から大恐慌の始まった一九二九年までの間に電化され、農村部は一九三六年から一九四九年の間に電化された。[7] 工場が電化されたことで大量生産の時代が到来し、その中心を占めたのが自動車だった。電気がなければ、ヘンリー・フォードも自動車生産の仕事を労働者に提供し、何百万ものアメリカ国民にとって手の届く価格の自動車を製造することはできなかった。ガソリンを動力源にするT型フォードが大量生産されたことで、社会の時間的・空間的認識は一変し、何百万もの国民が馬や馬車の代わりに自動車を買いに走った。増大する燃料の需要に応えるため、生まれたばかりの石油産業は探査と採掘を強化し、全米にパイプラインを張りめぐらす一方、生産ラインから出てくる何百万台もの自動車に動力を供給するため、何万カ所ものガソリンスタンドを設置した。コンクリートのハイウェーが広大なアメリカ全土に建設され、やがて両海岸を切れ目なく結ぶ州間高速道路網——世界最大の公共事業プロジェクト——が完成した。これらのハイウェーの建設によって、大量の都市住民が新しく生まれつつあった郊外の住宅地へ移り住むという現象に拍車がかかった。何万キロメートルもの電話線が敷設され、やがてラジオやテレビが導入されたことによって、社会生活のあり方は様変わりする。そして、石油経済と自動車時代の広範囲にわたる活動を管理し、市場で取引するための新たなコミュニケーション網が生まれたのである。

だが昔は昔、今は今だ。アメリカは今日、高度に発展した工業国のなかでは——それどころか多くの発展途上国と比べても——明らかに後れをとっている。世界経済フォーラムの二〇一七年版報告書のインフラ整備ランキングによれば、アメリカは世界第九位で、オランダや日本、フランス、スイス、韓国などの後塵(こうじん)を拝している[8]。コンサルティング大手マッキンゼーの報告書によれば、アメリカが従来型インフラのニーズの増加に対応するためには、二〇一七年から二〇三五年までの間にインフラ投資総額をＧＤＰの〇・五％増やすことが必要だという[9]。

残念なことに、第三次産業革命の新しいデジタルインフラに関していえば、世界におけるアメリカの順位はさらに低くなる。通信速度の遅い固定ブロードバンド・インターネットの普及率ランキングでは、アメリカは世界第一九位に甘んじている[10]。デジタル化された再生可能エネルギー・インターネットや、自動化された移動のインターネットの構築にいたっては、アメリカはまだテーブルにさえついていない状態だ。

第一次および第二次産業革命の際には、アメリカは国、州、郡、市町村の各レベル、そして経済において世界第一級のインフラを構築することに他国には真似できないほどの膨大な力を注いだことを振り返ると、これは悲しい現実である。アメリカが、経済的優先順位を大胆に見直すことに大きく後れをとり、二一世紀の世界から急速に取り残されていることは、日々明らかになりつつある。

第三次産業革命は、ＥＵと中国の両方においてすでに拡大しつつある。ブリュッセルとワシントンＤＣにある私のオフィスはこれまで一〇年間、第三次産業革命のインフラとは何であり、どう形成すべきかという問題に、ＥＵと緊密に連携して取り組んできた。二〇一三年以降は、私たちの北京のオフィスも中国政府指導部と連携して同様の第三次産業革命のロードマップとインフラ設置に取り組んでおり、それは現在、中国の第一三次五カ年計画に組み込まれている。

私はたびたび、「なぜアメリカはＥＵや中国からそんなに後れをとってしまったのか？」と聞かれる。それに答えるために、二〇一二年にバラク・オバマ大統領が再選されたときの選挙戦にさかのぼり、アメリカ国民のインフラに対する頑強な抵抗を物語る、あるエピソードを振り返ってみたい。その年の七月一三日、バージニア州ロアノークでの支持者集会で、オバマは通常の選挙演説の論調から外れ、過去の歴史においてどんな政策がアメリカを世界の導き手にしたかについて語った。一九世紀から二〇世紀にかけて、アメリカの私企業が成功を収めた大きな理由は、「大局的な視点に立ったインフラの転換」に政府が関与したことにあるとして、オバマは次のように支持者に語りかけた。

ある人が成功したとしたら、それはいずれかの時点で誰かがその人を助けてくれたからです。誰の人生にも、どこかに偉大な師の存在があります。私たちを成功に導いてくれたアメリカの驚くべきシステムもまた、誰かの助力があって初めて生まれたもの。誰かが道路や橋に投資してくれたのです。あなたが会社を経営していたとしましょう——でも、**あなたがそれをつくったのではありません**（*You didn't build that*）。誰かがそれを生み出してくれたのです。インターネットも、自らの力でできたわけではない。インターネットは政府の研究によってつくられたものであり、その結果、あらゆる企業がインターネットを利用して金儲けができるようになったのです。[11]

さらにオバマは、連邦政府がさまざまなインフラ・プロジェクトや政府の調査に投資したおかげで、企業は機能し、繁栄できたのだと語った。ところがオバマに挑む共和党候補ミット・ロムニーは、「あなたがそれをつくったのではない」という言い方に噛みついた。そして、オバマは強いアメリカ経済をつくるにあたって、中小企業が果たした役割を過小評価していると批判したのだ。だがオバマは単に、すべての市民が依存し、ビジネス界だけでなく一般国民の福祉にとっても欠かすことのできないインフラと公共サービスに、連邦、州、郡、市町村の政府がどれほど貢献しているかを説明しようとしたにすぎない。

「あなたがそれをつくったのではない」というオバマの発言は瞬時にソーシャルメディアを駆けめぐり、アメリカの経済的成功の物語に中小企業が果たした役割をめぐって、全米に論争の渦が巻き起こった。数日後には、共和党のコメンテーターがこれに対抗するべく「私たちがそれをつくった（We built it）」というフレーズを広め、アメリカの優位性をもたらしたのは大部分が中小企業であって、政府ではないと主張した。"We built it"は共和党陣営で大人気を博したため、タンパで開かれた共和党全国大会のテーマになったほどだった。[12]

「あなたがつくったのではない」というオバマの発言は、高い税金と厳しい規制に苦しみ、自分たちを代表する議員も少なく、アメリカの実体経済を支えてきた貢献も十分認めてもらえない小規模事業主たちの神経にさわったのだ。それですべて説明はつく。しかし、「あなたがつくったのではない」は、それよりもっと大きな不安を直撃するものでもある——すなわち、「大きな政府」が国民の生活に侵入し、個人の自由や自由市場のメカニズムを阻害していると感じている多くのアメリカ人の不安を掻き立てるのだ。ロナルド・レーガン元大統領は一九八〇年の大統領選で、「政府に国民生活への干渉をさせるな」というスローガンを掲げ、まさにこうした心情を広めるのに一役買った。[13]

公平を期すために言えば、ほとんどのアメリカ人は、自分たちが日常生活で依存しているものの多くが、納税者が払う税金や、市町村、州、郡、連邦政府のプログラムによって成り立っていることを理解している。子どもたちが通う学校、自動車を走らせる道路、航空機の運航を管理する航空管制塔、住んでいる場所の気象情報を与えてくれる国立気象局、病人を助ける公立病院、自動車の登録や免許を扱う自動車局、小包や郵便を配達する米国郵便公社、市民生活の安全を守ってくれる消防署や警察署、既決重罪犯を監視下におく刑務所、オフィスや家庭にきれいな水を供給する水道システム、廃棄物の処理と再利用を扱う公衆衛生局などなど。

世論調査によれば、アメリカ国民は——少なくとも理論上は——インフラの改善にかける連邦、州、郡、市町村の予算を、もっと増やすことを支持している。[14] では何にいくら投じるのか、インフラの整備を政府の責任に委ねるのか、市場原理に任せるのかなどの各論については、国民の意見ははるかに多様であり、厳しくもある。

EUの市民の間には、政府と商業活動がバランスのとれたパートナーシップをもつことが重要であるとの認識がある。また、公共インフラおよび公共サービス——市民とビジネス界はともに、日常生活のなかでその恩恵を受けている——を提供するうえで政府が果たす役割についても、深い理解がある。このためヨーロッパの納税者は、国民皆保険から高速鉄道システムにいたる公共サービスによって得られるメリットと引き換えに、高い税金を払うことも厭わないのだ。

これとは対照的に、今日のアメリカ国内を見渡してみると、道路や橋、ダム、公立学校、病院、公共交通にいたるまで、公共インフラは劣悪化し、窮地に陥っている。アメリカ土木学会（ASCE）は四年ごとに、国内インフラの状態を評価する成績表を発表している。評価の対象は鉄道輸送、内陸水路、堤防、港湾、学校、廃水・固形廃棄物処理、危険廃棄物処理、公園、航空、およびエネルギーの各分野に及ぶ。二〇一七年の成績表では、ASCEはアメリカの公共インフラにD＋という、恥ずかしくなるほど低い点をつけた。報告書は、劣化する公共インフラはアメリカ経済にとっての重荷であるばかりか、国民の健康、福祉、安全にとっての脅威となりつつあると指摘する。さらに現在、インフラにかかる経費は資金不足のため半分しか支出されておらず、企業や労働者、家庭に悪影響が及んでいると警告している[15]。

その結果として、道路の劣悪化と走行時間の長期化、橋の崩落、空港での遅延、送電網の老朽化による電力不足、配水システムの不安定化、下水設備をはじめとする公共サービスの機能停止などが生じ、それらすべては「企業が財やサービスを生産し、流通させるコストに上乗せされることになる」。ASCEによれば、「これらのコスト上昇分は、労働者や家庭に転嫁される」。ASCEの推計では、アメリカ国内のインフラの劣化によるコストは、GDPのうち三兆九〇〇〇億ドルを占め、二〇二五年までに七兆ドルの売り上げの損失と二五〇万人分の雇用の喪失を引き起こす。これほど大規模の損失が見込まれることに疑念を抱く向きもあるかもしれないが、ASCEの推計は次の数字を根拠にしている。「インフラの劣化のコストは家計の可処分所得に打撃を与え、アメリカ経済における雇用機会の質と量の両面に多大な影響を及ぼす……二〇一六年から二〇二五年まで、各家計の可処分所得は毎年三四〇〇ドルずつ減少すると予測される[16]」。

ASCEは結論として、アメリカのインフラがB評価を得るためには、二〇一六年から二〇二五年までの一〇年間にわたり、インフラ投資を年間二〇六〇億ドル増やす必要があるとしている。これによって二〇二五年までにインフラ投資は四兆五九〇〇億ドルまで増額されていなければならない。これは現在アメリカがインフラに投資している額を二兆ドルも上回る[17]。

歴史を振り返れば明らかなことだが、国家の活力は、国民の生産性や健康および全般的な福祉を向上させる公共インフラや公共サービスに、人々が進んで所得や富の一定部分を投じるかどうかで測られる。国民にその姿勢がみられなくなったら、それは国家の衰退と崩壊の明らかな兆候だ。「アメリカを再び偉大な国にしよう(メイク・アメリカ・グレイト・アゲイン)」というトランプ大統領のスローガンはかなりの部分、空疎に響く。というのも今日びアメリカ国民の相当部分は、国内インフラの再建や変革を――現世代のみならず、これからの世代の人々のニーズを見越して――後押しし、進んでアメリカの将来にコミットしようという気持ちを失ってしまっているからだ。

仮にアメリカ人は「一文惜しみの百失い」だと主張するとしたら、人々がインフラの重要性を軽視しているということがその論拠になるだろう。インフラの軽視は、短期的には穴だらけの道路や今にも壊れそうな橋、信頼できない公共交通、速度の遅い携帯電話などをもたらすにすぎない。だが長期的には、第三次産業革命のインフラに十分な投資を怠れば、私たち人類と地球にとって、まさに存在に関わる脅威が生じる恐れがある。こうした投資にどんな見返りがあるかについての理解が深まれば、税収をインフラに投じることがもっと容易になるはずだ。二〇一四年にメリーランド大学が、全米製造業者協会の依頼で行った包括的調査の結果がすべてを物語る。この調査によれば、インフラの改善に一ドル投じるごとに、アメリカのGDPは三ドル増加する。[18]さらにマッキンゼーの推定によれば、インフラに投じる予算をGDPのわずか一%増やすだけで、アメリカでは一五〇万人分の雇用が生まれるという。[19]「ああ、悲しいかな」と言うほかない。

インフラは誰が所有するべきか？

若い世代はグリーン・ニューディールを強く求めている。今やアメリカの人口の主要部分を占めるミレニアル世代とZ世代は、グリーン・ニューディールによってアメリカが方向転換し、前に進むことを望んでいる――しかもそこには、単にアメリカ国民一人ひとりの社会的展望と経済的福祉を改善するというだけでなく、気候変動の影響を軽減し、地球上の生命を救う闘いの最前線にアメリカを立たせるという、それよりはるかに重要な課題がある。化石燃料に多くを依存し、終焉に向かいつつある第二次産業革命のインフラから、第三次産業革命のゼロ炭素のスマートインフラへの転換は、グリーン・ニューディールの中核をなすものだ。

インフラの革命は、常に公と民が提携して行われ、政府と産業界、「市民社会」〔伝統的な用法とは異なり、ここでは国家や市場と区別された社団・財団法人や民間非営利団体などの担う活動領域をさす。現代アメリカ政治学を中心に使われている用法〕を結びつける健全な社会的市場経済を必要とする。それにより、あらゆるレベルで公的資本、民間資本、社会資本が適切な割合でミックスされるのである。アメリカでは、一九世紀の第一次産業革命と二〇世紀の第二次産業革命の両方において、公と民の強力で揺るぎないパートナーシップによって新しいインフラの構築と拡大が行われ、国民生活は一変した。

アメリカ国民の間では、第二次産業革命に伴ってニューディール政策が打ち出されたことは知られていても、第一次産業革命にもニューディール政策――もっともそう呼ばれていなかったが——が伴ったことは知られていないかもしれない。一八六二年と一八九〇年に制定されたモリル・ランドグラント法は、アメリカの農業と工業を変革するのに必要な教育と技術を提供することを目的に、全米各州に農科大学を設立するために連邦政府所有の土地を付与するというものだった。これまで一五〇年間に、こうした大学で何百万人もが学んできた。ペンシルベニア州立大学、オハイオ州立大学、ジョージア大学、テキサスA&M大学、アリゾナ大学、カリフォルニア大学をはじめ、各州に存在する土地付与大学で学んだ人は、このモリル法に感謝しなければならない。また、一八四四年にワシントンDCとボルチモアを結んだ全米初の電信線の敷設費用は連邦政府が負担し[20]、一八六二年に制定されたホームステッド法は、公有地二億七〇〇〇万エーカー——アメリカ全土の一割にあたる——を、一六〇万人の市民に無償で与えることを定めたものだった[21]。また同年の太平洋鉄道法では、政府が鉄道債を買い入れたり、鉄道会社に土地を供与することが定められ、これによって大陸横断鉄道のインフラ建設が進められることになった。

一九三〇年代には、フランクリン・ルーズヴェルト大統領がニューディール政策を実施したが、これは一連の新たな経済政策だけではなく、公共事業局（PWA）をはじめ、第二次産業革命のインフラへの転換を促進する大規模な政府プログラムを含むものだった[22]。一九三五年に設立された公共事業促進局（WPA）は数百万人の失業者を雇用し、建物や道路の建設、公有地の管理などの公共事業の仕事を提供した[23]。また一九三三年に設立されたテネシー川流域開発公社（TVA）は、この地域に巨大なダムを建設し、まだ電化されていない農村部のコミュニティに水力発電による安価な電力を供給した[24]。さらに政府の助力によって農村地帯に電力協同組合が設立され、遠隔地に住む何百万人もの国民に電力が供給された。一九五六年に制定された州間高速道路法により、先に述べた州間高速道路網が全米を一つの道路網でつなぎ、都市郊外に住宅地が発展することになった。[25] 一九四四年には復員兵援護法が制定され、第二次世界大戦と朝鮮戦争に従軍した帰還兵およそ八〇〇万人に、無償で高等教育が供与された。そこで得られた知識は、第二次産業革命のインフラ建設を完了させ、新たなビジネスチャンスを生かすのに必要な高レベルの労働力の育成に役立った。[26] 一九三四年に設立された連邦住宅局（ＦＨＡ）は第二次世界大戦後、数百万人の国民が、急速に拡大しつつあった郊外に家を購入することを可能にした（ただしマイノリティは、住宅ローンを確保するうえで差別的待遇を受けることも多かった）。グリーン・ニューディールを成功に導くには、これらと同様の取り組みが必要であることは間違いない。

第一次および第二次産業革命のインフラは、中央集権型でトップダウン型かつ独占的なものとして設計されており、生産規模を拡大することで利益をあげ、それを投資者に還元するために垂直方向に統合される必要があった。その結果、第二次産業革命の終わりの時点では、国際企業番付「フォーチュン５００」の大企業（その大部分はアメリカに本社をおく）の収入は三〇兆ドル、世界のＧＤＰ総額の約三七％に上った。だが、その従業員数は六七七〇万人で、世界の労働力人口三五億人のわずか二％弱にすぎなかった。[27] この数字は、工業化時代の利益がどのように分配されたかを雄弁に物語っている。

だからといって、一九世紀と二〇世紀の二つの産業革命が多くの――とくに欧米諸国の――人々に恩恵をもたらさなかったというわけではない。高度先進国に住む人々の大部分は、産業革命が始まる前の祖先と比べて、はるかに豊かな生活を送れるようになったといえるだろう。だが、貧困の基準とされる一日五ドル五〇セント未満で暮らしている、世界の人口のほぼ半分（四六％）にあたる人々の生活は、その祖先と比べてもせいぜいごくわずかに向上したか、まったく向上していないかのどちらかだといっていい。[28] 一方で、最も豊かな人々は圧倒的な勝利を手にしている。現在、世界の大富豪上位八人が保有する資産は、世界の人口の下位半分、すなわち三五億人のもつ資産の合計額とほぼ同じなのだ。[29]

　反対に、第三次産業革命のインフラは分散型で、オープンかつ透明性が高く、ネットワーク効果を達成できるように設計され、水平方向に展開する。そのため、世界中に広がる地域や地方において、何十億もの人々が互いにバーチャルと現実の両方で、直接関わりあうことができる。しかもそれにかかる固定費はきわめて低く、限界費用はほぼゼロに近い。スマートフォンとインターネット接続さえあれば、誰でも瞬時にビッグデータや、何百万ものビジネスが集合するグローバルネットワークとそのウェブサイトにアクセスできる。

　このように分散型でスマートな第三次産業革命のプラットフォームによって、商業や取引、社会生活へのより親密で包括的な関わりが可能になりつつあることと並行して、グローバリゼーションから「グローカリゼーション」へのシフトも起きている。言いかえれば、個人も企業もコミュニティも、二〇世紀に商業や取引を媒介した多くのグローバル企業を飛び越えて、相互に直接関わりあうようになりつつある。グローカリゼーションは、世界中にネットワーク化された水平方向に広がる協同組合に分散型ネットワーク（ブロックチェーン）でつながった、スマートでハイテクな中小企業

（ＳＭＥ）を多数生み出し、それが社会企業家精神を拡大させる。ひと言でいえば、第三次産業革命は商業と取引を、人類がかつて経験したことのない規模で民主化する可能性をもたらすのである。

　グローバリゼーションからグローカリゼーションへのシフトは、政府と地域コミュニティの関係を変容させつつある。経済と統治（ガバナンス）の責任が、ある意味では国家から地域へと移りつつある。このガバナンスにおける変化は、人間の経済的・社会的生活のあり方が根底から変わる革命の前兆といえよう。

　では、連邦政府にはいったいどんな役割が残されるのか？　連邦政府は、その国のインフラ構築の一部においては重要な役割を果たすものの、その主要な役割は新しい法律や規制、基準、そして第三次産業革命のインフラとゼロ炭素社会への転換を促進するための、税制上の優遇措置やその他の金銭的インセンティブを定めることとなる。連邦政府に代わって、市町村や郡、州がそれぞれ固有のニーズに合わせた目標や成果、そして第三次産業革命のパラダイムへの転換にあたってのグリーン・ニューディール・ロードマップや構築拠点、整備の戦略などを練り上げ、作成する任務を負うことになる。その後は国境を越えて、建物群と構築環境の全域に広がるＩｏＴのプラットフォームの上に形成された、コミュニケーションのインターネット、再生可能エネルギーのインターネット、そして移動のインターネットで構成される統合されたインフラネットワークをつくり上げる。新しい第三次産業革命のインフラには、プラットフォームにつながり、価値連鎖（バリューチェーン）〔財やサービスの生産から消費までのプロセスを、各段階で加わる付加価値の観点からとらえたもの〕やサプライチェーンのいたるところで生まれる可能性のある、高い総合エネルギー効率を活用した新しいビジネスモデルが伴う。

　国家から地域へと政治権力の一部が移行することによって、ガバナンスの性質も変わる。あらゆる政治はその地域(ローカル)に密着したものだが、グローカル時代においては、経済の動向もまた、世界中で相互につながっている各地域に分散される割合が増えていく。「地域への力の付与(エンパワーメント)」——これが、きたるべきグローカル時代の鬨(とき)の声なのだ。

　市場擁護者のなかには、アメリカ全土のインフラの老朽化に早急に取り組む必要があることを認め、第三次産業革命のデジタル化されたスマートインフラの構築についても、その一部を支持する者はいる。だが彼らは、グリーン・ニューディールには反対する。彼らにとってそれは、「大きな政府」による国民の生活や企業の日常業務への介入を増大させるものだからだ。彼らは、連邦政府や州および地方自治体が、大幅な税額控除や補助金によって民間部門にインセンティブを与えるという方法を好む。そうしたインセンティブを手にした民間ディベロッパーが、既存の第二次産業革命のインフラの補強と、第三次産業革命のインフラの構築に進んで資金を投じるはずだというのである。

　アメリカではすでに数十年前からインフラの民営化が加速しており、この国が第二次産業革命から第三次産業革命へと転換しつつあるなか、今や民営化は爆発的に進む一歩手前の状態にある。多くの企業が、インフラの老朽化をめぐる現在進行中の議論を利用して、今後数十年間にその大半を一挙に民営化すべきだという主張につなげようとしている。

　アメリカの全国民が生存し、繁栄するために依存している公共インフラをすべて民営化するなどという考えは見当違いであり、政治的にも賢明ではない。市民一人ひとりの日常生活を、責任のない多様な商業的利益主体の手に委ねることは、民主的なガバナンスと監視を放棄することにほかならない。なぜなら、そうした商業的利益主体について一般市民はほとんどコントロールできないうえに、自分たちの生存を維持するサービスにアクセスしたり、影響を与えることもほぼできないからだ。しかし、それはすでに現実になりつつある——不幸なことにアメリカだけではなく、他の国々でも程度の差はあれ、同様のことが起きている。

さらに不吉なのは、第三次産業革命の要となるデジタル化されたスマートインフラがすべて民営化されたらどうなるか、である。一方では、人類を地球規模の一つの神経系としてつなぎ、誰でも望めば、多様なメンバーから成るグローバルな「家族」の一員として、ほかの誰にでも限界費用ほぼゼロでアクセスできるというのは魅力的だ。とりわけ地球を、自分の家や遊び場の延長としてとらえている若い世代にとっては。だが他方、第三次産業革命のデジタル化されたスマートインフラが、すべてグローバル企業の所有物になったらどうだろう？　その結果、そうした企業が市民の生活を監視することも、収集したデータをマーケティングや宣伝の目的で第三者に売ったり、政党やロビイストに政策推進の目的で売ったりすることも、自由にできるようになるのだ。

私は何でも出てくる魔法の箱のようなグーグルを愛用している。何か調べたいことがあるときには、いつもググっている。けれども、もしグーグルが唯一の検索エンジンで、世界中の誰もが調べ物をするときにグーグルしか使わないとしたらどうだろう？　フェイスブックはすばらしいサービスで、世界の二三億二〇〇〇万人をつなぎ、歴史上かつてなかった規模のバーチャルな集団をつくり上げている。[30] だがもし、フェイスブックが世界中の人々が「出会う」ことのできる唯一のフォーラムだったとしたら、私たち全員、フェイスブックが定めるアクセス基準や、二四時間年中無休の監視体制、そしてアルゴリズムによる統治に従うことになってしまう。アマゾンもしかり。地球全体を網羅するアマゾンのロジスティクス・ネットワークは驚異的だ。だがもしアマゾンが、物品をある場所から別の場所に送ることのできる唯一のキャリアだったとしたら、私たちは皆、その命令に従うことを余儀なくされ、日々の行動を監視されつづけることになる。このような新しいシナリオが現実になる可能性はどのくらいあるのだろうか？　大ありだ。

グーグルの統治とそれへの対抗手段

二〇一七年一〇月、カナダのジャスティン・トルドー首相は、トロント市でグーグルの親会社アルファベットのエリック・シュミット会長（当時）、キャスリーン・ウィン・オンタリオ州首相、ジョン・トーリー・トロント市長らとともに記者会見を開き、アルファベット傘下の都市計画・開発会社サイドウォーク・ラボと同市との官民提携による大規模都市再開発プロジェクトの計画を発表した。[31]

これは同市のオンタリオ湖沿いの地域に、カナダで最初のデジタル技術を駆使したスマートシティを造るというものだ。シームレスなＩｏＴの神経系統のいたるところに最新技術を駆使したセンサーが設置され、これらのセンサーが監視を行うと同時に、家庭や店舗、街頭でのあらゆる活動についてのデータを収集する。その目的は、商業、社会生活、ガバナンスにおける効率と利便性を上げることだ。このモデル地区が成功すれば、その地域を徐々に拡大し、最終的にはトロント都市圏のインフラ全体をデジタル化して、スマートシティのショーケースにすることを目指す。要は、この実験がインターネット最大手グーグルにとって、都市全体のアルゴリズムによる統治という新たなステージに足を踏み入れるチャンスとなるということだ。

二〇〇七年、人類は初めてその過半数が都市生活者になるという節目に達した。しかもその多くは、人口一〇〇〇万人以上の巨大都市とその周辺部に暮らしている。[32]この年、私たち人類は「ホモ・ウルバヌス（都市のヒト）」になったのである。そして一〇年後の今、何十億もの人間がグーグルの検索エンジンを使い、何かの場所や目的地までの行き方をグーグルマップやカーナビアプリのWａｚｅで調べ、ユーチューブで動画を見、そのほか数えきれないほどのグーグルのサービスを利用している。グーグルにとって、次なるフロンティアは同社のセンサー・ネットワークを駆使して都市全体を民営化することにある。

サイドウォーク・ラボがトロント市との新しい提携プロジェクトを発表した記者会見で、シュミット会長はグーグルの参入を受け入れてくれたカナダに感謝すると述べた――「一つの都市をまるごとわれわれの手に委ねてもらう」のが同社の長年の夢だったのだ、と。[33]

一年後、世界一五〇カ国以上で知的財産の商品化を手がけるカナダのリサーチ・イン・モーション社〔二〇一三年にブラックベリーに社名変更〕の元会長／共同ＣＥＯのジム・バルシリーは、カナダ最大の全国紙

「グローブ・アンド・メール」に寄稿し、世界初の民営化されたスマートシティを創造する試みの意義をこう強調した。「『スマートシティ』は大手IT企業にとって新たな戦場となる。なぜなら、それは次なる何兆ドルかの無形資産を生んで企業の時価総額を増やすという、最も大きな可能性を秘めているからだ」。さらにバルシリーによれば、「『スマートシティ』においては、街中に設置された都市センサーの機能的価値を高めるにはIP（インターネットプロトコル）とデータが頼りであり、民間企業の支配下にあるとき、そこには新たに膨大な利益が見込まれる」ことに実質的な商業的価値があるという[34]。

このプロジェクトの公式発表以後、しだいに明らかになったのは、サイドウォーク・ラボがトロント市の承認を望む一方、同市によるスマートシティの構築・管理への積極的な関与あるいは監視を喜ばないということだった。

他方で、サイドウォーク・ラボと、この地域の開発事業体として設立された非営利組織ウォーターフロント・トロントとの協議は秘密裏に行われていた。バルシリーによれば、ウォーターフロント・トロントは「選挙を経ていない公的企業で、IPやデータはおろか、基本的なデジタル著作権についての専門知識ももたずに……都市部の民営化や法人契約による定型的な管理や、規制などといった領域を取り仕切っている」という[35]。二〇一八年末の時点で、サイドウォーク・ラボのスマートシティ構想の見通しは暗かった。一年前の計画発表当初の鳴り物入りの宣伝はすっかり色あせ、市の当局者ばかりか一般市民の間にも疑念が膨らみつつあった。

トルドー首相とトロント市にとっての輝かしい手柄になるはずだったプロジェクトは市民に

とっての悪夢と化し、ウォーターフロント・トロントは人々の冷笑を買うことになった。グーグルの力を借りたスマートな未来都市構想は、アルファベットという「ビッグ・ブラザー」への懸念が募るに伴い、魅力を失った。アルファベットは、トロントのウォーターフロントの一地区を乗っ取ろうとしているのではないか。この地区を先端技術によって二四時間三六五日監視し、そこで収集した市民の日常生活に関するデータを、サイドウォーク・ラボが第三者に商業利用目的で売ろうとしているのではないか、というのである。

二〇一八年七月、当初はサイドウォーク・ラボを支持していたウォーターフロント・トロントの最高責任者ウィル・フレイシグが、突然辞任。その直後、トロント周辺の有力な不動産ディベロッパー、ジュリー・ディ・ロレンツォがウォーターフロント・トロントの役員を辞任、その理由をアルファベットとの提携に賛同できないためだとした。このスマートシティの将来の居住者が、自分たちのデータを知られることに同意しなかったらどうなるのか、とディ・ロレンツォは問うた。「その人たちに『ここには住むな』と言うのですか？」[36]。

テック・リセット・カナダの共同創設者でありテクノロジー政策アドバイザーのビアンカ・ワイリーは、自身を含む多くのトロント市民が、「こうした問題について決定を下すのは民間の業者ではなく、住民に対して説明責任をもつ組織でなければならない」と考えているという。ワイリーは、住民や企業、コミュニティの役に立つ「納得できる監視」を組み込んだスマートインフラには反対しないと明言したうえで、「このインフラが公的なものであることを明確にする必要がある」と指摘する。[37] 二〇一八年一〇月、オンタリオ州の元情報・プライバシー監督官、アン・

カヴキアンが、この事業から身を引くと表明した。サイドウォーク・ラボはスマートシティ開発にあたり、カヴキアンの助けを借りて「プライバシー・バイ・デザイン」〔個人情報を扱うシステムを構築する際、設計段階からプライバシー保護のための方策をつくり込むこと。一九九〇年代にカヴキアンが提唱した〕プロトコルを構築する計画だったことを考えると、この辞任の意味はきわめて大きい。カヴキアンは辞表にこう記している――「私は監視のスマートシティではなく、プライバシーのスマートシティをつくるのだと考えていた」[38]。

サイドウォーク・ラボの専門知識や技術が問題なのではない。同社はデジタル連結された、効率的で持続可能なスマートシティの構築に必要な最高レベルの技術と能力を誇る。問題はそこではなく、ビジネスモデルにある。これは官民提携による事業において、開発業者の主たる経済的関心が潤沢な収益源と利益を確保することにある場合には、共通してみられる問題である。こうした場合、インフラはすべての住民が依存する公益として扱われるべきであり、ゆえに全市民の意思を代表する地方政府の手に委ねるのが最善だとする考え方は、往々にして危険にさらされることになる（第6章では、別のタイプの官民提携によるビジネスモデル――エネルギーサービス企業――をご紹介する。このケースでは、私企業が政府のためにインフラに資金を提供し、構築、管理することで適切な収入源を確保する一方、地方政府はインフラの配備と管理の内容に対するコントロールを維持し、市民が与えられた公共サービスによって恩恵を得るという構図が成立している）。

二〇一七年の記者会見から間もないころ、私は首都オタワで政府高官たちと会い、連邦政府の既存の建物群をデジタル化されたゼロ炭素のＩｏＴ環境に転換するビジョンについて協議していた。あるミーティングで、一人の次官がトロントのスマートシティ計画について意見を求めてきた。何も驚くことはない、と私は答えた――私たちのグローバルチームがこれまでに第三次産業革命のスマートインフラ構築に関わった七つの地域ではすべて、住民の声は明白だった。市民は、企業がスマートな街づくりに力を貸すことを歓迎し、プラットフォームの構築と管理に企業が関わることにも反対しない。だがその一方で、全体の監視や意思決定の権限は、行政機関および住民に委ねられるべきだというのである。そのうえで、第三次産業革命のデジタルインフラは公的なオープンソース・コモンズとして統治され、アクセスできるものでなければならない。さらにすべての事例において、いつ、どんなサービスにも無条件で参加したりやめたりできる権利が、すべての市民に保障されなければならない、というのが住民たちの合意だった。

スマートな都市あるいは地域への転換のあらゆるステップにおいて、市民の関与を確実にするにはどうすべきか？　それは、計画から実際のインフラ整備にいたるプロセスのあらゆる段階に、「深い市民参加」を組み込むことだ。これはトロントのスマートシティ計画の失敗から学ぶべき重要な教訓である。

この点では、私たちのチームのEUでの経験が役立つのではないかと思う。現在、ヨーロッパの三つのテスト地域で包括的な第三次産業革命のロードマップを作成し、二〇年計画でグリーンインフラの建設プロジェクトが進行している。それに先立つ四つの地域での経験から明らかになったのは、それらの地域で用いていた従来のモデルでは不適切だということだった。意思決定プロセスと統治のあり方は、整備されるインフラ――分散型でオープン、水平方向に展開する

——に適合するものでなければならないのだ。

　これらのなかで最初にスタートした地域であるフランスのオー・ド・フランス地方（旧ノール・パ・ド・カレー地方）が、私が代表を務めるＴＩＲコンサルティング・グループに、ゼロ炭素の第三次産業革命のインフラ整備計画を作成してほしいと言ってきたとき、私たちは当初その依頼を断った。フランス最北端のオー・ド・フランス地方はかつての炭鉱業が衰退した、いわゆるラストベルトで、フランス本土の人口の九％以上がここで暮らしている。だがその後、私はこの地域圏の知事に、地方政府は従来のような「最高決定者」ではなく、水平方向に分散する共同統治の「ファシリテーター〔中立的な立場で議論を円滑に進める進行役〕」の役割を担うべきだと提言した。この共同統治は、一次的な委員会のメンバーである数百人の個人と、二次的な非公式のネットワークでつながる数千人の個人（公共部門、企業部門、市民社会および学界から参加し、「ピア・アセンブリー〔平等な権限をもつ討議集合体〕」で協力して活動する）で構成される。

　私たちが明確にしたかったのは、ただ単にフォーカスグループ〔特定の政策課題について討議するために選ばれた少数の住民代表〕や利害関係者グループにアイデアや提言、同意を求めるだけではないということだ。そうではなく、あらゆる年代の住民で構成されるピア・アセンブリーこそが重要であると。将来どの政党が権力を握ろうと、向こう二〇年間にわたってそのピア・アセンブリーが活動しつづけることで、一貫性と連帯を維持することができ、それがインフラ転換の長期的な成功を確実にすると、私たちは主張した。このまったく新しい統治方式にオー・ド・フランス当局の合意が得られたので、私たちは共同プロジェクトを開始した。

この地域はその後、加盟二八カ国、三五〇地域の代表によって構成されるEU地域委員会から、誰もがうらやむヨーロッパ起業地域賞を授与された。計画の開始から六年目の現在、一〇〇〇以上のプロジェクトが進行中で、そこでは数千人の市民が雇用されている。[39] 今やオー・ド・フランスは、ピア・アセンブリーによって経済的・政治的活性化を実現するという、新しいアプローチのモデルケースとなっている。

同様のピア・アセンブリーは、このほか二つのテスト地域でも設置されている。一つは二三の都市を含むオランダのロッテルダム・デン・ハーグ大都市圏で、ここには巨大な石油化学コンビナートが展開している。もう一つはEUの主要な金融と政治の中心地、ルクセンブルクである。

これらのピア・アセンブリーによる統治モデルは、その地域のインフラ配備をより迅速にするだけでなく、長期にわたってインフラ構築に対する住民の結束が維持されるため、住民の反発が起きることもほとんどない。世界の他の地域や地区でも、小規模なピア・アセンブリーの実験的試みがなされているが、それらは期間も短く特定のプロジェクトに限られたもので、右で紹介した三つのテスト地域は――私たちの知るかぎり――現在進行中の大規模なピア・アセンブリーによるプロジェクトとしてはほかにないものだ。

ドイツのアンゲラ・メルケル首相が就任して間もないころ、私はベルリンに招かれ、新しいビジネスチャンスをどのように奨励し、新しい雇用を創出するかについて提言を求められた。私は第三次産業革命のインフラが分散型でオープンな、水平方向に展開する構造であることを説明したうえで、そうした特徴こそ、その地域や地区が個々の特殊な環境に合わせてインフラをカスタマイズし、他の地域とデジタル連結するのに最も好都合であることを強調した。メルケル首相が、ドイツにもぜひそういうインフラがほしいと言うので、私はその理由を尋ねた。すると首相はこう答えた。「ドイツの歴史についてもう少し知る必要がありますね。わが国は地域の連合体で、それぞれの地域は経済問題でも統治でも大きな独立性をもっている。第三次産業革命の統治モデルは、そういうドイツのあり方に適合します。経済的な意思決定プロセスも行政監督も、地域レベルにとどめることができるからです」。

同様に、アメリカの州や郡、市町村も、第三次産業革命のカスタマイズされたインフラの構築にあたって、ピア・アセンブリー・モデルを採用するのに適している。ドイツと同じくアメリカも連邦共和国であり、政治権力と経済活動の大部分は、伝統的に州や郡、市町村レベルの管轄区域に委ねられてきた。一方、連邦政府の役割は、国民が共有する物語（ナラティブ）を表象するとともに擁護し、ナショナル・アイデンティティを提供し、国家の安全保障を確保すること、そして全国の地方自治体や州の足並みがそろうように法律や条例、規則、インセンティブをつくることにあるとされる。

グリーン・ニューディールのインフラ転換においては、連邦政府がその立案に重要な役割を果たす一方、グリーンなインフラを整備する困難な作業の大部分は、州や郡、市町村に任されることになる。それが新たに出現しつつある、水平方向に分散化したグローカル時代にふさわしい形なのだ。

第2章
パワー・トゥ・ザ・ピープル——太陽と風は無料だ

歴史の分岐点ともいえる今日、私たち人類はどこに立っているのだろうか。人類は自らつくり上げた化石燃料文明によって、二世紀以上にわたり繁栄を享受してきた。だが今や、とてつもない代償に直面している——地球は気候変動によって引き起こされる異常気象に見舞われ、私たちの理解を超えた新たな現実を突きつけられている。

人類はかつてない大いなる「気づき」を経験しつつある。自分たちを一つの「種」と見なし、自然のリズムやパターンがこれまでとは異質なものになりつつあるこの地球上で、どんな共通の運命をたどるのかについて考えはじめているのだ。

若い世代は、自分たちのまわりに広がる暗闇への切迫感と、人類を地球の危機の崖っぷちにまで追い込んだ年長の世代の無気力を打破する確固とした決意をもって、立ち上がっている。怒りに燃え、決意とモチベーションをもった彼らは、あれやこれやできない理由を並べたり、現実的にならなければと主張する人たちには耳を貸さない——この先なすべき大仕事にとって、「現実的」であることがどれほど非現実的で不十分かは明白なのだから。

とはいえ、私たちはなんの可能性も残されていない真っ暗闇にいるわけではない。前に進む道はある。EUや中国のいたるところで、そしてアメリカでもカリフォルニア、ニューヨーク、テキサス、ワシントン、ニューメキシコ、ハワイの各州やその他の地域では、死へといたる第二次産業革命から脱却して、生命を肯定する第三次産業革命へと進むための新しい道がすでに敷かれている。

EUの政治活動家がグリーン・ニューディールをスタートさせるまで

現在アメリカでグリーン・ニューディールをめぐる熱狂が高まっていることは、私にとって二〇〇七年を思い起こさせるうれしい話だ。アレクサンドリア・オカシオ＝コルテスと「サンライズ・ムーブメント」のメンバーが、あたかも「平手打ち」を食らわすように差し迫った現実を人々に突きつけたわけだが、そうした切迫感がEU全域に広がったのは一〇年以上も前のことだった。

当時のEUは前に向かって進んでいた。二〇〇七年の時点で、ヨーロッパは脱炭素社会への転換のための「アイデア工場」としても、それを推進する原動力としても、アメリカの先を行く存在となっていた。その年、EUはエコロジカル時代の実現に向けて、加盟国にそれまでの行き方の大転換を義務づける20‐20‐20方式の最終決定段階に入っていた。これはすべての加盟国に、二〇二〇年までにエネルギー効率を二〇％高め、温室効果ガスの排出を一九九〇年対比で二〇％

削減するとともに、再生可能エネルギーによる発電量を二〇％にまで増大することを義務づけるものだった。これが実現すれば、EUは世界で初めて法的拘束力のある公的な気候変動対策への取り組みを確立し、数億人の市民の生活と経済を転換する主要な政治勢力となる。[1] EUでのこの大変革の動きと、その後何が起きたかに関しては、本書であらためて検証する。

この20・20・20方式はきわめて大きな影響力をもち、ヨーロッパがゼロ炭素社会へと転換するのに必要な枠組みを提供するものだった。まだ地球温暖化への新たな取り組みが始まったばかりのこの時期、グリーン・ニューディール運動の萌芽が生まれた。長年気候変動関連の運動に関わってきた九人の活動家がイギリスに集結し、グリーン・ニューディール・グループと呼ばれるグループを結成したのだ。[2] エネルギー、金融、ジャーナリズム、環境科学など幅広い分野の専門家で構成されたこのグループは、まさに気候変動に直面した世界が経済のパラダイムを転換するのに必要な学際的な集団だった。

二〇〇八年、グリーン・ニューディール・グループは『グリーン・ニューディール――信用危機、気候変動、原油価格高騰の三大危機を解決するための政策集』と題する、四八ページに及ぶ報告書を発表した。[3] そこにはその年、新しく決定された20・20・20方式に盛り込まれた中心的なテーマと、ゼロ炭素の第三次産業革命へのパラダイムシフトを構成する主要な要素の概略が含まれていた。

ヨーロッパに拠点をおくグループが、ヨーロッパ経済をグリーンな時代に向けて転換するための着想をアメリカ最大の公共事業プロジェクトであるルーズヴェルト大統領のニューディール政策から得たのは、たしかに少々皮肉ともいえる。だが、グリーン・ニューディールが立脚するのはまさにそこなのだ。

それからわずか一年後の二〇〇九年、ドイツ緑の党のシンクタンクであるハインリッヒ・ベル財団が、「大西洋グリーン・ニューディールに向けて――気候と経済の危機への取り組み」と題するマニフェストを発表した。バラク・オバマがアメリカ大統領に当選したことに勇気づけられたわれらがEUの友人たちは、アメリカとEUが「世界経済の大きなシェア」を占めるとの認識から、グリーン・ニューディールによってアメリカとEUが、ポスト炭素社会への転換を推進する強力な大西洋パートナーシップで結ばれることを期待した。[4] 同年一一月、ハインリッヒ・ベル財団はベルリンで会議を開き、数週間後にコペンハーゲンで開催される国連気候変動枠組条約第一五回締約国会議（COP15）において、グリーン・ニューディールを包括的な物語（ナラティブ）と行動計画にする可能性について話し合った。[5]

同じ二〇〇九年、欧州緑の党はグリーン・ニューディールを同党の政治綱領にすることとし、「ヨーロッパのグリーン・ニューディール――危機を目の前にしたグリーン現代化に向けて」と題する詳細な計画を発表した。[6] この年に行われた欧州議会選挙で、欧州緑の党はこの計画を同党の政策戦略として採用し、クロード・テュルメやダニエル・コーン＝ベンディット〔フランス語読みでコーン＝バンディ〕らEUにおける緑の勢力の指導者たちによって支持された。この二人は、私が長年緊密に連携しながら仕事をしてきた仲間である。

その年には国連環境計画（UNEP）も、環境資源経済学者エドワード・バービア著による

『なぜグローバル・グリーン・ニューディールなのか――グリーンな世界経済へ向けて』（明石秀之・南部和香訳　新泉社、二〇一三年）と題する報告書を発表し、論戦に加わった。[7] この報告書はグリーン・ニューディールという新しい物語（ナラティブ）を国連のさまざまな機関や部署に浸透させ、世界各国に急速に広めることによって、新しいプレーヤーの参入を促すことに貢献した。

さらに同年、韓国もまた独自のグリーン・ニューディール政策を打ち出すことで仲間入りした。これは四年間に三六〇億ドルを投じて低炭素プロジェクトを立ち上げ、建設、鉄道、高エネルギー効率車、建物改修、省エネルギーなどの分野で九六万人の雇用を創出するというものである。[8]

二〇一一年、私は著名なスペインの建築家エンリク・ルイス・ゲリとの共著『グリーン・ニューディール――地政学からバイオスフィア政治へ（*A Green New Deal: From Geopolitics to Biosphere Politics*）』を出版した。これは、気候変動が進行する世界において建築物や構築環境をどのようにグリーンにするかに焦点をあてた本である。[9]

その数年後、「欧州連邦主義運動」が、「ニューディール・フォー・ヨーロッパ――持続可能な開発と雇用のための欧州特別計画キャンペーン」と題する請願書を作成し、これをもとに二〇一五年、ゼロ炭素グリーン経済への転換に対する支持を拡大するためのヨーロッパ全域における市民計画をスタートさせた。グリーン・ニューディールの物語（ナラティブ）はその後も勢いを増しつづけ、二〇一九年の欧州議会選挙では主要テーマの一つになった。

一方、アメリカにおいては、「グリーン・ニューディール」はアメリカ緑の党の別称となり、二〇一六年の大統領選に立候補した同党のジル・スタインは選挙戦で「グリーン・ニューディール」という言葉を積極的に使った。[11]

アメリカの左派シンクタンクのデータ・フォー・プログレスは二〇一八年、「グリーン・ニューディール——環境持続可能性と経済の安定性のための進歩的展望」と題する包括的レポートを発表した。[12] そして二〇一八年秋、誕生したばかりの「サンライズ・ムーブメント」とアレクサンドリア・オカシオ＝コルテス下院議員もグリーン・ニューディールへの取り組みを宣言することによって、仲間入りしたのである。[13]

こうしてみてくると、グリーン・ニューディール運動の土台は一〇年という期間に築かれたことがわかる。そしてこの運動は今や、ＥＵとアメリカ双方で、ミレニアル世代とＺ世代に牽引された新たな力強い革新的政治勢力が台頭してきたことによって、実を結びつつある。

前述したとおり、グリーン・ニューディールへの移行の中心となるのは、第二次産業革命のインフラを構成する四つの部門——ＩＣＴ／通信、エネルギーと電力、内燃機関による移動／ロジスティクス、居住用、商業用、工業用および公共機関の建物群——である。過去一〇年間に、この四つのインフラ部門のすべてで化石燃料文明からの脱却が始まり、自然エネルギーやクリーンテクノロジー、持続可能な効率性、そしてそれらに伴うエコロジカルな社会の主要な特徴としての循環性と強靭性（レジリエンス）のプロセスとの結びつきを強めつつある——その結果、いたるところで化石燃料関連部門が座礁資産化している。二〇一五年、シティグループは、もし同年一二月にパリで開催される国連気候変動枠組条約第二一回締約国会議（ＣＯＰ21）で、世界各国に気温上昇を二℃

未満に抑えることを義務づけることに成功した場合、一〇〇兆ドルの化石燃料関連資産が座礁資産となると予測して、エネルギー産業とグローバル経済に衝撃を与えた[14]。

一〇〇兆ドルの座礁資産という指摘は、世界のビジネス界の注目を集めた。座礁資産とは、想定される寿命を終える前に大きく価値が下がる資産のことだ。座礁資産は日常的な通常の市場操作でも生じるが、ある種類の資産全体が突然、予想に反して座礁資産となる場合がたまにある。そうしたことが起きるのは一般に、革新的な技術とそれに伴うインフラのプラットフォームが突然市場に参入し、ジョゼフ・シュンペーターの言う「創造的破壊」が生じたときである。これによって既存の資産の価値はたちまちのうちに下がり、賃借対照表の資産の部から負債の部へと移動する。この種の急激な変化は、通信技術やエネルギー源、移動手段、居住環境などに大きなパラダイムシフトが起きた結果である場合が多い――たとえば郵便によるコミュニケーションから電話へ、馬や馬車から自動車へなど。

通常、座礁資産に関心をもつのは会計担当者だけなのだが、近年、この語は突如として一般の人々の間で取り沙汰されるようになった――とりわけ金融界や企業の役員室において、企業の経営陣が消えつつある化石燃料文明のエネルギー、技術、インフラと、新たに生まれつつある自然エネルギーとそれに伴う二一世紀の第三次産業革命のデジタル技術とが繰り広げる壮大な闘いを目の当たりにしたときに。

座礁資産が、産業界やサプライチェーンの各所でたどるプロセスやその影響について検証した初期の先駆的研究の多くは、オクスフォード大学の学際的拠点であるスミス企業・環境スクール

——なかでもオクスフォード持続可能金融プログラムを率いるベン・カルデコット——によってなされている。

シティグループが一〇〇兆ドルの爆弾を落としてからほどなく、イングランド銀行のマーク・カーニー総裁はロイズ・オブ・ロンドンで開かれた夕食会でスピーチし、業界のリーダーたちにこう警告した。世界の国々が合意した温室効果ガスの排出目標によって、大量の石油、天然ガスの埋蔵資源が「文字どおり燃やせなくなり」、化石燃料文明の全体にわたって座礁資産が生じるため、投資家は「膨大な損失」を被る可能性があると。「気候変動が金融の安定にとって決定的な問題となった時点では、もう遅すぎるかもしれない」[15]。

三年後の二〇一八年、化石燃料関連部門の座礁資産化問題は、もはや国家間で合意した排出目標——この時点では強制力はなく、守られないこともしばしばだった——と関連づけられることはなくなった。今やそれより重大な問題は、太陽光・風力発電のコストが大幅に低下したことで、第二次産業革命の主要な四部門が、ほんの数年前には考えられなかったようなスピードで化石燃料インフラから脱却していることだ。これにより、座礁資産化する化石燃料は何兆ドルにも上る可能性がある。現時点で起きている大転換とは、まさにこのことである。

ICTとコミュニケーションのインターネット

グローバル経済のどの部門が最も多くのエネルギーを使い、最も多く温室効果ガスを排出するかと聞かれたら、たいがいの人は電気、建築と熱産生、輸送などをあげ、少し考えてから農業を付け加えるかもしれない。通信やインターネット、データセンターなどを含むICT部門をあげる人はまずいない。それどころかエネルギー利用や温室効果ガス排出について監視している研究者でさえ、ICT関連業界にほとんど注目していないことは、少なくともごく最近まで研究の数がきわめて少なかったことが証明している。

しかし、現在ではタブレットやスマートフォンをはじめとするICT機器の利用が指数関数的に増え、ネットワーク設備の導入やデータセンター、IoTにおいて何十億個ものセンサーが設置されており、生み出され、保存され、送られるデータの量は増加の一途をたどり、同時にその過程で使われる電気の量も増加している。

二〇一八年に行われた温室効果ガスの排出量についての調査によれば、「もしなんの抑制もされなければ、ICTによる温室効果ガスの排出が全体に占める割合は二〇〇七年の約一〜一・六％から、二〇四〇年には二〇一六年の全排出量の一四％を上回る可能性がある。これは、現在の輸送部門全体の排出量の半分に相当する」[16]。

この予測には、電子機器の製造プロセスで使われるエネルギーとCO_2排出量は——本来は含まれるべきだが——含まれていない。また、利益追求が最優先であり、とくにスマートフォンやタブレットの場合は二年ごとに新世代のモデルを発表しなければならない業界において、これらの機器の寿命がきわめて短いことも含まれていない。これらの機器の製造プロセスで排出される温室効果ガスは、その機器の寿命期間中（ライフサイクル）「製造から使用、廃棄の全プロセス」に毎年発生するカーボン・フットプリント〔ライフサイクル中に排出する温室効果ガスをCO_2換算したもの〕の八五～九五％にもあたる。[17] さらにＩＣＴのサプライチェーンにまでさかのぼれば、この予測には、こうした機器に使われるレアアースを採掘して加工し、埋め込むまでのプロセスで使われるエネルギーや発生する温室効果ガスは含まれていない。また、文字どおり何十億個ものデジタル機器を廃棄するのにかかるエネルギーと、排出される温室効果ガスも含まれていない。

　スマートフォンやタブレットはエネルギーを大量に使用し、しかもその量は急カーブを描いて増加しているものの、最も多くのエネルギーを消費し、最も多く温室効果ガスを排出しているのはＩＣＴインフラである。その割合は、ＩＣＴ全体のカーボン・フットプリントの七〇％を占める。なかでも大きな原因となっているのはデータセンターの急激な増加であり、二〇二〇年にはデータセンターは世界の消費電力の四％、ＩＣＴ全体のカーボン・フットプリントの四五％を占めることが予測されている。[18] こうしたことを踏まえると、グリーン・ニューディール計画の策定にあたっては、ＩＣＴ部門の脱炭素化にしっかり注意を払うことが必要だといえる。

　アップル、グーグル、フェイスブックなど世界の巨大インターネット企業は、化石燃料からの脱却とＩＣＴ部門における自然エネルギーへの再投資を先導している。二〇一八年四月、アップルは世界各地にある同社のすべてのデータセンターで使用する電力を再生可能エネルギーで賄(まかな)うと発表した。さらに同社は、世界各地の主要な製造パートナー二三社も、アップル製品の生産を一〇〇％自然エネルギーで行うことに同意したと発表した。同社のＣＥＯティム・クックは次のように述べた。「わが社の製品に使われている材料、そのリサイクル方法、わが社の施設、そして原材料供給業者との取引において、できることの限界を今後も押し広げ、創造的かつ未来志向の新しい再生可能エネルギー源を確立するつもりだ。なぜなら、未来がそれに依存していることは明らかだからです」[19]。グーグルは二〇一七年に、自社のデータセンターで使われる電力を一〇〇%再生可能エネルギー化した。現在は二〇の再生可能エネルギー・プロジェクトを推進しており、再生可能エネルギー・インフラへの投資は総額三五億ドルに上る[20]。二〇一七年七月、フェイスブックは今後新設する「すべての」データセンターの電力を一〇〇%再生可能エネルギーで賄うと発表した[21]。

このように巨大インターネット企業は化石燃料文明からの脱却の先頭に立っているが、他の主要なICTおよび通信企業も負けてはいない。マイクロソフトのデータセンターは二〇一八年時点で、使用電力を五〇%再生可能エネルギーで賄っており、二〇二三年までには一〇〇%になる予定だ[22]。AT&T、インテル、シスコなどの企業もその事業運営における再生可能エネルギーの割合を急速に増やしつつある[23]。

太陽光・風力発電が石炭より安くなり、石油や天然ガスと同等にまで下がったこと、そして数年後にはそれよりはるかに安くなり、太陽光と風力発電の限界費用がほぼゼロに近くなることを考えると、化石燃料から脱却して再生可能エネルギーに再投資するという選択は、きわめて賢明な判断だといえる。さらには、万が一送電網（グリッド）や送電線が破壊された場合（異常気象やサイバーテロによる可能性が高い）、データセンターをはじめとするデリケートな業務の安全が脅かされるという問題があるが、これらの企業のデータセンターやその他の施設はオフグリッド（既存送電網から独立）であるため安全性は確保される。

再生可能エネルギーのインターネット

ほとんどの政府指導者、ビジネス界の大部分、そして一般市民の大多数が気づかないうちに、太陽光・風力発電のコストは――コンピューター業界がかつてそうであったように――激減した。ペンシルベニア大学で世界初の電子コンピューターＥＮＩＡＣが開発されたのは一九四五年のことだった。[24] 当時のＩＢＭ社長トーマス・ワトソンは、世界のコンピューター需要は、そのコストの高さからいって五台止まりだろうと予言したとされる。その当時、一九七〇年代にインテルのエンジニアたちが、二年ごとに集積回路の構成要素を二倍に増やし、コンピューターチップのコストを指数関数的に押し下げることになるとは、誰も予想していなかったのだ。今日、スマート機器が手頃な価格で手に入るようになったおかげで、今や世界の四〇億の人々がインターネットに接続している。[25]

同じことが太陽光発電にも起きている。一九七七年には、太陽光発電パネルに使われる光起電素子のコストは一ワットあたり七六ドルだったが、現在では五〇セント以下にまで低下している。[26] 現在、電力会社は太陽光発電による電気の長期間の買取契約を、一キロワット時あたり二・四二セントという低価格で結んでいる。[27] また、二〇一九年に国際再生可能エネルギー機関（ＩＲＥＮＡ）が発表した報告書によれば、陸上風力発電のコストは一キロワット時あたり三～四セントにまで下がっている。[28] 新しい自然エネルギーの発電コストはこのように急激に下がっており、その終着点はまだみえていない。[29]

太陽光・風力発電による限界費用ほぼゼロの電力が社会に与える影響は、これらのエネルギー源がもつ膨大なポテンシャルを考えたとき、ますます顕著になる。太陽から地球へは、八八分ごとに地球に四七〇エクサジュール（エクサジュールは一ジュールの10の18乗倍）のエネルギーが降り注いでいる。これは人類が一年間に使うエネルギーに相当する　もし地球に到達する太陽エネルギーの〇・一％をとらえられれば、現在地球全体の経済が使っているエネルギーの六倍のエネルギーが得られることになる。[30] 太陽光と同様、風もいたるところにあり、強さと頻度に違いはあるが、世界中どこにでも吹いている。スタンフォード大学で行われた研究では、もし世界中で吹いている風の二〇％をとらえることができれば、現在、世界経済全体を動かすのに使われている電力の七倍の電気を発電できることがわかった。[31]

スタンフォード大学とカリフォルニア大学バークレー校の研究者が行い、二〇一七年に学術雑誌「ジュール」に発表された詳細にわたる研究によれば、アメリカは必要とするエネルギーのほぼ一〇〇％を再生可能エネルギーで賄う潜在的能力があるという――その割合は太陽光五七・二八％、風力三八・四一％で、残りの約四％は水力、波力、地熱による。[32]

アメリカには三〇〇〇社以上の電力会社があり、そのうち二〇〇〇社は公営事業者（ＰＯＵ）、一八七社が民間事業者（ＩＯＵ）、八七六社が協同組合事業者、九社が連邦所有事業者、そして数百社の電力再販事業者があり、一億五一〇〇万の消費主体に電力を供給している。[33]

ＥＵと中国の両方で電力部門の化石燃料からの脱却が始まっていることは周知のとおりだが、アメリカの大部分の地域では、まだその歩みはごくわずかなものだ。再生可能エネルギーのインターネットは五つの基本となる柱から構成されており、システム全体が効率的に動くためには、この五つが同時に実施されることが必要である。

第一に、建造物を改装・改良してエネルギー効率を高めること。そうすることで、太陽光発電設備を設置すればすぐに利用できるし、余った電気を電力会社に送電することも可能になる。第二に、化石燃料と原子力に代わって太陽光と風力、その他の再生可能エネルギーによる電力を導入するうえでの野心的な目標を設定すること。この目標を達成するには、建造物や敷地をマイクロ発電施設に転換するためのインセンティブの導入が必要となる。第三に、バッテリー、水素燃料電池、揚水装置など、電気を貯蔵するための装置を地域の発電所や送電網（グリッド）に組み込むこと。それによって、間欠的な自然エネルギーの流れを管理し、ピークとベースロードの安定化を図ることができる。第四に、すべての建造物に先進的なメーターその他のデジタル装置を設置し、送電網を現在のサーボ機構（自動制御装置）からデジタル接続に転換すること。これにより、地域内の複数の場所で発電された自然エネルギーによる電気を、送電網に流すことが可能になる。こうした分散型のスマートインフラが設置されれば、これまで受動的だった電気の消費者が、自ら自然エネルギーを積極的に管理できるようになる。第五に、駐車場に充電スタンドを併設し、電気自動車のユーザーが新しいエネルギーのインターネットから電気を確保できるようにすること。また、エネルギーのインターネットに接続した何百万台もの電気自動車は、需要のピーク時（電気価格が高くなったとき）に電気を逆方向に送電網に送り、オーナーはその分の支払いを受けることができる。

こうしたスマートグリッドを全国に設置すれば、エネルギーのインターネットの屋台骨が築かれることになる。電力研究所（ＥＰＲＩ）〔カリフォルニア州パロアルトにある非営利機関〕は、全国に設置されるスマートグリッドを次のように定義している。

今日の電力システムは……おおむね、大規模な中央の発電所と地域の配電システムが高圧ネットワークによって結ばれ、そこから家庭や企業、工場などに電気が送られるように構成されている。今日の電力システムにおいては、電気は機械制御によってほぼ一方向に流れる。……スマートグリッドも、大規模な中央の発電施設に依存はするが、それ以外に相当数の電気エネルギー貯蔵施設や再生可能エネルギー発電施設を含む。これらはともに基幹電力系統レベルの性能をもち、いたるところに配置されている。さらにスマートグリッドは、こうした分散したエネルギー源だけでなく、電気自動車、エネルギー管理への消費者の直接参加、そして効率的なコミュニケーション機器などにも対応できるよう、センサー能力と制御能力が大幅に強化されている。スマートグリッドはサイバーセキュリティ面でも強化されるとともに、無数の接続点（ノード）から成るきわめて複雑なシステムが長期間にわたって運転できることも保証されている。[34]

今から八年前の二〇一一年、ＥＰＲＩは、アメリカ国内に貯蔵施設を伴うスマートグリッドを建設するには、二〇年の期間と四七六〇億ドル以上のコストがかかるが、これによって総額で一兆三〇〇〇億ドルから二兆ドルの経済効果が得られると予測した。ＥＰＲＩはまた、アメリカ国内にスマートグリッドを建設することで、温室効果ガスの排出量を二〇〇五年の排出量から五八％削減できるとも予測した。[35]

だが、この研究が行われたのは電力部門で化石燃料から再生可能エネルギーへの転換が始まったごく初期、電気事業や輸送、建築部門が化石燃料から脱却しはじめたばかりの時期にあたる。また二〇一一年当時、電気自動車は初期の段階にあり、ＩｏＴはまだ構想にすぎず、デジタル化されたスマートインフラによって、すべてのモノとすべての人をつなぐという具体的な形として社会に展開していなかった。さらにその当時は、アメリカの居住用、商業用、工業用および公共の建造物の暖房を、天然ガスや石油からオール電気に移行することについても、まだ議論さえ始まっていない段階だった。

こうした状況の変化によって、経済・社会生活に動力を供給する電気への需要が、飛躍的に増大することは必至である。さらにそれによって全国いたるところに張りめぐらされた送電網（グリッド）へ送られ、またそこから送り出される、再生可能エネルギーによって発電された電気を管理することには、かつてない複雑さが必要になる。これらの変化が起きているスピードからみると、少なくともエネルギーのインターネットの骨組みはＥＰＲＩが予測した二〇年ではなく、一〇年以内に構築する必要がある。そうしなければ、向こう一〇年間に増加する電気の使用量によって生じる需要に対応することができない。それができなければグリーン・ニューディールへの転換に支障をきたすばかりか、それが妨げられてしまう恐れさえある。もしそんなことになれば、アメリカは一・五℃以上の気温上昇を回避するためにＩＰＣＣが設定した期限に間に合うように、脱炭素化を目標どおり達成することは不可能になる。

さらに、全国に送電網（グリッド）を構築する必要性が高まるとともに、その構成要素とサービスをすべて統合することの複雑性が増していることから、スマートグリッドシステムをオンライン化し、全米津々浦々で途切れなく運転するために必要なコストは高くなる。

たとえば二〇一九年にエネルギー・電力分野を専門とする大手コンサルティング会社ブラトル・グループが発表した新しい研究結果によれば、スマートグリッドの「送電インフラ」を構築し、スケールアップするだけでも、二〇二一年から二〇五〇年までに年間四〇〇億ドル以上のコストがかかるという。また、二〇一六年に国立再生可能エネルギー研究所（ＮＲＥＬ）が行った研究によれば、たとえ国内の「適切な」建物すべてに太陽光パネルを設置したとしても、それによって供給できるのは現在のアメリカ全体における電力需要の四〇％にすぎないという。[36] その需要を満たすには、太陽や風が豊富なアメリカの西半分にある人口が少ない地域で実用規模の太陽光・風力発電を行い、その電力を東半分の都市部に送る必要があり、それには全米に高圧送電網システムを構築しなければならない。ブラトル・グループによれば、この送電インフラへの投資は、「送電網が頑丈かつ柔軟性があり、高い信頼性を維持することができ、エネルギー危機に対する強靭性（レジリエンス）をもつものにするために」不可欠であるという。[37]

それ以外の研究でも、スマートグリッドのさまざまな部分についてのコストを予測している。現時点でのこれらの研究結果は、全米の送電網が化石燃料ベースの中央集権型システムから、太陽光・風力発電による分散型のシステムに移行しつつあるスピードに基づいて出された、最も信頼できる予測のシナリオだ。分散型のシステムでは、数百万カ所もの太陽光と風力の発電施設から、高度にデジタル化されたスマートグリッドに電気が送られることになる。したがって連邦、州、郡、市町村の各レベルですべての利害関係者を集め、さまざまな電力インフラの構成要素のうちで何を優先するか、それにかかるコスト、そして二〇年という期間にそれらをどうやって全国レベルで稼働するシステムへと統合するかについて調整を行うプロセスを開始しなければならない。

再生可能エネルギーのインターネットのプラットフォームを構成する五つの柱を導入し、統合することで、送電網(グリッド)は中央集権型から分散型へ、発電は化石燃料と原子力から再生可能エネルギーへと転換できる。新しいシステムにおいては、あらゆる企業、地域、住宅所有者は電気の潜在的生産者となり、余剰の電気をエネルギーのインターネットを通じて他者と分かちあうことができるようになる。アメリカのグリーン・ニューディールは、ヨーロッパで得た教訓を十分心にとめ、スタート時点から確実に五つの柱が途切れなく一つのシステムとして統合されるようにしなければならない。さもなければ、第三次産業革命のインフラ整備が順調に進まなくなる恐れがある。

ドイツでは、企業や地域、個人による太陽光パネルや風力タービンの導入を促進するために、連邦政府が固定価格買取制度（ＦＩＴ）を導入した。これにより、自然エネルギーによって発電した電気を送電網（グリッド）に逆流させて、市場価格よりも高く電力会社に買い取ってもらうことが可能になった。このインセンティブは効果をあげ、中小の企業や地域の住民組織、農業従事者などが電力協同組合を創設し、銀行ローンを組んだ。現在では太陽光と風力によって発電した電気を全国の送電網へと送って売電している。二〇一八年には、再生可能エネルギーが全エネルギー源の三五・二％を占めるまでになった。太陽光と風力によって発電された電気は全体のほぼ一五％で、その大部分が小規模な電力協同組合によって発電されたものだった。[38]二〇一八年二月、連邦政府は二〇三〇年までに国内電力の六五％を再生可能エネルギーで賄うという新たな目標を発表した。これもEUや世界の各国からすれば、かなり速いペースである。[39]

かつて強大な力を誇っていたドイツの大手電力会社——E・ON（エーオン）、RWE、EnBW、ヴァッテンフォール——が生産する自然エネルギー由来の電力は、全体のわずか五％にすぎず、これらの企業は自然エネルギーによる発電のゲームには参加できていない。[40]こうした企業の強みは、中央主権型のエネルギー源——石炭、石油、天然ガス——からの発電に理想的なまでに適しているという点にある。これらのエネルギーは採掘から輸送、電力への転換まで多額の資本を必要とする。このため、必然的に縦方向に統合された巨大な企業組織がつくられ、大規模生産による膨大な利益を投資家に還元するというシステムが生まれたのだ。

これに対して、自然エネルギーは中央主権型ではなく分散型である。太陽は地球上どこでも照っているし、風もどこでも吹いている。つまりこれらのエネルギーは建物の屋上でも、山のふもとでも、どこでも利用できるため、小規模な発電施設を無数に建設することが可能になる。化石燃料から自然エネルギーへの移行とは、まさに「パワー・トゥ・ザ・ピープル」そのもの——比喩的にも（人々に力を！）、文字どおりの意味でも（人々に電力を！）——だ。何億もの人々が、職場や家庭で自分たちの使うエネルギーを自分でつくることができるようになるのだから。これは世界中のコミュニティにおける、電力の大いなる民主化の始まりにほかならない。

長年、ドイツと再生可能エネルギーとの蜜月には隠された暗部がある、という批判がされてきた。ドイツは今も、CO_2を大量に発生させる石炭に依存しているというのだ。太陽光と風力は前述のとおり、ドイツのエネルギー源全体のほぼ二五％を占めており、今やその発電コストは石炭火力発電を下回っている。それにもかかわらず、石炭はドイツのエネルギー源の三分の一以上を占めているのは事実である[41]。なぜか？　それは石炭の採掘が地域経済と雇用を支えている地方を、どのように救済するかという政治的配慮による。この問題と取り組むため、ドイツ政府の委員会は二〇一九年一月、向こう二〇年間に石炭由来のエネルギーを完全にゼロにするため、石炭生産地域に四〇〇億ユーロの補助金を出して、自然エネルギー時代への移行を支援するという野心的な計画を発表した[42]。石炭への依存を続けている世界中の国々が、このドイツの実験的試みを注視している。これらの国々もまた、近い将来、石炭火力から撤退し、石炭生産地域の経済を支えていかなければならないことを認識している。

世界一六三の国と地域、三三一の組織に所属する二億七〇〇〇万人の組合労働者が参加する国際労働組合総連合（ＩＴＵＣ）は国際社会に向けて、化石燃料文明からの脱却が加速すると予想されるなか、取り残された労働者と地域コミュニティの困難な状況に対応する必要があると訴えた。

ＩＴＵＣは「公正な移行センター」を立ち上げ、こうした労働者と地域コミュニティが、新たなグリーンビジネスのチャンスと自然エネルギー経済における大規模雇用を受け入れ、活用できるように支援していくと発表した。

ＩＴＵＣのシャラン・バロー書記長は、「われわれが直面する分野別の経済的転換は、その規模においても速度においても、歴史上類をみないものになる」と警告する。[43] さいわいなことに化石燃料文明から再生可能エネルギー社会への転換においては、その初期の段階でさえ、半熟練・熟練労働、および専門家の雇用機会は、多くのコミュニティや地方で従来のエネルギー部門での雇用を上回ることが統計によって示されている。しかしバローは、国と地方の政府が進んで、「あらゆる国と脆弱（ぜいじゃく）なコミュニティや地方、分野に、公正な移行のための基金を設立し……教育や再訓練、労働者とその家族のための社会的保護の拡大、コミュニティや地域経済の多様化を促進する補助金やローン、創業資金プログラムなどに投資する」ことが必要だと明言した。[44]

太陽光・風力発電のコストの低下によってもたらされるエネルギーの民主化、そして新たに創設された電力協同組合が早い時期に自然エネルギーを採用したことが相まって、化石燃料業界の労働者ばかりでなく、発電会社や送電会社の労働者も大きな打撃を受けた。その結果、これらの業界のビジネスモデルは改変を迫られている。世界の大手エネルギーおよび電力会社の多くは、すみやかに化石燃料業界との分離を図り、協同組合に所属する何百万人もの個人が生産した自然エネルギーの管理へと移行するとともに、新しいエネルギーサービスのビジネスモデルを構築しつつある。

新しいエネルギーサービスにおいては、電力会社は個々の顧客の価値連鎖（バリューチェーン）全体にわたる電力消費に関するビッグデータを取り出し、それを解析して得たアルゴリズムとアプリケーションを使って、顧客の総合エネルギー効率と生産性を高め、カーボン・フットプリントと限界費用を減らす手助けをする。これに対して顧客は、総合エネルギー効率と生産性が増大したことで得た利益を電力会社に還元する。こうして電力会社は、エネルギー利用を効率化し、より少ない（多くのではなく）エネルギーを売ることによって利益を得るのである。

二〇〇六年、私はＥｎＢＷのＣＥＯウッツ・クラーセンに招かれ、同社を化石燃料と原子力から再生可能エネルギー、およびそれに伴う第三次産業革命のエネルギーサービスへと転換させる戦略を立てるための協議に、二回にわたり同席した。[45] クラーセンは五〇〇人の上級社員を集め、その前で同社がドイツの電力会社の先陣を切って脱炭素の分散型再生可能エネルギーサービスへと移行すると明言した。二〇一二年、同社は化石燃料と原子力に依存した従来のサービスから転換し、再生可能エネルギーとそれによるサービスに注力していく方針であることを発表した。[46]

二〇〇八年、私はＥ・ＯＮからも同様の招待を受け、会長のヨハネス・タイセン博士と公開の場で、これからのグリーン社会におけるエネルギーサービスの新しいビジネスモデルについて討論した。その八年後、同社は二つに分割し、一方は従来の化石燃料と原子力による事業を継続、もう一方はドイツのエネルギーおよび電力部門にパラダイムシフトを迫っている根源的変化に対応するために、再生可能エネルギー事業に集中することとなった。[47]

残る二つの大手電力会社ヴァッテンフォールとＲＷＥもまた、私たちがヨーロッパに導入した新しいビジネスモデルに基づく、同様の移行戦略を発表した。[48] ほんの一〇年前にはヨーロッパの電力業界で他の追随を許さない規模を誇っていたドイツの電力会社は、時代遅れのエネルギー体制と、もはや経済的に成立しない化石燃料インフラのビジネスモデルに直面しているという認識に立ち、方向転換に踏み切ったのだ。

ドイツの電力会社の決断は、決して例外的なものではない。中国も今や再生可能エネルギー分野に参入し、太陽光と風力の発電設備の製造と設置では現在、世界をリードしている。二〇一七年、中国は全世界の再生可能エネルギー分野への投資総額の四五％以上を占めた。[49]

二〇一二年一二月、新華社通信は中国の李克強（リー・クーチアン）首相が拙著『第三次産業革命』（田沢恭子訳、インターシフト、二〇一二年）を読み、国家発展改革委員会と国務院開発研究センターに、この本に提示されているアイデアやテーマについて徹底的に研究するよう指示したと報じた。[50] また当時、工業の中心地である広東省の党委員会書記で中国共産党中央政治局委員だった（その直後に副首相に就任した）汪洋（ワン・ヤン）もこの本を公に推奨し、二〇一三年から二〇一八年の間にその内容を中国全土に広めるのに一役買った（汪洋は現在、党中央政治局常務委員で序列は七人中四位）。私はその後、二〇一三年九月、二〇一四年一〇月、二〇一五年一〇月、二〇一六年三月の四回にわたって中国を公式訪問し、汪洋をはじめ国家発展改革委員会や国務院開発研究センター、工業情報化部、中国科学院に所属する政府高官や指導者たちと、いかに第三次産業革命経済への転換を図るべきかについて討論した。最初の二回の訪問時、汪洋副首相は中国が第三次産業革命インフラの配備において世界をリードしていく決意であることを明らかにした。

二〇一三年九月の最初の訪問から三カ月後、中国政府は巨額の資金を投じて中国全土にデジタル化されたエネルギー・インターネットを整備する計画であることを発表した。これにより、国内の居住用、商業用、工業用の建築物で太陽光・風力発電によって自然エネルギーを生産し、余った電力を全国送電網を通じて互いに分かちあうことができるようになるというのだ。中国国家電網の劉振亜（リュウ・ゼンヤ）会長は、この発表に合わせて「第三次産業革命を受け入れ、推進するスマートグリッド」と題する論文を発表し、そのなかで送電網をデジタル化し、エネルギー・インターネットへと転換する中国の野心的な計画について解説している。分散型・協同型でピアトゥピアの、水平方向に広がるエネルギーインフラは、中国の経済生活を変革し、きたるべき経済大革命における中国の圧倒的なリードを確立するというのである。新しい経済時代に向けて、「大陸間のバックボーンとなるネットワーク」としてのエネルギー・インターネットを導入する決意を表明したこの劉の宣言は、中国の歴史における決定的瞬間を示すものだ。「第三次産業革命という歴史的チャンスをしっかりつかむことができれば、［それは］将来の国際競争におけるわれわれの位置を大きく決定づけるだろう」と劉は述べている。[51]

二〇一四年一一月、習近平（シー・チンピン）国家主席は二〇三〇年までに一次エネルギー消費に占める非化石燃料――おもに太陽光と風力――の比率を二〇％にまで引き上げる方針を打ち出し、世界を驚かせた。[52] エネルギー調査会社のブルームバーグ・ニュー・エナジー・ファイナンス（ＢＮＥＦ）が毎年発表する世界の電力部門の長期経済予測によれば、二〇五〇年までに中国の電力供給の六二％を再生可能エネルギーが占めるという。[53] このことは近い将来、中国経済に動力を提供するエネルギーの大半が限界費用ほぼゼロで発電され、中国とEUが世界でも最も生産的で競争力のある商業地域となることを意味している。

中国は、太陽光・風力エネルギーへの転換の第一世代においては、EUの後塵を拝していたが、先見性のある自然エネルギーのパイオニアで、ハナジー社（漢能薄膜発電集団）の創業者でありCEOの李河君が、第二世代の自然エネルギー導入において大躍進を遂げ、世界一の薄膜太陽電池メーカーとなった。二〇一五年に出版された自伝『中国の新エネルギー革命（*China's New Energy Revolution : How the World Super Power Is Fostering Economic Development and Sustainable Growth Through Thin Film Solar Technology*）』のなかで、李は拙著『第三次産業革命』で展開されている「力強い洞察に深く心を動かされ」、なかでも太陽光エネルギーが「将来の独立した分散型の生産により適合している」との主張に衝撃を受けたと書いている。[54]

二〇一三年九月、私は当時、中国商工業連合会の副主席を務めていた李の招きで北京を訪れた。そこで二〇人ほどの中国の主要な政治指導者、思想的指導者、起業家らと会見し、再生可能エネルギーの展望や理論、実用化、そしてきたるべきエネルギー大革命において中国の果たす役割について意見交換したのである。この会合は、エコロジー時代においてグリーンビジネスのチャンスを確立するという中国指導部の新たな取り組みへの支持を喚起するうえで、きわめて重要な出来事だった。[55]

五年後の二〇一八年、ハナジー社は薄膜太陽電池技術で世界をリードする企業となった。薄膜太陽電池モジュールを搭載し、一日一〇〇キロメートルの移動が可能な同社の新しい「太陽光高速配達車」が、中国の道路を走行している。[56] 同社は太陽電池セルの変換効率二九・一％という世界一の高効率を達成し、薄膜太陽電池を搭載した無人航空機、バックパック、パラソルなどさまざまな商品を生産している。個人が太陽光エネルギーを持ち運び、どこにいてもスマートフォンなどの生活必需品を充電できるというわけだ。[57]

中国の再生可能エネルギー部門では、すでに三八〇万人が雇用されている。[58] 太陽光・風力発電関連の製造、設置およびサービス、そして国内の送電網を化石燃料と原子力を動力源とする自動制御システムからデジタル化された再生可能エネルギー・インターネットに転換する作業では、向こう三〇年間にさらに数百万人の雇用が創出されることが確実である。

翻ってアメリカのエネルギーおよび電力会社は、ようやくヨーロッパや中国のあとを追いはじめたところだ。アメリカ第七の都市、テキサス州サンアントニオの市営エネルギー・電力会社、CPSエナジーは自治体が所有する全米最大の公益企業で、同市の主要な収入源でもある。[59] 二〇〇九年、わがTIRコンサルティング・グループのチームは、CPSエナジーとサンアントニオ市からの要請を受け、同市の都市圏を全米で最初の第三次産業革命インフラに転換するマスタープランの作成に協力することになった。TIRのチームには、世界中の再生可能エネルギー、グローバル輸送／ロジスティクス、建築設計、建設、都市計画、経済モデル作成と環境デザインなど、ICT部門の各領域から集まった二五人の専門家が参加した。[60] CPS側のチームを率いるのはオーロラ・ガイス会長、そして当時同社の持続可能性担当部長で現在はCOO（最高執行責任者）のクリス・ユーグスターが、日々の作業の指揮をとった。

ロードマップ作成には数カ月の時間を要した。当時、サンアントニオは同市のエネルギーの将来に関して二つのアプローチの間を行ったり来たりしていた。CPSは一九七九年のスリーマイル島の原発事故以降、全米の電力会社のなかで最初に原発二基の新設を発注し、私たちとの協議が始まる前に、建設の計画段階に入っていた。[61]一方、CPSは全州で広範囲にわたって風力・太陽光発電を行うという、同じく野心的な将来の針路も考慮しており、この新しいエネルギー分野にも進出しはじめていた。

市民の間にはすでに二基の原発を近隣に建設することへの反対の声が上がっていた。加えて、新規の原発建設には他の例にもあるような予算超過のリスクがあり、CPSとサンアントニオ市の財政を脅かすのではないかという懸念もあった。CPSが予算超過のリスクに関する調査を依頼したところ、建設発注時の予算を最大で五〇％超過する可能性があるとの報告を得ていた。

TIRはCPSに自然エネルギーのオプションを選択することを推奨し、こう主張した――テキサス州の地理的条件からみて、限界費用ほぼゼロの風力発電だけでゼロ炭素エネルギー社会へ転換することが可能である、と。

第二次産業革命において、テキサスは全米最大――一時は世界最大――の産油州としての地位を誇っていた。もしここで風力発電に――それに伴って太陽光発電にも――大胆に舵を切れば、第三次産業革命が本格化するなか、テキサスは再生可能エネルギーで全米をリードできるはずだと私たちは提言した。そしてこの協議の最中に、原発の建設を受注していた東芝が、当初合意した予算を四〇億ドル超過し、総工費は一二〇億ドルになるとの見通しを発表したのだ。[62]

その後持ち上がった騒動が収まると、サンアントニオ市とCPSは相当額の損失を被りつつも、原発新設計画から撤退することを決めた。こうして風力発電へと大きく門戸は開かれたのだ。結果的には、これは賢明な判断だった。現在、原子力発電施設の建設と運転にかかる均等化発電原価（LCOE）はメガワット時あたり一一二ドルだが、前述のとおり、風力発電は二九ドル、実用規模の太陽光発電は四〇ドルである。[63]それでも、すべての電力会社がこのメッセージに注意を払っているわけではなさそうだ。この三〇年間で、アメリカ国内で新規建設中の原発はジョージア・パワー社のボーグル原子力発電所ただ一つであり、当初総工費四四億ドルでスタートした建設計画は五年も遅れ、建設コストは二七〇億ドルに膨れ上がり、途方もない予算超過となっている。[64]にもかかわらず全米各地で、原発の新規建設を支持する選出議員がいることはとうてい理解しがたい。

一方でこの八年間、CPSエナジーは平地に広がる農地や牧草地に風力タービンの設置を進め、新天地を切り拓いてきた。今日、牧場の経営者たちは牛が草を食む牧草地に風力タービンを設置して副収入を得ている。

テキサス州は現在、全米一の風力発電量を誇り、その最大出力は世界第五位の国に次ぐ位置にある。二〇一七年には風力が同州の発電量の一五％を占め、これは現在のEUの自然エネルギーによる発電量に匹敵する。[65]CPSエナジーの報告によれば、二〇一六年三月三一日、サンアントニオ市の「一日のエネルギー必要量」の四五％が「七カ所の契約農場で発電された風力エネルギーによって賄われた」という。[66]

ここでの教訓は、テキサス州がこうした成果のほとんどを一〇年以内に達成したということだ。風力こそが「ローンスター・ステート〔星を一つあしらった州旗から、こう呼ばれる〕」テキサスのブランド再構築のカギになるという直感を頼りに、リスクを厭わず決断した結果なのだ。テキサスはカリフォルニアとともに、自分たちと同じグリーンな領域で勝負できることを他の四八の州に身をもって示した――そうすることで、向こう二〇年間にアメリカを、太陽光と風力、そしてエネルギー効率の向上によってほぼ一〇〇%の再生可能エネルギー社会に転換することができるのだ、と。

先頭に立つもう一人のキーパーソンは、アン・プラマジョーアだ。彼女は長年、シカゴ大都市圏に電力を供給する電力会社コモンウェルス・エジソンの社長兼CEOを務め、現在は六つの子会社（そのうちの一社はコモンウェルス　エジソン）を傘下にもつ全米最大の電力・天然ガス供給会社エクセロン・ユーティリティーズのCEOも務める。二〇一六年、プラマジョーアはテキサス州オースティンで開催されたエネルギー思想サミットで基調講演を行い、こう話した。二年前、自分の会社で電力部門の利害関係者のグループを結成し、送電網をいかにスマート化するかについてのブレーンストーミング会議を行ったところ、多くの主要なエネルギー管理会社やコンサルティング会社から貴重な意見や洞察が得られた。それでも何か統一的な理念が欠けていると感じていたところ、拙著『第三次産業革命』に出会ったのだ、と。[67] そこでプラマジョーアは、二〇年にわたるEUでの私たちの取り組み――自然エネルギーの発電と管理のための再生可能エネルギー・インターネットのインフラと、パラダイムシフトを伴う新しいエネルギーサービスのビジネモデルの導入――について調べた。そしてこのアプローチが、アメリカの電力ネットワークにも応用できるのではないかと考えたのである。

講演のなかでプラマジョーアはこう話した。「たとえてみればジグソーパズルのようなものでした。こっちには赤いピースが全部あり、そっちには青いピースが全部ある。その両方がうまくはまりそうには思えるのだけれど、できない。ところがあるときデジタルプラットフォームの経済的側面についての文献を読みはじめたとたん、ピースがはまりはじめたんです。ああ、そういうことなんだ、と納得がいきました[68]」。プラマジョーアは、再生可能エネルギーの生産と流通におけるデジタルプラットフォームの可能性を熟知し、ゼロ炭素社会への移行に必要な新しい画期的なビジネスモデルを良いものだと認めた、アメリカの電力会社幹部世代の最初の一人だった。

では、太陽光と風力エネルギーの市場への猛攻が続くなか、その転換は化石燃料部門とそれに伴う電力部門にとって、どれほど激烈な影響を及ぼすのだろうか。IRENAは、二〇一七年にハンブルクで開催されるG20サミットの議長国であるドイツ政府からの依頼を受け、向こう数十年間の化石燃料の生産と消費および再生可能エネルギーの生産と消費についての予測を報告書にまとめた。この報告書では、化石燃料を動力源とする文明から再生可能エネルギーを動力源とする社会への転換の加速によって生じる座礁資産のコストについての予測も行っている。

IRENAの報告書では、再生可能エネルギーの導入とエネルギー効率の改善が進むスピードについて二つのシナリオを立て、それぞれのシナリオが「今日のエネルギー関連のCO_2排出量の約四分の三を排出する三大部門」――すなわち①化石燃料、石油・天然ガス業界の上流部門（探鉱～燃料生産まで）、②発電部門、③建設、工業――における座礁資産の規模に、どのような影響を及ぼすかを予測している。一つ目はＲＥｍａｐと呼ばれるシナリオで、二〇一五年から二〇五〇年までに再生可能エネルギーの導入とエネルギーの効率化を「加速」させ、温室効果ガス排出量を削減した結果、「三分の二の確率で、産業革命以後の地球の気温上昇を二℃未満に抑えられる」というものだ。二つ目は「政策措置の遅延」と呼ばれるシナリオで、二〇三〇年までは今までどおりの活動を続け、二〇三〇年以降に再生可能エネルギーの導入とエネルギーの効率化を加速させて、「二〇五〇年までに世界のエネルギーシステムによる温室効果ガス排出量を一つ目のシナリオと同じレベルに保つ」というものである。[69]

二つ目の「遅延」シナリオでは、もし従来どおりの化石燃料エネルギーへの設備投資を二〇三〇年まで続ければ、化石燃料関連の座礁資産は総額およそ七兆ドルに上ることが予測される一方、早期に転換が進められるＲＥｍａｐのシナリオでは、座礁資産はおよそ三兆ドルと予測される。この座礁資産の大きさは、今日の石油上流部門の評価額の四五〜八五％に相当する。[70]発電だけをとってみると、化石燃料関連の座礁資産は、遅延シナリオでは一兆九〇〇〇億ドルに上るのに対し、ＲＥｍａｐのシナリオでは九〇〇〇億ドルとなる。[71]

何兆ドルもの資産が失われるという可能性を前にしたとき頭に浮かぶのは、大文明の盛衰に伴って過去の資産が将来の負債となり、まだ生まれていない世代にツケが回るという厳粛な事実である。歴史を振り返れば、新しいコミュニケーションやエネルギー、移動／ロジスティクスの技術革新の兆しがみえないまま、文明が崩壊に追いやられるということもあった。けれどもさいわいなことに、今回は力強いグリーンなインフラ革命が古いインフラを脇へ押しやり、人類が地球上で持続可能な形で生きていける可能性を生み出しているのだ。

第3章
ゼロ炭素社会の暮らし
——自動化された電気車両による移動、接続点となるIoT建築物、スマートなエコロジカル農業

第二次産業革命の要は自動車だったことを、再度ここで確認しておこう。二〇世紀を通じて世界のGDPの大きな部分は、何億台という内燃機関自動車と何百万台ものバスやトラックの生産と販売、そしてその生産と販売にモノを供給するさまざまな産業や部門、さらには「自動車時代（オートエイジ）」の到来と、新しい都市や郊外の発展から恩恵を受けるすべての産業や企業によってもたらされたのだ——不動産業、ショッピングモール、ファストフードチェーン、旅行・観光産業、テーマパークやテックパークなどなど、あげればキリがない。

限界費用ほぼゼロの移動

輸送／ロジスティクス産業は膨大な量の化石燃料を燃やし、温室効果ガスの排出量も多いが、その一方で現在では化石燃料から脱却し、太陽光・風力発電による動力で走る電気自動車や燃料電

池車の生産へと軸足を移しつつある。ドイツ、中国、インド、フランス、オランダ、アイルランドをはじめとする世界一八カ国は、すでに向こう数十年間に、化石燃料を動力とする新しい車両の販売と登録を段階的に廃止する方針を明らかにしている[1]。

自動車会社による電気自動車と燃料電池車へのシフトが進めば、輸送に使われる石油の多くは地下にとどまる。バンク・オブ・アメリカの予測によれば、二〇三〇年には自動車販売台数全体の四〇％を電気自動車が占めることになるという。アメリカの大手格付け会社フィッチ・レーティングスの調査によれば、二〇四〇年には世界の電気自動車の台数は一三億台にまでなる可能性があるという。このことを踏まえて、バンク・オブ・アメリカは「二〇二〇年代初頭には、電気自動車がこの石油需要拡大の最後の砦（とりで）を崩しはじめ、世界の石油需要は二〇三〇年までにピークを迎える可能性が大きい」と結論づけている[2]。

世界の主要都市の多くは、自動車業界で化石燃料で走る自動車から自然エネルギーで走る電気自動車への転換が短期間で進むという現在の予測を、すでに考慮に入れている。二〇一九年四月、ロサンゼルスのエリック・ガーセッティ市長は包括的なグリーン・ニューディール政策を打ち出し、近い将来、市中心部の交通機関のCO_2排出をゼロにする目標を明らかにした。それによれば、二〇二五年までに同市の全車両の二五％、二〇三五年までに八〇％を電気自動車にするという。アメリカのなかでも自動車文明が発達したことで知られる同市にとって、これは驚くべき計画である[3]。

大手石油会社も、こうした状況の変化が自分たちの業界に与える影響について気づいていないわけではない。二〇一七年七月、ロイヤル・ダッチ・シェルのCEOベン・ファン・ブールデンは、ブルームバーグTVのインタビューに答え、電気自動車が二〇世紀の内燃自動車に取って代わりはじめる二〇二〇年代後半には、世界の石油需要はピークを迎える可能性があると述べた。さらにファン・ブールデンは自身も、次に車を買い換えるときには電気自動車を買うつもりだと付け加えた。[4]

これは単なる口先だけの話だったのだろうか？　ほかの大手石油会社のトップのなかには、いまだに慎重な姿勢を崩さない者もいる。米石油大手コノコフィリップスのチーフエコノミスト、ヘレン・カリーもその一人だ。カリーによれば、同社では今後の電気自動車の需要や、石油業界の将来の展望に影響を与えそうな要素について、いくつかのシナリオを立てて検討してきた。しかし、需要のピークが少なくとも「今後二〇年から三〇年の間」にくると「判断することは難しかった」とカリーは言い、「その可能性もありうるとは認めるが、われわれは石油の需要がかなり力強く堅調であるという見方のほうに立っている」と付け加えた。[5]　これには異論もある。

将来を左右する大きな要因として、輸送部門に大変革をもたらす次の三つがあげられる。第一は、ガソリンを動力とする車両から、自然エネルギーを動力とする電気自動車と燃料電池車への移行。第二は、カーシェアリング／ライドシェアリング・サービスへの移行。第三は自動運転車両の発売。この三つはそれぞれ画期的なものであり、一つだけでも輸送部門に大転換をもたらすインパクトがあるが、三つそろえば互いに相まって、全世界の輸送／ロジスティクス部門を根底から変革する先がけとなる。そのあとに残される座礁資産の規模は、とうてい測りがたい。

コミュニケーションのインターネットと再生可能エネルギーのインターネットとが噛みあうことで、自動化された移動／ロジスティクスのインターネットの発展と拡大が可能になる。そしてこの三つのインターネットが統合されたものが、第三次産業革命経済において財やサービスを管理し、動力を提供し、輸送するＩｏＴ（モノのインターネット）プラットフォームの核心となるのだ。

自動化された移動／ロジスティクスのインターネットは基本となる四つの柱から成り、エネルギーのインターネットの柱と同様、システムが効率的に稼働するためには、それらが同時に実施されなければならない。第一に、充電スタンドを万遍なく設置して電気自動車（車やバス、トラック）がエネルギーを補給し、また送電網（グリッド）に電気を送れるようにすること。第二に、ロジスティクスのネットワーク全域の装置にセンサーを組み込み、工場や倉庫、配送業者、小売業者、そしてエンドユーザーが、それぞれの価値連鎖（バリューチェーン）に影響を及ぼす最新の物流データを得られるようにすること。第三に、サプライチェーン全体のすべての物理的な財の保管と輸送を、デジタル化されたスマートなコンテナによって標準化すること。これにより、財をどんな輸送車両に載せて、どんな通路に送り出すことも効率的にできるようになる。その通路は、情報がワールドワイドウェブ上で難なく効率的に流れるのと同じように、物流システム全域で稼働する。第四に、物流ルート沿いにある倉庫の運営者が集まって協同組合ネットワークを形成すること。そうすれば、それぞれの資産をすべて共有された物流スペースに持ち込み、水平方向のスケールメリットを利用して、財の運送を最適化することができる。たとえば、何千カ所もの倉庫や物流センターが分散ネットワーク(ブロックチェーン)型の協同組合を設立して、使われていないスペースを共有するようにすれば、運送業者は特定の目的地まで運ぶ積送品をある倉庫で降ろし、その目的地の近くまで運ぶ荷物を多く積んでいる別の運送業者に運んでもらうことができる。これによって、すべての運送業者が常に荷物を一杯積んでいる状態を確実に保つことができ、最終目的地まで最も効率よく積送品を運ぶことが可能になる。

ＩｏＴのプラットフォームは、集荷と配送のスケジュール、天候、道路状況などに関するリアルタイムの物流データとともに、途中にある倉庫の保管容量について、その時点における最新の情報を提供する。自動化された急速輸送においては、ビッグデータとその分析技術によって自動化の手順とアプリケーションをつくり、その物流ルート沿いの総合エネルギー効率を最適化する。そしてそれによって、生産性を上げるとともにカーボン・フットプリントを減らし、すべての出荷の限界費用を削減するのだ。

二〇二八年には、道路、鉄道、水路を使った輸送の少なくとも一部は、電気や燃料電池で走る自動運転車両や船舶——CO_2排出ゼロ、限界費用もほぼゼロの再生可能エネルギーを動力とする——によって担われ、その運行は高度な分析技術や自動化の手順によって管理される。こうした自動運転による車両や船舶が普及すれば、スマートな移動／ロジスティクスのインターネットにおいて、総合エネルギー効率と生産性は上昇し、財の出荷にかかる限界労働費用はゼロに近づく。

移動／ロジスティクスにおける技術革新は、運送会社の性格そのものをすでに変えつつある。

二〇一六年、私はデュッセルドルフに赴き、当時のダイムラー・トラック・バスのＣＥＯヴォルフガング・ベルンハルトとともに、同社の新しい移動／ロジスティクスのビジネスモデルを、世界中から集まったジャーナリストの前で発表した[6]。

まず私が、移動／ロジスティクスのインターネットの動作原理について簡単に説明したあと、ベルンハルトが登壇し、ダイムラー社が五億ユーロを投じて新しいデジタルソリューションズ＆サービシズ部門を設立し、最先端のスマートなロジスティクスサービスを提供すると発表した。この時点で、すでに同社の商用車三六万五〇〇〇台にはセンサーが搭載され、天候状態や道路状況、現時点までの倉庫の空き状況などについてのビッグデータを監視・収集することが可能だった。ベルンハルトはこう述べた。「ロジスティクスを高性能化するには、リアルタイムのデータが不可欠——わが社のトラックはそうしたデータを供給します……このことによって顧客の業績が上がり、より安全で環境にやさしいビジネス運営ができるようになるのです[7]」。

次にベルンハルトは、ドイツの高速道路を走る同社の長距離トラック三台を上空のヘリコプターから写したライブビデオ映像を流した。ベルンハルトが三人のドライバーに自動運転に切り替えるように指示を与えると、三台は縦に隊列を組んで走行した。三台のトラックは、移動しながらリアルタイムで必要なロジスティクス・データを収集するビッグデータセンターとなり、ドライバーはロジスティクス・アナリストとなって、センサーがウェブを通してビッグデータを他の車両へ送るのをモニターする。一年後には、同社のトップエンジニアたちがベルリンに集結し、移動／ロジスティクスの操作モデルにさらなる改良を加えた。

フォード・モーター・カンパニーも、フォード・スマート・モビリティを設立して移動／ロジスティクスのビジネスに参入した。同社はモデルとなる都市と提携し、都市計画担当者や市民組織と協力して、人や財を自家用車に頼らずに移動させる新しい手段の開発に取り組んでいる。目標はあらゆる種類の輸送のパートナーと組んで、シームレスな移動サービスを実現することにある。具体的には同社の自動運転電気自動車を、公共交通機関や自転車・スクーターのシェアリングサービス、歩行者専用道路と組み合わせ、さまざまな輸送手段の間を無理なくつなぐことで、混雑に巻き込まれることを減らし、CO_2の排出も減らして、人や財を最終目的地まで運ぶことである。[8]

二〇一七年一月、デトロイトで開催された北米オートショーの初日に、私は当時のフォード社のCEOマーク・フィールズと一緒に、同社の新しいビジネスモデルを発表した。その後同社は、わがTIRコンサルティングとヴァイス・メディアが共同プロデュースした映画『第三次産業革命――ラディカルな新しいシェアリング・エコノミー』のトライベッカ映画祭でのプレミア上映会と、続いてマイアミ、サンフランシスコ、ロサンゼルスで行われたプレミア上映会のスポンサーとなってくれた。

移動／ロジスティクスのインターネットが確立すれば、乗客輸送の概念は一変する。今日の若者は、スマートフォンなどのモバイル通信技術とGPS誘導システムを利用してカーシェアリング／ライドシェアリング・サービスにアクセスし、自分を乗せてくれるドライバーを探す。少なくとも都市部においては、若者は「車を所有する」ことより「移動性（モビリティ）にアクセスする」ことを好むのだ。スマートな自動化されたモビリティ時代が到来すれば、将来の世代はもはや自分の車を所有したいとは思わないだろう。しかしそうなると、一台の車がシェアされるごとに、新しく生産される車は五台から一五台減ることになる。[9] ゼネラルモーターズの前副社長（研究開発・計画担当）ラリー・バーンズがミシガン州の中規模都市アナーバーで行った研究によれば、カーシェアリング／ライドシェアリング・サービスが普及すれば路上を走る車を八〇％減らす一方で、現在と同じか改善されたモビリティを、今より少ないコストで提供できることが明らかになった。[10]

今日、世界の密集した都市部には一二億台の車やバス、トラックが走っている。[11] 過去一〇〇年間にわたり、ガソリン車の大量生産は地球の天然資源の大きな部分を食い尽くしてきた。バーンズの研究は、アナーバーに限らずどの都市でも、次世代にカーシェアリング／ライドシェアリング・サービスが広範囲に取り入れられれば、路上を走る車の数が八〇％減少する可能性が高いことを示している。[12] そして残る二億四〇〇〇万台の車は、再生可能エネルギーを動力とする電気自動車と燃料電池車となり、シェアされたそれらの車は、スマートな道路システムを自動運転で走行するのだ。

車の所有からスマートな道路システムを自動運転で走るモビリティへの長期的な転換は、輸送業界全体のビジネスモデルを様変わりさせる。今後三〇年間に、世界中の大手自動車メーカーは車の生産台数を減らす一方で、グローバルな移動／ロジスティクスのインターネットの推進役としてモビリティサービスを管理すべく、自らを位置づけしなおすことになるだろう。

ここでもう一度、ロイヤル・ダッチ・シェルのＣＥＯベン・ファン・ブールデンの挑発的な予測を思い起こそう。それによれば、二〇二〇年代後半には世界の石油消費はピークを迎え、電気自動車が内燃自動車に取って代わる可能性があるという。では、それ以外の世界のエネルギー部門と移動部門の重要人物は、どう言っているのだろうか。

二〇一八年にストックホルム環境研究所が行った、ヨーロッパの輸送部門における座礁資産についての研究報告は、今後アメリカや世界中で起こる事態についての示唆に富んでおり、注目に値する。この報告がずばり指摘するところでは、ヨーロッパで移動革命が進展すれば、自動車部門だけでも二四三〇億ユーロ（二七七〇億ドル）の座礁資産が生じるリスクがあるという。ちなみに二〇一七年時点でのヨーロッパの自動車産業の総企業価値は六〇四〇億ユーロ（六八九〇億ドル）だった[13]。

電気自動車の販売台数が急増している理由の一つに、リチウムイオン電池の価格の急落がある。リチウムイオン電池の製造コストは、二〇一〇年には一キロワット時あたり一〇〇〇ドルだったのが、二〇一七年には一キロワット時あたり二〇九ドル〔単位重量（または体積）あたりのエネルギーの（ワット時）〕と、わずか七年で七九％も低下している。また電気自動車用バッテリーのエネルギー密度も、毎年五〜七％ずつ向上している[14]。

各国政府は自動車の燃費基準を厳しくしており、その結果、電気自動車の比率は必然的に高まると同時に、電気自動車を購入するインセンティブも高まる。中国ではこのアメとムチの手法が功を奏し、二〇一七年には国内六都市の電気自動車の販売台数が世界全体の六一％を占めた。ここでもヨーロッパは中国と肩を並べており、ダイムラー、フォルクスワーゲン、ボルボの各社は、向こう一〇年間に電気自動車を増産する野心的な計画を発表している。これと同様の状況は他のEU諸国でもみられる。[15]

二〇一八年現在、電気自動車の販売台数は世界の自動車販売台数のわずか二%を占めるにすぎない。しかしブルームバーグ・ニュー・エナジー・ファイナンス（BNEF）の予測によれば、世界の電気自動車の販売台数は二〇一七年の一一〇万台から、二〇三〇年には三〇〇〇万台へと急増するという。その背景には電気自動車の価格が内燃自動車の生産コストを下回ることがある。その先頭に立つのは中国で、二〇二五年には同国の電気自動車の販売台数は世界の五〇%を占め、二〇三〇年には他国が追いついてくるため、その数字は三九%になると予想される。[16]

EU諸国の自動車メーカーも、電気自動車への転換を急速に進めている。フォルクスワーゲンは、この移行のためにすでに八〇〇億ユーロという驚異的な金額を投入しており、二〇二五年までにバッテリー式電気自動車（BEV）の新型モデルを五〇種類発売する予定だ。[17]ダイムラーはこの数年のうちに電気自動車を発売するために四二〇億ユーロを投入しているし、BMWは五〇〇億ユーロを投入して、二〇二五年までに一二種類の電気自動車モデルを発売する。[18]BMWの電気自動車は、一度の充電で四三五マイル（約七〇〇キロメートル）を走り、レアメタルを使わない第五世代のバッテリーを搭載している。[19]電気自動車の価格が二〇二五年までに内燃自動車と同等になると予測している自動車メーカーも少なくない。[20]フォルクスワーゲンは、二〇二六年までにガソリンエンジンとディーゼルエンジンの最終世代を製造し、内燃機関の終焉を迎えると発表した。[21]同社は、二〇二五年までに、電気自動車のためにヨーロッパ全域で三万六〇〇〇か所の充電スポットを設置すると発表した。[22]

ＢＮＥＦの報告書によれば、電気自動車の「補助金なしのコスト」が内燃自動車のコストと同等になる「臨界点」は二〇二四年だという。同報告書は、二〇二五年に乗用車の販売台数のうち電気自動車が占める割合は、中国で一九％、ＥＵで一四％、アメリカで一一％になると予測している。内燃自動車の販売台数は、二〇二〇年代半ばに減少しはじめ（ヨーロッパの電力部門が二〇一〇年から二〇一五年にかけて経験したのと同様の道筋をたどることになる）、これが内燃自動車時代の終わりと、グリーンなエネルギーで走る電気自動車時代の幕開けを告げる。[23] ＢＮＥＦの予測によれば、二〇二八年には電気自動車の販売台数が、世界の自動車販売台数の二〇％を占める。[24] フォルクスワーゲンに限っていえば、二〇二九年までに二二〇〇万台の電気自動車を販売し、それは同社の自動車販売全体の二五％を占めると予測している。[25] この時点で、私たちは化石燃料文明の崩壊の始まりを目の当たりにすることになるだろう。注目すべきなのは、現在、全世界で毎日九六〇〇万バレルの石油が消費され、そのうちの約六二・五％が輸送に使われているということだ。[26] 数字は雄弁である。

自然エネルギーを動力とする電気自動車への移行は、それ自体、ガソリン車の出現以来の大転換を世界経済にもたらす画期的出来事だが、一方でそれと並行して起こるカーシェアリング／ライドシェアリング・サービスにおける自動運転車への移行もまた、社会における移動／ロジスティクスのあり方に同じくらい大きな影響を与えるのは間違いない。

変革は業界や社会の予測をはるかに超えたスピードで進んでいる。技術系シンクタンク、リシンクXが二〇一七年に行った研究によれば、今日のカーシェアリング（ライドシェアリング）・サービスは、二〇二〇年代には電気自動車へとシフトすることが見込まれるという[27]。それによって車の稼働率は飛躍的に上昇する。ヨーロッパを例にとると、自家用車の平均稼働率は五％にすぎず、稼働しているときも五つの座席のうち使われているのは一・五座席にすぎない。自動運転電気自動車によるカーシェアリング／ライドシェアリング・サービスが普及することで、二〇三〇年には車の稼働率は一〇倍に上昇し、車の寿命は走行距離にして五〇万マイル（八〇万キロメートル）、場合によっては一〇〇万マイル（一六〇万キロメートル）長くなると予想されている。サービスとしての輸送手段を使うことで、移動や輸送にかかるコストは現行の手段よりはるかに低下する。「二〇二一年には、輸送サービスを使うほうが新車を買うより、一マイルあたりのコストは四分の一から一〇分の一に減少し、既存の車を利用するより二分の一から四分の一に減少する」と、この研究は結論している[28]。

さらに驚くべきなのは、自動運転車によるライドシェアリング——限界費用ほぼゼロの人間労働と、限界費用ほぼゼロの太陽光および風力による電気で稼働する——は、モビリティを提供するコストを大きく低下させるだけでなく、乗客が車のなかで過ごす時間の商品化も可能にするという指摘である。すなわち飛行機の長距離フライトと同じように、さまざまなエンターテインメントや商品の購入などを提供できるというのだ。「広告、データ収益化、エンターテインメント、商品の販売などから収益を得ることによって、無料の輸送への道が開かれる」と、リシンクXの報告書は結論している[29]。

カーシェアリングにおいては、一台一台の車の稼働率は自家用車に比べて平均して一〇倍になるので、路上を走る車の数は減り、道路渋滞も軽減される。アメリカだけでも、二〇一七年の交通混雑による経済損失は三〇五〇億ドルに上った[30]。

さらにこの研究では、二〇三〇年には人間が運転する内燃自動車は全車両の四〇%となり、走行距離ではわずか五%を占めるにすぎなくなると予想している。この桁外(けたはず)れの効率化によって、二〇三〇年にはアメリカの年間世帯収入の合計は一兆ドルにもなるというのも驚くにあたらない。この報告書によれば、「運転に費やす時間が少なくなることで生産性が向上し、GDPはさらに一兆ドル上昇することが見込まれる」という[31]。

二〇三〇年には、乗用車やトラックの生産台数は七〇%減少し、移動／ロジスティクス部門全体に大転換をもたらし、この業界ではかつてない規模の座礁資産を生じさせる。他方、この研究によれば、「アメリカの平均的家庭では、移動にかかる支出を年間五六〇〇ドル以上節約することができる。これは一〇%の昇給に相当する」。言いかえれば、アメリカの家庭にとって、手に入るお金が全体で一兆ドル増えるということである[32]。

リシンクXの報告書の予測がすべて、そのとおりの時間枠の間に現実になるかどうかはわからない。だが確実なのは、モビリティの概念とその配置や展開が根本から変わることで、輸送部門、エネルギー部門そして社会全体に膨大な影響が及ぶということだ。

さてここで、「二〇二〇年代初頭には、電気自動車がこの石油需要拡大の最後の砦を崩しはじめ、世界の石油需要は二〇三〇年までにピークを迎える可能性が大きい」というバンク・オブ・

アメリカの予測、そしてロイヤル・ダッチ・シェルのCEOベン・ファン・ブールデンによる同様の予測——二〇二〇年代後半には、世界の石油需要はピークを迎える可能性がある——を思い起こそう。[33] この予測は正しいのだろうか。ほかの大手石油会社も、これと同じ予測をしているのか？ それともいまだに、石油業界はもっと長く生き延びるという強気な考えに立っているのだろうか？

答えはすでに出ているのかもしれない。経済ニュース専門チャンネルCNBCによれば、アメリカの大手金融調査会社バーンスタイン・リサーチは二〇一八年七月に発表した調査報告のなかで、二〇〇八年の一バレル一四七ドルという原油の史上最高値——住宅サブプライムローン問題と相まって、世界的な経済危機(グレート・リセッション)を引き起こした——を上回る、一バレル一五〇ドルというオイルショックが起こる可能性があると警告した。現在の石油備蓄への資金投入はここ二〇年以上で最低であり、今の備蓄量ではあと一〇年ぐらいしかもたない可能性が高いというのである。[34] 一〇年といえば、ほかの調査で世界の石油需要がピークを迎えると予測されている時期と一致する。これは偶然なのだろうか？ そうは思えない。

大手石油会社は、再生可能エネルギー利用や車両の電動化が急速に進んでいることを認識しており、世界の石油需要が近い将来ピークを迎えるという研究結果にも通じていると、バーンスタイン・リサーチは指摘する。おそらく一部の石油会社では、一〇年分を超える備蓄をしても、その石油が使われなければ膨大な損失が生じて座礁資産となるとして、積み増しを手控えていると考えられるという。すでに投資家たちが石油会社に対し、これ以上使われない可能性のある石油を積み増すのをやめ、その分の資金を株主に返すように求めていることを踏まえると、「何らかの供給不足が生じれば、原油価格は二〇〇八年に記録した一バレル一四七ドルをはるかに上回るレベルまで急騰する可能性がある」というのだ。[35]

IoTの接続点（ノード）となる建物

ICT／通信部門、電力部門、そして移動／ロジスティクス部門では化石燃料業界からの脱却が進んでいるが、不動産部門――膨大なエネルギーを消費し、大量の温室効果ガスを排出する――も例外ではない。

現在、都市、地方、そして国の各レベルで、エネルギーの使用量を減らすために既存の建物の改修を義務づけ、インセンティブを与えるなどの施策がとられている。また、新しく建設される居住用、商業用、および工業用の建物を排出ゼロ化し、太陽光、風力、地熱などの再生可能エネルギーを活用することを義務づける法律も制定されている。カリフォルニア州では州内の建物群を脱炭素化する意欲的な政策を打ち出した。二〇一八年九月、同州のジェリー・ブラウン知事は、二〇三〇年までに既存の居住用および商業用の建物の温室効果ガス排出量を一九九〇年比で四〇％削減することを目標とする法案に署名した。[36] またカリフォルニア公益事業委員会も、二〇二〇年までにすべての「新築」住宅を排出ゼロ化し、二〇三〇年までにすべての商業用建物を確実に排出ゼロ化する取り組みに着手している。[37]

二〇一五年の世界の不動産市場の規模は二一七兆ドルで、これは世界全体のＧＤＰの二・七倍近く、グローバル経済における投資資産の六〇％にあたる[38]。今後も建設市場は成長しつづけ、二〇三〇年にはさらに八兆ドル拡大すると予想される[39]。

先にも示唆したように、通信、エネルギー、そしてモビリティにおけるパラダイムシフトが起これば、構築環境の特性も変化する。第一次産業革命では中心地と中心地を結ぶ鉄道輸送が可能になった結果、人口の密集した都市の構築環境が生まれ、第二次産業革命では、州間高速道路網に沿って大きく広がる郊外型の構築環境が生まれた。そして第三次産業革命では、既存であれ新築であれ、居住用か商業用、あるいはその他のものであれ、すべての建物はＩｏＴの網目構造（マトリックス）に埋め込まれたゼロ炭素のスマートな接続点（ノード）やネットワークとなるのだ。接続点（ノード）としての建物はすべてＩｏＴのインフラにつながり、分散データセンターとして、自然エネルギーのマイクロ発電所や電力の貯蔵所として、そしてスマートでグリーンなアメリカの経済活動を管理し、動力を提供して動かす輸送／ロジスティクスの拠点としての役目を果たす。

建物はもはや、壁で囲まれた受動的な私的空間ではなくなり、再生可能エネルギーやエネルギー効率、エネルギー貯蔵、電動化されたモビリティ、そして幅広い経済活動を居住者の裁量によって互いに共有する能動的な存在物となる。だがデジタル化されたインフラを敷設するには、まずすべての建物を脱炭素化することが最優先となる。

アメリカの既存の建物の多くは、気密性を高めたり、エネルギーロスを最小化し、エネルギー効率を最適化し、気候の激甚化に耐えられるように構造を強化したりするなど、全面的な改修が必要である。ガスや石油による暖房は温室効果ガスを大量に排出するため、電気による暖房に切り替えなければならない。これは居住用、商業用、工業用、および公共機関の建物群すべてにあてはまる。エネルギー効率化と省エネ化のために建物の改修に投資すれば何年か後には見返りが生じ、所有者や賃借人はその後何十年にもわたって、エネルギーコストを確実に節約することができる。

建物群の改修には、多くの職を生むという効果もある。建物の改良に一〇〇万ドルを投じるごとに、直接、間接に生まれるものと誘発されるものを合わせて一六・三人の雇用が生まれる。[40]ドイツの経験は、アメリカが国をあげて建物改修プロジェクトに取り組んだ場合の雇用創出の可能性について示唆を与えてくれる。ドイツでは、政府と雇用主連盟、労働組合、環境NGO、大学などが共同で結んだ「ドイツ仕事と環境同盟」によって、三四万二〇〇〇戸の集合住宅を改修し、それによって二万五〇〇〇人の新しい雇用を創出すると同時に一一万六〇〇〇人の既存の雇用を維持するという大規模プロジェクトが実施された。これは創出と維持を合わせれば一四万人以上の雇用になる。[41]ドイツとアメリカでは雇用の数え方に多少違いがあるということはあっても、ドイツの例は、アメリカの住宅を大量に改修することでどの程度の雇用機会が望めるかを予測するうえで参考にできる。

建物にスマートなIoTインフラを埋め込むには、まず省エネ化するための改修が必要だ。それができて初めて、建物がスマートな接続点（ノード）として、ローカルあるいはグローカルに隣りあった接続点（ノード）と結びつき、集合的な働きをすることが可能になる。当初、IoTは生産ラインやサプライチェーンの全過程で、装置の監視を強化し、成績を向上させるための補助的な役割を果たすと見なされていた。たとえば航空機にセンサーを埋め込み、定期的な点検の前に何らかの部品を交換する必要があることを知らせる、などである。

「ＩｏＴ」（モノのインターネット）という言葉を最初に使ったのはイギリスの技術者・起業家ケヴィン・アシュトンで、一九九九年のことだった。だがＩｏＴが幅広く応用される道が探られるまでには、それから一三年の月日を必要とした。その原因は、センサーや作動装置（アクチュエーター）の単価がまだまだ高かったことにある。だが二〇一二年から二〇一三年にかけての一年半の間に、モノの流れを監視したり追跡したりするのに使われるＲＦＩＤチップ（無線ＩＣタグ）〔ＩｏＴの命名者アシュトンは、ＲＦＩＤの国際標準策定に貢献したことで知られる〕の価格が四〇％も下落し、社会全体にセンサーを埋め込む可能性が拓けたのだ。[42]

一年後の二〇一四年に出版された拙著『限界費用ゼロ社会』（柴田裕之訳、ＮＨＫ出版、二〇一五年）のなかで、私はＩｏＴが商業生活や社会生活を改善するスマートな神経系となり、これまでよりはるかに重要な役割を果たす時代がやってきたと述べた。[43] 最終的にはＩｏＴを居住用、商業用、工業用、および公共機関の建物群すべてに組み込むことで、私たちの居住環境全体がスマートな建物という接続点（ノード）に形を変え、それらが相互におびただしい数のプラットフォーム上でつながって、分散型のグローバルな脳・神経系を形成する。そして人類という家族が、かつてないほど多様で流動的な社会・経済的ネットワークで結ばれる、と私は主張した。

シリコンバレーの起業家や国際コンサルティング会社は、この「ノードとしての建物」という概念に敏感に反応した。しかし、この考え方をいち早く実行に移したのは中国企業ハイアール・

グループだった。ハイアールの名前は知らなくても、家電事業をメインとするグローバル企業である同社のテクノロジーは、世界中の家庭やオフィス、商業スペース、テクノパークなどに使われている。二〇一六年には、同社はアメリカのゼネラル・エレクトリック社の家電事業を買収している。

私は二〇一五年九月、同社のグローバル展開一〇周年の記念行事に招かれ、会長兼CEOの張瑞敏(チャン・ルエミン)と会見した。[44] 張は私の『限界費用ゼロ社会』を読んで、建物を分散化されたスマートなノードととらえるようになったという。それらが集まって社会的プラットフォームを形成すれば、家庭生活も商業活動も豊かになると考えるようになったと、彼は話した。[45] ハイアールは今日、世界中の建物に使われているスマートなIoTテクノロジーを組み込んだ装置で世界をリードしている。

張によれば、彼のビジネスモデルの目標は、家庭や企業、そしてコミュニティにIoTテクノロジーを提供することで、電気の使用量とカーボン・フットプリントを減らすことだという。すべての建物にIoTインフラを設置する取り組みはまだ始まったばかりだが、向こう数年間にアメリカ国内の建物群がスマートなネットワークで相互に結びつくノードに転換されるにしたがって、飛躍的に拡大することが見込まれる。IoTテクノロジーに一〇〇万ドルが投じられるごとに、直接、間接に生まれるものと誘発されるものを合わせて一三人の雇用が生まれる。[45] 不動産部門は何がどうあろうと、今後数十年間に世界で最大の座礁資産となる可能性がきわめて高い。電力供給部門とは違って、居住用、商業用、工業用、および公共機関の建物群の資産回転率

〔年間の売上高（販売高や賃料収入など）を同時期の平均資産価値で割ったもの〕は年間わずか一％で、世界資産のなかでも最も回転率が低い。[47] 建物群を改修して排出ゼロに近づけることがいかに困難かを理解するには、イギリスに現在ある建物のうち八七％が、二〇五〇年にもまだ存在しているということを念頭におく必要があろう。[48]

ＥＵでの経験からいえば、建物群を全面的に改修することはグリーン・ニューディールを実施するうえで最も困難な側面の一つであり、日々の生活や仕事のパターンを中断されることに対する社会的・心理的な拒絶反応を克服するための確固たる決意を必要とする。こうした抵抗は、とくに低所得層および中間所得層用の公営住宅の場合、建物を改修することで月々の光熱費が大幅に下がり、裁量所得〔可処分所得から基本生活費を引いたもの〕が増えることが理解されれば解決できることが多い。

建物の改修はアメリカ経済およびグローバル経済を脱炭素化するうえで絶対不可欠なものであり、グリーン・ニューディールへの転換においてしっかりと手をかけて行わなければならない。それを怠れば、世界中の建築部門における座礁資産は膨大な額に上ることが予想される。第２章で言及したＩＲＥＮＡの「政策措置の遅延」シナリオによれば、建物群の座礁資産は、「加速」シナリオＲＥｍａｐで予想される座礁資産の倍以上の、一〇兆八〇〇〇億ドルという驚異的な額に上る。[49]

二〇一八年にボストンで開催された全米市長会議の年次総会は、アメリカの全都市に対し、「既存および新築の集合住宅、居住用、商業用および公共機関の建物のエネルギー効率に注意を集中させる」ように呼びかける決議を採択した。[50] いち早くこの呼びかけに反応した都市は、管轄区域内の建物群の改修を加速させるため、より厳しい義務規定やインセンティブ、罰則を発動している。

ＥＵには全米市長会議も採用したいしうらやむような「建物のエネルギー性能に関する指令」という取り決めがある。これは建物群の改修、再生可能エネルギー発電装置の建物への設置、そして十分な貯蔵能力のあるスマートなエネルギーインフラの構築に携わる必要のあるすべての当事者を監視し、インセンティブを与え、罰則を科すことを定めたものだ。この指令はＥＵ加盟二八カ国全域のすべての建物に、エネルギー性能証明書の取得と、その建物の冷暖房の監視を義務づけている。イギリスのノーザンブリア大学建築・構築環境学部のケヴィン・マルドゥーン＝スミス講師とポール・グリーンハルグ准教授は、この指令の重要性について次のように説明している。

エネルギー性能証明書（ＥＰＣ）と不動産における気候関連の座礁資産との間には重要な関係がある。ＥＰＣは不動産取引の際の意思決定に影響を及ぼし、建物のエネルギー性能の改善に対してコストパフォーマンス最適化の方法を提示するという点で、建物の改善の重要な手段となる。……ＥＰＣは政府にエネルギー性能の最低基準を定める機会を与えると同時に、建物の所有者、占有者、および不動産の利害関係者にとって重要な情報ツールとなる。[51]

イングランドとウェールズの政府機関はＥＰＣを使って、非居住用の民間賃貸不動産物件を対象にした「エネルギー性能最低基準」（ＭＥＥＳ）と呼ばれる、法的拘束力をもつ通信簿を作成した。MEESの評価はAからGまであり、FまたはGに評価された物件を貸し出すことは違法となる。居住用の物件にも同様の基準が適用されている。この基準に満たない建物は居住用建物（五七〇〇億ユーロ相当）のうちおよそ一〇%、商業用建物（一五七〇億ユーロ相当）のうち一八%に上る。両政府機関は将来この基準を引き上げ、建物内部の物理的改良を促すインセンティブにしたいと考えている。[52]

こうしたエネルギー性能の最低基準を定めることには、基準に満たない建物の所有者の名前が公になる、その物件の市場価値が下がるなど、さまざまなメリットがある。また、都市、州、国の各レベルですべての建物について最新のエネルギー性能証明書が発行され、それが固定資産税を算出するための物件の評価に使われれば、エネルギー効率の良い建物や太陽光発電を行う建物は税金を控除される一方、エネルギー効率の悪い建物は高い税金を払わなければならなくなる。

ところが残念なことに、MEESに伴う「グリーン・ニューディール融資モデル」と呼ばれる資金調達の仕組み――老朽化した住宅の所有者にエネルギー効率を高めるための改修を促すインセンティブを与えるもの――は、政府によって却下され、商業用建物についても適用されなかった。その結果、建物の所有者は罰則は科せられるものの、建物のエネルギー効率化を図るプラスのインセンティブは与えられなくなってしまった。[53] これまでの経験から繰り返し学んできたとおり、構築環境を化石燃料文明からグリーンな再生可能エネルギー文明へと転換させるには、強力なアメとムチの両方が必要なのだ。

グリーン時代に備えて労働力を養成する

ＩＣＴ／通信部門、電力部門、移動／ロジスティクス部門、そして不動産部門の化石燃料業界からの脱却は、アメリカではまだ始まったばかりだ。それでも、第三次産業革命経済への転換がもたらす労働力人口の構成の変化は、新しいグリーン経済の神経系となる四つの部門での被雇用者数の増加という形ですでに表れてきている。数字に見る変化は著しい。エネルギー省がまとめた「二〇一七年米国エネルギーと雇用に関する報告書」によれば、エネルギー効率、太陽光・風力発電および電気自動車の分野で雇用された労働力は一〇〇万人近くに上り、これは化石燃料系の電力業界で雇用された労働力のほぼ五倍にあたる。[54] これに建物の改修に携わる建築業界のパートタイム労働者を加えると、「エネルギー効率化、太陽光・風力発電の分野でフルタイムまたはパートタイムで働く」アメリカ人の数は三〇〇万人にまではね上がる。[55] これらの被雇用者数は、今後二〇年間にアメリカがグリーン・ニューディールにより第三次産業革命インフラへと移行するにしたがって、飛躍的に増加することが見込まれる。

アメリカのインフラ全体をスマートでグリーンなパラダイムへと転換させるのには多種多様な能力が必要であり、そうした能力をもつ労働力を養成するには、大規模な訓練や再訓練が必要となる。その規模は、第二次世界大戦が始まって男たちが戦場へと動員され、国内産業を維持するためには女性の労働力が必要になったときにも匹敵する。当時はあらゆる産業分野において、この途方もない取り組みは一年半足らずで達成された。そして最近では、高校または大学を卒業した若者を対象に、同様の動員と訓練を行うべきだという議論が高まっている。具体的には、地域社会や企業でグリーンインフラの構築と拡大に焦点を当てた実習を行うというものだ。

ブルッキングス研究所の研究によれば、現在全米五〇州でインフラ構築に携わる労働者は一四五〇万人に上る。その大半は白人男性で、人口全体の人種的・性的多様性を反映するものではない。自然エネルギーおよびエネルギー効率化の分野で働く労働者のうち女性は二〇%以下で、有色人種の割合は一〇%にも満たない[56]。

この研究は次のように指摘する。「自然エネルギー経済への転換には、自然エネルギー生産、エネルギー効率化、環境管理という三つの主要な産業部門全体に広がる三二〇種の固有の職業が関わることになる」。これらの職の大部分は、設計、技術、および機械的知識の面でのある一定の専門的な職業訓練を必要とする。興味深いことに、こうした新しいグリーンな職業の時給は全米平均を八〜一九%上回る。同じく重要なのは、この分野で最も収入の低い労働者でも、旧来の経済における同等の職業に比べて五〜一〇ドル高い時給を得られるということだ[57]。

問題は、インフラ構築に携わる既存の労働者の大半が退職年齢に近づいているという点にある。ここから、アメリカがポスト炭素時代に移行するのに必要な技術をもった新しい世代を、どのように養成するかという大問題が生じる。現在、州、郡、市町村では、第三次産業革命経済への移行に伴う新しいインフラ構築の仕事に就く人材を育てるため、既存の労働者の再訓練と若い世代の訓練の両方を行う養成機関「インフラ・アカデミー」を設置する動きが出はじめている。たとえば二〇一八年、ワシントンDCのミュリエル・バウザー市長は、ワシントン・ガス、DCウォーター、電力会社ペプコなど官民のパートナーと提携してDCインフラ・アカデミーを設立した。このアカデミーでは、同市の最貧困地区に住む労働者がグリーンな雇用機会を得られるよう教育している[58]。

グリーン・ニューディールがきっかけとなり、若者にグリーンな労働実習を提供することを目的とした、州や国によるサービスプログラム――グリーン部隊(コー)、環境保護部隊、気候部隊、インフラ部隊などと呼ばれる――を創設する動きもアメリカ全土に広がっている。参加者には生活手当が支給され、サービス終了時には専門技術習得の認定書が発行される。これによって、アメリカの若い世代がグリーン経済でキャリアを積んでいくことが可能になる。こうしたプログラムには、海外でボランティア活動を行う平和部隊(ピースコー)、国内のボランティアプログラムであるＶＩＳＴＡやアメリコーなどの先例が数多くあり、青少年が公共サービスに従事して新しいスキルを習得し、ひいては将来のキャリアや雇用にもつながる貴重な機会となっている。労働組合、地方政府、大学、コミュニティカレッジ、職業専門学校などと提携することで、これらのプログラムは二一世紀の新しいグリーンな労働力の養成に大きな力を発揮するにちがいない。

スマートなエコロジカル農業

社会のインフラを構成する四つの主要部門は、私たちの経済活動、社会生活、そして統治を管理し、動力を提供して動かす巨大な力であり、すべてを合わせたときのカーボン・フットプリントは膨大になる。しかし農業部門を忘れるわけにはいかない。農業もまた大量のエネルギーを使い、大きなカーボン・フットプリントを伴うからだ。

農業においては、栽培、灌漑（かんがい）、収穫、貯蔵、加工、そして卸売業者や小売業者への作物の輸送に膨大な量のエネルギーが使われる。石油化学系の肥料や農薬の生産にも、かなりのエネルギーが使われる。農業機械もまたしかり。ＥＵの場合、作物の栽培と家畜の飼育に使われるエネルギーが、食料の価値連鎖（バリューチェーン）全体で消費されるエネルギーの三分の一を占める。加工には二八％、梱包と輸送に二二％、最終的な廃棄物の処分には五％のエネルギーが使われている。[59] アメリカでもこの数字はほぼ同様である。

ここで動物の飼育について考えてみよう。国連食糧農業機関（ＦＡＯ）によれば、農業分野から排出される温室効果ガスの大半は牛に由来する。[60] 家畜（主として牛）は地球の凍らない土地の二六％もの面積に放牧されている。[61] 現在、地球上には約一四億頭の牛がいるが、これらの牛は大量のメタンガスをげっぷとして排出しており、その温室効果は同質量のCO_2の二五倍にも上る。[62] 牛の糞（ふん）からは亜酸化窒素も排出されるが、その温室効果はCO_2の実に二九六倍にもなる。[63]

だが、これはほんの序の口にすぎない。ミネソタ大学環境研究所の調査によれば、アメリカで生産されている農作物の半分以上が家畜の飼料用だという。[64] 植物性タンパク源となる食料の生産と比較すると、「肉牛その他の反芻（はんすう）動物は……豆類より、摂取されるタンパク質一単位あたり二〇倍以上の土地を必要とし、二〇倍以上の温室効果ガスを排出する」。[65] つまり、集約的な肉牛生産およびそれに関連する畜産は、途方もなく非効率的だということになる。しかも、世界の多くの国では家畜の放牧地を確保するために森林破壊が行われており、その結果、CO_2を吸収する木が減少しているという悲しい現実もある。

それでも勇気づけられるのは、Z世代の若者たちがこうした牛肉の問題に目覚め、なるべく肉を食べないようにしたり、なかには完全菜食主義になる者もいるということだ。二〇一九年四月、バーガーキングは同年末までに、世界中の七三〇〇店舗で植物由来の人工肉バーガーの販売を始めると発表した。[66]

残念なことに、世界の農業・食料分野は他の分野と比べて、化石燃料からの脱却が大幅に遅れている。たとえばヨーロッパでは、農業で使われているエネルギーのうち再生可能エネルギーが占める割合は七％にすぎない。これに対し、全分野における再生可能エネルギーの割合は一五％に上る。[67] ヨーロッパ、アメリカ、そして世界にとって、食料分野を化石燃料と石油化学依存の農業から脱却させるにはまだまだ大きな困難が伴う。

とはいえ食料分野も、この困難な課題に注意を向けはじめている。ヨーロッパ全域では、石油化学系の肥料や農薬を使わない、環境を重視した有機農業への切り替えが徐々に進み、EU加盟二八カ国の農地の六・七％は有機農地となっている。アメリカは後れをとっており、有機農地の割合はまだ〇・六％にすぎない。[68]

しかしアメリカでもオーガニック食品の小売り売上高は伸びており、二〇一七年の売上高は四五二億ドルに上った。[69] 有機農業への転換を後押しするのは消費者需要だ。アメリカでは、たとえ価格は割高でも有機栽培の持続可能(サステナブル)な食品を買いたいと考える消費者が増えている。オーガニック食品市場が拡大していけば、エコロジカルな農業へと転換する農家が増え、オーガニック食品の小売価格は下落する。

また、農家が集まって電力協同組合を設立し、太陽光、風力、バイオガスによる発電施設を設置する動きも始まっている。[70]自然エネルギーによって発電した電力の一部は農業に使われ、余った電力はエネルギー・インターネットに売却され、農家にとっての副収入となる。

炭素固定農法(カーボン・ファーミング)と呼ばれる農法によって、さらに収入を増やすことも可能だ。具体的には被覆(ひふく)作物、輪作、不耕起栽培〔農地を耕さないで作物を栽培すること〕などを指し、こうしたシンプルな方法が土壌に炭素を溜める効果をもつことは長く証明されている。たとえばライ麦、オーツ麦、豆などの被覆作物を野菜の畝(うね)と畝の間に植えるだけで、炭素や窒素などの有機栄養素を土壌中にとどめることができる。カーボン・ファーミングには、大気中のCO_2を土壌中に取り込んで溜めるだけでなく、その結果、作物の成長が促進されて収穫も増えるという二つのメリットがある。[71]

米農務省は現在、八六七〇億ドルもの補助金を農家に支給しているが、もしそのごく一部だけでも農家がカーボン・ファーミングを取り入れるためのインセンティブとして提供すれば、炭素の回収・貯留に大きな影響を及ぼす。これは気候変動への有効な対策となると同時に、農家にとっても収穫が増えるというメリットがある。[72]また、農地の一部に再植林して炭素吸収源を増やした農家に対して、その見返りとして連邦税と州税を控除するという方法もある。

農地に太陽光・風力発電設備を設置して自然エネルギー発電を行い、カーボン・ファーミングによってCO_2を隔離すれば、グリーンな社会づくりに大きな貢献をすることは間違いない。だが、連邦政府の所有地でこの二つの取り組みを行えば、それよりはるかに大きなチャンスになる。アメリカの国土の三分の一、そして海外国有地のすべてが連邦政府の所有地だが[73]、近年その土地の多くが石油や石炭、天然ガスの採掘のためにリースされている。驚くことに、二〇〇五年から二〇一四年までに連邦政府所有地での化石燃料採掘によって排出されたCO_2は、アメリカ全体のCO_2排出量の二三・七%にも上るのだ。[74]反対に国有地で発電される再生可能エネルギーは、現在のところアメリカ全体のわずか五%にすぎない。[75]グリーン・ニューディールはこの順位を逆転させなければならない。連邦政府所有地を化石燃料の採掘のためにリースすることをやめると同時に、国有地を大規模な太陽光・風力発電のために開放するべきである。

さらに、現時点ではアメリカの国有地のうち森林や草原、灌木地（かんぼく）などで吸収されるCO_2は、同じ国有地で行われている化石燃料採掘によって排出されるCO_2の約一五%にすぎない。[76]化石燃料の採掘を全面的にやめて可能な範囲で再植林することによって、国有地はグリーン時代への移行期に排出されるCO_2を吸収するアメリカの「肺」となることができるのだ。

農業経営のデジタル化によって、作物の栽培、収穫、貯蔵、そして出荷のあり方も変化しはじめている。IoTインフラを段階的に導入することで、アメリカの農業生産から食品加工、卸売および流通までの分野で、大幅な効率化と生産性の向上が見込まれる。農業生産者はすでにIoTを利用し、農地にセンサーを設置して天候や土壌水分の変化、花粉の飛散状況など収穫に影響するさまざまな要因を監視している。作物の生育状況を適切に管理するために、自動応答装置も設置されている。

ＩｏＴインフラが段階的に導入され、サプライチェーン全体にセンサーが設置されることで、種まきから小売店での販売という最終地点まで、作物がたどる長い旅のあらゆる瞬間が追跡されるようになれば、農業生産者から加工業者、卸売業者、流通業者まで農業に関わるすべての人々が価値連鎖（バリューチェーン）を流れるビッグデータから必要な情報を取り出すことが可能になり、そうすることで農場の管理、動力の提供、作物の加工および輸送における効率を向上させるとともに、限界費用とエコロジカル・フットプリント〔人間一人あたりの環境負荷を、資源の再生産と廃棄物浄化に必要な土地面積として表したもの〕を減少させることができる。その結果、食品業界全体を石油化学の時代からエコロジカルな時代へと移行させることができるのだ。

レジリエンスの時代

互いにコミュニケーションし、地球のエネルギーを利用し、あちこち動き回り、家を造り、食べる——これらは人間が経済・社会生活を営むうえでの基本であり、私たちはそれを当然のことと見なしがちだ。ところがある時を境に、それらについて考えたり、使ったりするしかたが根底から変化すると、私たちの社会的志向や世界の認識のしかたにも否応なく革命的変化が起こる。私たちがデジタル的に強化されたエコロジカルな社会で生活するようになった今、化石燃料文明社会での機械化された生活との違いはすでに明らかになりつつある。この意味で、グリーン・ニューディールのインフラとは、単にインフラが変化するだけではなく、私たちの意識そのものが変化することなのだ。

イギリスで蒸気機関が発明されたことを機に、化石燃料時代が幕を開けようとしていた一八世紀末、数学者、政治家であり哲学者でもあったコンドルセ侯爵は、フランス革命の絶頂期における新たな意識を称揚して次のように記している。ここに表現されたあふれんばかりの希望は、二世紀あまりを経た今、なんと大きく様変わりしたことか。

> 人間の能力の進化には限界がない……人間の完璧性は間違いなく無限である……これ以降、この完璧性が遂げる進歩はそれを妨げようとするいかなる力の制約も受けず、自然がわれわれに与える地球の終わり以外には、限界はいっさい存在しない[77]。

このコンドルセの見解は、やがて「進歩の時代」と呼ばれるようになった時代の思想的基盤となった。だが、化石燃料文明がもたらした惨憺（さんたん）たる結果に囲まれた今、もはやそうした楽観主義に惑わされることはない。今や「進歩の時代」や「人間の完璧性」を高らかに賛美する声は、ほとんど聞かれない。これから始まるのは「強靱性（レジリエンス）の時代」である。グリーン・ニューディールのインフラはレジリエンスの時代のために設計されている。人間がいったんは手なずけ、鎮めた自然は今や再び野生化しつつある。グリーン・ニューディールのインフラを構成する要素、またそれを適用し運用することは、再び野生化しつつある自然に人間が適応することを可能にする。そして今や地球上を覆い、年々激化している異常気象に抗って、人類が生き延びる希望をもたらしてくれるものなのである。

何百万ものアメリカの若者が参加するグリーン部隊、環境保護部隊、気候部隊、インフラ部隊などのプログラムが、きたるべき時代の新たな雇用機会やビジネスチャンス以上のものである理由は、まさにここにある。連邦政府、州、郡、市町村の各レベルでこうしたプログラムが実施されれば、今や日常的な現実となりつつある異常気象や災害救助・復旧活動における初期対応の一つとなるのは間違いない。再び野生化した自然が猛威をふるう将来――すでに今、ここにある――に私たちが適応していくためには、すべてのコミュニティが絶えず警戒を怠らず、いつでも災害モードを発動できる状態にあることが必要になる。この新しい世界において、国家安全保障とは軍事的脅威より、破滅的な異常気象から人間を守るという意味に変わる。すでに国防総省、米軍および州兵は任務の再検討を進めており、重要な作戦行動や配備の優先順位を、異常気象への対応に移しつつある。激変する気候の影響を受けないコミュニティは存在しない。レジリエンスの時代には、あらゆるコミュニティが潜在的に不利な状況にある――誰も地球の怒りから逃げられないのだ。グリーン・ニューディールのスマートなインフラは、気候変動への適応における第一の防衛ラインとなる。それは未来への命綱なのだ。

第4章

臨界点
――二〇二八年前後にやってくる化石燃料文明の崩壊

温室効果ガスの排出量が最も多い四つの主要部門が、化石燃料からの脱却と再生可能エネルギーへの転換を図るに伴い、社会は急速に化石燃料文明の崩壊へと追いやられつつある。二〇一八年七月、イギリスの科学誌「ネイチャー・クライメート・チェンジ」に、ケンブリッジ大学の環境・エネルギー・天然資源管理研究センターのチームが行った大規模かつ詳細にわたる研究の報告が掲載された。それによれば、カーボンバブルの問題は各国政府の排出削減目標より、現在進行中の技術革新と深く関連しているという。この技術革新は、「たとえ主要な化石燃料生産国［すなわち米国］が気候変動緩和策をとらなくても、減速することはない」[1]。研究チームは、「われわれの結論はカーボンバブルの存在を裏づけるものであり、早期に収縮することがなく、膨らみつづければ、世界全体で二〇〇七年の金融危機にも匹敵する一兆～四兆ドルの損失を生む恐れがある」が、「バブル崩壊によるさらなる経済的損害は、脱炭素化を早期に進めることで回避できる可能性はある」として、次のように述べている。

新しい気候変動緩和策がとられるかどうかにかかわりなく、世界の化石燃料に対する需要の伸びは、技術転換が進むなかですでに減速している。とすれば問題は、現在のペースで低炭素技術が普及した場合、再生可能エネルギーの配備や輸送における燃費の向上、移動の電動化などによって化石燃料が座礁資産になるかどうかにある。実際、現在進行中の技術転換は、これまでに行われた投資や政策決定の結果として化石燃料の価値に大きな影響を及ぼす。膨大な量の化石燃料が座礁資産化する可能性が現実になりつつある今、金融部門が低炭素社会への転換にどう対応するかが、カーボンバブルの崩壊が二〇〇八年の世界金融危機に匹敵する事態を引き起こすかどうかを左右する決め手となろう。

研究チームによれば、太陽光・風力エネルギーの価格競争力が高まれば、脆弱化した石油業界は世界市場における原油価格を――たとえ損失が出ても――引き下げ、地下や海底に埋蔵する石油資源をできるかぎり採掘して、座礁資産の最小化を図る可能性があるという。「化石燃料の価格の下落は、産油国が自国の資産を『売り切る』意図の表れである可能性が高い。すなわち、化石燃料資産への需要が減少しているにもかかわらず、石油の生産量を維持または増大しようというのである」。もしこれが現実になれば、温室効果ガスの排出量は壊滅的に増加し、一・五℃を超える気温上昇を引き起こす可能性がある。

二〇二〇年に達成すべき20―20―20

ここで少し時間をさかのぼって、各国政府が温室効果ガス排出の削減目標を定め、その後の急速な技術革新によって再生可能エネルギーのコストが劇的に下落するまでの出来事の流れを振り返ってみよう。

第2章で簡単に触れたように、二〇〇七年には欧州委員会と欧州議会の両方で、EUが化石燃料文明から脱却するには、加盟国が法的拘束力のある相互に関連する三つの目標を受け入れ、採用する必要があるという合意が形成されつつあった。その三つとは、第一にエネルギー効率の大幅な向上、第二に再生可能エネルギーへの歴史的転換、第三に温室効果ガス排出の大幅な削減、である。この三つが相乗作用を重ねることによって、EUは二〇五〇年までに一〇〇%ポスト炭素社会へ転換するという最終的な目標に近づくことができる。

ヨーロッパにとって決定的だったのは、二〇〇五年一一月にアンゲラ・メルケルがドイツ首相に選出されたことだ。なかでも注目すべきなのは、この第一次メルケル政権においてドイツキリスト教民主同盟（CDU）〔およびバイエルン州のみで活動する地域政党であるキリスト教社会同盟（CSU）。CSUは事実上CDUのバイエルン支部的な位置にあることから、まとめて単にCDUと表現することもある〕とドイツ社会民主党（SPD）が連立を組み、フランク＝ヴァルター・シュタインマイヤーが外相に、ジグマール・ガブリエル〔ともにSPD所属〕が環境・自然保護・原子力安全相に就任したことだった。

ドイツはこの時点で、気候変動対策においてすでに世界をリードしており、化石燃料から自然エネルギーへの転換に意気込みを見せていた。ドイツでは一九八〇年代の西ドイツ時代に勢力を伸ばした緑の党が政界で大きな力をもっており、気候変動に対してより積極的な立場をとるよう両党に働きかけていた。この緑の党のスタンスがやがて環境に関する政策議題へと発展し、大筋においてCDUとSPD両党に採用されることになったのだった。

この両党が、緑の党の影響を受けながら大連立を組んだことは、将来のヨーロッパの方向性を変化させる政治的革新への道を拓いた。ヨーロッパはこれによって、世界を自然エネルギーの時代へと転換させるリーダーの地位へと押し上げられることになったのだ。

まったくの偶然から、ドイツは二〇〇七年一月一日から六月三〇日までの半年間、EU理事会の議長国を務めた（議長国は加盟国の輪番制）。ドイツは当初からEUで牽引役としての立場にあり、二〇〇七年にはヨーロッパ全体の主要な五つの政党のうち三つ――CDU、SPD、緑の党――がドイツにおいて思想的な連携を果たした。このことが、ヨーロッパ全体がポスト炭素社会のパラダイムへと舵を切る、またとない機会をもたらしたのだ。必要なのは、欧州議会で五つの主要な欧州政党〔各国の政党とは別に、各国政党の連合を基礎としながら全欧規模で活動する政党組織〕がこれと同様の連立を組み、脱炭素化に向けた法的拘束力のある厳格な目標の設定を義務づけるようEU加盟国に呼びかける宣言書を採択することだけだった。ドイツがEU理事会の議長国を半年間務めるというのは、まさに決定的なチャンスとなったのだ。

私はTIRコンサルティングのブリュッセル支部の責任者であるアンジェロ・コンソリとともに、ドイツ代表の欧州議会議員でSPDの有力な政治家であるヨー・ライネンと会見し、欧州議会で五つの主要欧州政党が一つにまとまるための行動計画をどう練るかについて話し合った。五つの欧州政党とは、ヨーロッパ全域のキリスト教民主主義政党で構成される欧州人民党グループ（EPP・ED）、欧州社会党（PES）、欧州緑グループ・欧州自由連盟（Greens／EFA）、欧州自由民主同盟（ALDE）、そして欧州統一左派・北方緑の左派同盟（GUE・NGL）である。最終目的は、五党がまとまってエネルギー効率の向上、自然エネルギーによる発電、および温室効果ガスの排出削減を盛り込んだ宣言を採択し、その目標達成を加盟国に義務づけることにあった。

欧州議会が公式の宣言書を可決することはめったにない。提出後九〇日以内に可決されなければならないという規則があるため、達成への道のりはきわめて厳しく困難をきわめる。私たちのチームはEUの五つの主要政党から協力者を募り、手分けして文字どおり何百人という欧州議会議員やそのスタッフらに面会し、支持を訴えた。こうして期限ギリギリで可決に持ち込むことのできた宣言書は、以下のようなものだった。

欧州議会は手続き規則一一六の規定に従い、

A　地球温暖化が進み、化石燃料コストが上昇しているために、そして、欧州議会および欧州委員会がエネルギー政策と気候変動の将来に関して始めている議論を考慮して、

B　ポスト化石燃料およびポスト原子力エネルギーの展望をEUの次の重要なプロジェクトに

すべきであるために、

C　エネルギー自立に必要な五つの要素は、エネルギー効率の最大化、温室効果ガス排出削減、再生可能エネルギーの商業的導入の最適化、再生可能エネルギー貯蔵のための水素燃料電池技術の確立、そしてスマートグリッドの構築、であるために、

1　EU諸機関に次のことを求める。

・二〇二〇年までにエネルギー効率を二〇%向上させること、二〇二〇年までに温室効果ガスの排出を三〇%（一九九〇年比で）削減すること、

・二〇二〇年までに電力の三三%、全エネルギーの二五%を再生可能エネルギーによって生産すること、

・水素燃料電池その他による蓄電技術を携帯、据え置きおよび輸送の用途に導入し、二〇二五年までにすべてのEU加盟国でボトムアップの分散型水素インフラを確立すること、

・二〇二五年までに独立したスマート送電網を設置し、地域、都市、中小企業、そして市民が現在のインターネットに適用されるのと同じオープンアクセスの原則に従ってエネルギーを生産し、シェアできるようにすること

2　欧州議会議長に、この宣言を署名者の名前とともに欧州委員会および加盟国の政府と議会に提出するよう指示する。[2]

この欧州議会の宣言は、欧州委員会が策定していた同様の気候変動対策を強化する役目を果たし、ＥＵの脱炭素化に向けてドイツが20‐20‐20方式に必要としていた支持を取りつけることを可能にした。

二〇〇七年六月、ドイツのＥＵ理事会議長国としての任期も残すところあと数日というとき、私はガブリエル環境・自然保護・原子力安全相とともに、ドイツの議長国任期終了を記念し、二七カ国の環境相が参加した会議で基調講演を行った。これは、ＥＵが新たなポスト炭素社会に向かって出発することを公式に示す機会でもあった。

ここで強調しておきたいのは、ＥＵが三つの目標達成義務を確定したことによって、加盟各国はそれぞれの目標達成に向けた独自の計画を策定できたということだ。とりわけ重要なのは、二〇二〇年までにＥＵで使用されるエネルギーのうち二〇％を太陽光と風力を中心とする再生可能エネルギーで賄うという目標である。[3] この目標を達成するために、ドイツ以外の国々はドイツ主導のもと、固定価格買取制度を導入しはじめた。これは、再生可能エネルギーで発電した電気を電力会社が市場価格より高い値段で買い取ることを保証するものだ。

固定価格買取制度には、ＥＵ諸国による再生可能エネルギーの目標達成をはるかに超える効果があった。この制度がインセンティブとなり、それに後押しされた小規模な自然エネルギー発電業者がおもに電力協同組合の形で多数市場に参入しただけでなく、企業は研究開発を急ピッチで進め、新しい技術革新を次々に成し遂げた。それによって太陽光・風力発電のコストは劇的に下がり、一〇年後には従来の化石燃料エネルギーと同等、場合によっては同等以下のレベルにまで低下したのである。法的な目標達成義務と、競争力のある再生可能エネルギーの拡大を促進した固定価格買取制度とが相まって起きたのが、今や化石燃料文明を崩壊寸前の崖っぷちまで追いやっている大転換なのだ。

大転換――緑の一線を越える

では、ヨーロッパおよび世界が炭素時代の終わりに近づいているということは、どうしてわかるのだろうか？　第一に、まだ導入されて一〇年も経たない固定価格買取制度が、すでにEUをはじめ世界各地で廃止されつつあることだ。その理由は、太陽光・風力発電に関連する技術革新と整備の拡大によって、再生可能エネルギー価格が大幅に下落していることにある。[4] 中国もEUのあとに続き、国内の太陽光・風力発電企業に補助金を出して技術の成熟と再生可能エネルギー価格のさらなる下落を促進し、太陽光と風力を主力電源にしようとしている。

太陽光、風力その他の再生可能エネルギーへの補助金が約一〇年というきわめて短い期間に導入され、今や廃止されつつある一方で、化石燃料は二〇〇年もの間主要な電源として使われつづけたあげくに、今なお（二〇一五年現在）世界全体で年間五兆三〇〇〇億ドルという驚くべき額の補助金（税引き後で）を受けている――化石燃料は今や急速に世界の賃借対照表上で座礁資産の欄に移動しつつあるにもかかわらず（税引き後補助金は大部分、「エネルギー消費によって引き起こされた環境損害――原材料費と同様に現実的なもの――」を計算したものであり、「それを完全に内部化できない場合、化石燃料使用による環境損害の一部は燃料の消費者によって負担されず、補助金という形で補塡される」)。[5]

問われているのは――切迫感をもって問う者も、疑念をもって問う者もいる――、太陽光・風力発電が二〇一七年の世界の全発電量のわずか三％しか占めていないのに、化石燃料文明が終わりに近づいていることなどありえるのか、という問いである。[6]

ここに、ある経済学の経験則がある。一般にはほとんど知られていないし、金融やビジネス界の大物にも大方無視されているのだが、経済学者シュンペーターが提唱した「創造的破壊」を予測するうえできわめて有益なものだ。

その経験則とは、投資家は全体として、ある企業や部門の「大きさ」ではなく、その「成長カーブ」に影響されるというものだ。投資先が着実に成長していれば、投資家は関心をもちつづけるが、成長の勢いがなくなれば往々にして興味を失う。そして新しい挑戦者が出てきたとき、たとえ重要にはみえなくても、その成長が目覚ましいものであれば、投資家はその挑戦者に関心を向けはじめる。そこにはカギとなる一線がある。挑戦者が市場の三％を占めたとき、既存のプレーヤーはそれを境にピークから下降に転じ、やがてはゼロに近づくというのだ。[7]非営利シンクタンクであるカーボン・トラッカーのエネルギー戦略担当責任者キングズミル・ボンドによれば、この「創造的破壊」のルールはあらゆる産業の分野にあてはまるが、エネルギー・パラダイムの歴史的転換を分析するうえではとくに有効だという。たとえばガス灯の需要のピークは、電気が照明全体の三％を占めるようになったときだったという。[8]

繰り返すが、考慮すべきは既存のプレーヤーと挑戦者との大きさの比較ではなく、それぞれのプレーヤーの売り上げがどれだけ伸びているかなのだ。たとえ挑戦者が市場の一％しか占めていなくても伸び率が二〇％であれば、一〇年後にはかなりのシェアを手にする可能性が高い。あるいは見方を変えて、挑戦者が三〇％という驚異的な伸び率を示し、市場の成長率が一％しかないとすれば、既存のプレーヤーの売り上げは、挑戦者の市場シェアが三％のときにピークに達する可能性が高い[9]。

キングズミル・ボンドは、現在ヨーロッパと世界で進んでいるエネルギー転換には次の四つのステージがあるという。第一ステージは、太陽光・風力発電が全電力の二％を占めるまでに増えた段階。これが最初のイノベーション段階である。第二ステージは、太陽光・風力発電がエネルギー市場の五〜一〇％を占める段階。これが転換ステージである。第三ステージは、太陽光・風力発電が市場の一〇〜五〇％を占める段階。急速な変化の段階である。そして最終ステージは、太陽光・風力発電が市場の五〇％以上を占める段階である[10]。このなかで二つ目の転換ステージが、金融市場にとってのターニングポイントとなる。なぜならこのとき化石燃料エネルギーがピークに達し、これを境に市場シェアを減らしはじめるからだ。

エネルギーにおける「大転換」の意味を十分に理解するには、いくつかの補足的な要因を考慮する必要がある。二〇一七年、世界の一次エネルギー〔自然界に存在する物質を源にするエネルギー〕の四三％は発電のために使われた[11]。今後数十年間に、輸送部門における化石燃料からの脱却と、電気自動車へのシフトが進むにしたがい、電力部門で使われる一次エネルギーは増大する。

カーボン・トラッカーによれば、臨界点は世界の電力の一四%が太陽光と風力によって賄われるようになったときだという。[12] ヨーロッパは二〇一七年、全電力の一五%が太陽光と風力で発電され、一四%の臨界点を通過した。同じ年、世界の他の国々の数字をみると、アメリカは八%、中国は六%、ラテンアメリカは五%、インドは五%、アフリカは二%、中東は一%以下で、全世界の平均は六%だった[13]（日本は約六%）。

何兆ドルという化石燃料が座礁資産となり、カーボンバブルが崩壊するこの臨界点が世界規模で起こるのはいつなのか？　世界の将来のエネルギー供給を予測するうえでカギとなるのは、世界のエネルギー需要の伸び率と、太陽光と風力による電力供給の伸び率という二つの変数である。[14] キングズミル・ボンドは次のようにみる。

> この二つの要素について予測が立てられれば、化石燃料需要がいつピークを迎えるかを算出することが可能だ……全エネルギー需要の伸び率を一・三%（ここ五年間の平均からやや減少すると予想）、太陽光と風力によるエネルギー供給の伸び率を一七%（供給は引き続きSカーブを描いて伸びるが、伸び率は現在の二二%より徐々に減少すると予想）とすると、化石燃料需要は二〇二三年にピークを迎えることになる。[15]

ボンドは、カーボン・トラッカーによる「エネルギー需要の伸び率一・三%、太陽光と風力による供給の伸び率一七%という予測」は確定的なものではないため、それ以外のシナリオも考えられるという。エネルギー需要の伸び率は一～一・五％、太陽光と風力による供給の伸び率は一五～二〇％の範囲内だと予測され、それらを総合すると「化石燃料需要のピークは二〇二〇年から二〇二七年の間にくると考えられる」としている。[16]

　少なくともアメリカ国内での太陽光と風力による供給の伸び率は、カーボン・トラッカーの予測とぴったり一致する。アメリカの全発電量に対する太陽光・風力発電の比率は、二〇一三年には四％だったが、その後毎年約一％ポイントずつ伸びており（％の伸び率にして一四～二五％）、二〇一七年には八％に達した。このままいけば、二〇一九年には一〇％に達すると予想される。[17]さらにその割合で増えつづければ、二〇二三年末には太陽光と風力が全電力の一四％を賄うことになり、臨界点に近づく。

　損害は明白だ。太陽光・風力発電のコストは多くの場合、すでに現在の石炭・天然ガスを燃料とする火力発電所のランニングコストを下回っている。[18]太陽光・風力発電による発電が日に日に増えつづけるなか、火力発電所を稼働することは競争力を失う一方であり、発電施設は閉鎖を余儀なくされる——つまり、設備投資は決して回収できない。

　かつて天然ガス業界は、天然ガスを燃やす新しい世代の火力発電所を建設すべきだとの議論を展開していた。それには二つのもっともらしい根拠があった。第一に、天然ガスは化石燃料のなかでCO_2の排出量が最も少なく、そのため低炭素社会に移行する際の橋渡し燃料として適切であること。第二に、太陽光・風力発電では電力供給が不安定なので、バックアップ電源（とくにピーク時の）として天然ガスを燃やす火力発電所が必要であること。こうした論調に影響された電力会社は、不安定な再生可能エネルギーのバックアップのためと称して、新しい天然ガス火力発電所を次々に建設した。

　しかし電力会社の見立てはみごとに外れた。二〇一一年にはヨーロッパの新規発電施設で発電される電力の六八％が太陽光と風力によるものだった[19]。実際には二〇一一年の時点で、太陽光と風力で発電された電気は十分あったため、急いで建設された天然ガス火力発電所はごくたまに使われるか、まったく使われないかのどちらかだったのだ。つまり、ここでも設備投資を回収することはできない。目の前にはグリーンの道が拓けている。化石燃料をベースにした電気システムの道から降りて、太陽光・風力をベースにした電気ネットワークに移行する「出口」は、後者の比率が一四〜一五％ラインを超えたときに現れるが、前述のようにEUは、二〇一七年にここに到達している。

　太陽光と風力だけでは出力が変動するため、電力を安定供給するには、この先何十年にもわたって従来の化石燃料によるバックアップが必要だという話をよく聞くが、これはもはや一種の都市伝説と化している。おおむね天然ガス業界が広めているのだが、そんなことはまったくない。電池による蓄電も燃料電池用水素の貯蔵も急速にコストが下がっており、太陽光・風力発電の出力の変動を補うバックアップを容易に提供できる。また、季節によって太陽光と風力がそれぞれどのように変動し、電力需要がどう変化するかを考慮したうえで適正な混合率を決めることも、信頼性の高い電力供給の維持に役立つ。さらには需要サイドにおける管理の向上、グリッドコード〔出力低下などが起きたときの、接続された各種発電施設などの対処ルールを定めたもの〕の改善、デジタル送電網への迅速な転換による電力供給の効率化なども、電力需要の安定化にとって重要な要素となる。[20]

「座礁資産」や「カーボンバブル」という言葉があちこちで使われるようになったが、その難解な響きのせいで、それが世界経済や文明にどれほど重大な意味をもつかは十分に伝わらないことが多い。しかし事の重大性を知ることは、私たち人類が、化石燃料文明の崩壊によって生じる未曽有の経済の不安定化と、それに伴う社会の混乱に備えるうえできわめて重要である。

そしてもう一つ肝に銘じておくべきなのは、悪いニュースは良いニュースでもあるということだ。化石燃料時代の崩壊が早く訪れればそれだけ、スマートなグリーンインフラを迅速に拡大できる見通しが明るくなる——そしてそれができれば、ポスト炭素のエコロジカルな文明へと移行し、人類を含む多様な生物と私たちが暮らす地球をギリギリのところで救うことが可能になるのだ。

見逃された警告

では、古いエネルギー秩序の崩壊と新しいエネルギー体制の誕生とは、具体的にどのようなものになるのだろうか？　社会を待ち受けているものがどんなものか、その手がかりはすでにある。EUは目下、その転換の渦中にある、いわば坑道のカナリアなのだ。

とはいえ権力者たちは、ヨーロッパに大転換が近づいていることになかなか気づかなかった。これが最初の大きな失敗である。二一世紀の最初の一〇年間、国際機関、国家、そしてグローバルビジネス界のまさに鼻先で、二つの危機が広がりつつあったが、ほとんどは現れつつあった「邪悪な兆候」に気づくこともなく、たとえ気づいても注意を向けようとしなかった。一九八〇年代半ばから二〇〇三年秋まで、原油価格は一バレル二五ドルでほぼ安定し、ビジネス界も、労働者とその家族も、ほとんど気にかけていなかった。ところがそれ以後、原油価格は着実に上昇しつづけ、二〇〇八年七月には一バレル一四七ドルという記録的高値に達した。[21]国際規制機関や各国政府、ビジネス界が原油価格の上昇に注意を向けたのは、二〇〇七年に一バレル九〇ドルを超えてからだった。小麦やトウモロコシ、大豆、コメなどの主要作物の価格が石油価格の高騰によって上昇し、小麦は一三六％、トウモロコシは一二五％、大豆は一〇七％、コメは二一七％も値上がりした。[22]途上国では何百万もの人々が十分な食料を得られなくなり、暴動が発生する事態となった。

このことから、石油価格が一バレル九〇ドルを超えると、それ以外のものの価格も上昇するという事実に、誰もが気づきはじめた。先進工業国では、ガソリン価格が上がると、みな輸送や移動に影響が出ることを心配するが、化石燃料の価格がこの社会で私たちが生産し、消費するほとんどのものの価格に影響することへの認識ははるかに薄い。だが実際には、農薬や肥料、建設資材、医薬品、包装資材、食品添加物や保存料、合成繊維、電力、熱、光などなど多くのものが、地中や海底から採掘される炭素堆積物からつくられ、動力を得ているのだ。二〇〇七年春に石油価格が上昇しはじめると、購買力は下がり、世界経済が失速しはじめた。石油バブルは取るに足りないものどころか、世界中の企業の足をひっぱり、人々の購買力を低下させた。とりわけその影響は途上国で顕著だった。当然ながら主要な産油国が記録的な収益をあげる一方で、原料価格の高騰から何百万もの企業が倒産した。[23]

私もこのことを直接体験している。私の父はポリエチレンフィルムをポリ袋に加工する製造会社を経営していた。従業員一五人ほどの小さな会社だったが、五〇年以上操業を続けていた。ところが二〇〇七年から二〇〇八年にかけて石油価格が高騰すると、ポリエチレンフィルムの価格も急騰し、さらにその直後には景気後退によって包装資材の需要が急減した。この最中に、父の会社は半世紀の歴史を閉じたのだった。

減速する経済にさらに追い討ちをかけたのが、二〇〇八年夏のサブプライムローン・バブルの崩壊だった。金融界もビジネス界もこぞって想定外の事態だと主張したが、私はあやしいものだと思う。むしろ彼らはあえてその兆候を無視してきたのではないか。かつて経済学者のケインズが「動物的衝動（アニマルスピリット）」と呼んだ、将来に対する主観的で非合理的な期待――景気は今後も右肩上がりで上昇しつづけ、金融機関は大儲けするという――にとらわれていたのではないだろうか。

世界経済の失速とそれに続く大規模な経済危機（グレート・リセッション）によって、電力の需要はあらゆるところで減少した。その結果、電力部門では発電所への先行投資は十分に生かされず、一部は座礁資産化することとなった。

もう一つの大きな失敗は、二〇〇七年に世界最大規模の経済体であるＥＵが化石燃料から再生可能エネルギーへの転換と、それに伴うエネルギー効率の改善および温室効果ガスの排出削減を決めたことの意味を十分に理解しなかったことだ。ＥＵが再生可能エネルギーによる発電の拡大に法的拘束力のある目標を設置し、固定価格買取制度の形で大規模な補助金を導入したことによって、エネルギー部門には何百万という新たなプレーヤーが参入し、自宅や自分の土地に設置した太陽光パネルや風力タービンでとらえた自然エネルギーを、送電網へと送るようになったのである。

私の知るかぎり、「限界費用ゼロの再生可能エネルギー」という言葉を使ったのは、わがTIRコンサルティングが最初だった。この「限界費用ゼロ」という概念は、発電事業者たちにはピンとこなかったようだ。彼らは何年も前から、太陽光と風力の限界費用は決してゼロにはならないと躍起になって私に説明してきた――太陽や風は、石炭や石油、天然ガスとは違って、いったん発電設備の設置費用が回収されれば、あとはほぼ無料(ただ)でエネルギーを得ることができるのは明々白々なのにもかかわらず。

限界費用ゼロの太陽光・風力エネルギーは、たちまち電力会社から嫌われるようになった。太陽光発電は限界費用ゼロであるだけでなく、その発電量がピークになる午後の時間は、電力需要がピークになる、電力会社にとって最も利益率が高い時間帯なのだ。ドイツでは太陽光発電によってピーク時の電力価格が四〇～六〇%安くなった。全体としては、二〇〇七年から二〇一六年までに一日の平均電力価格は三〇～四〇%安くなり、電力会社の利益は減少している。[24]

太陽光・風力発電の固定費用が急落するとともに、新しい自然エネルギーによる発電の限界費用がほぼゼロになり、固定価格買取制度によって自然エネルギー電力が市場価格より高い価格で売買されるようになったことで、化石燃料業界にとって最悪の事態が訪れた。天然ガス・石炭火力発電所の利益率は急激に減少し、稼働率も同じく急激に減少した。火力発電所は座礁資産となったのだ。

ＥＵにおいて化石燃料をベースにした電力会社が崩壊し、膨大な座礁資産が生じたのは、再生可能エネルギーの市場規模がまだ一四％のときだった。このことは頭に入れておく価値がある。二〇一〇年〜二〇一五年の五年間で、ヨーロッパの電力部門では、合計一三〇〇億ユーロ（一四八〇億ドル）以上の損失が出た。だが、ヨーロッパの電力市場の混乱は、この先さらに混迷をきわめそうだ。すでに資産、工場設備、のれんの「簿価」〔会計帳簿に記載された価値で、非貨幣性資産は取得時に要した金額をもとにする〕と、ヨーロッパの上位一二位までの電力会社の「企業価値」〔この場合は純資産を市場価値（時価）で評価したもの〕との乖離は懸念材料だ。市場価値は簿価の六五％にしかすぎず、この差の大きさはこの先深刻な損失が生じる可能性があることを示している。上位一二社の簿価の合計は四九六〇億ユーロ（五六〇〇億ドル）で、ある研究によれば、「これらの資産のうち三〇〇〇億〜五〇〇〇億ユーロが座礁資産化するリスクにさらされている」というのは、ありえないことではないという。[25]

それでも世界の大半は、ＥＵで起きていることに注目していなかったようだ。主要な天然ガス産出国はグローバル市場の獲得競争に血道を上げ、天然ガスの生産量を増大し、大陸を横断するパイプラインを敷設したり、海上輸送のための航路を開いたりしている。米エネルギー省エネルギー情報局（ＥＩＡ）は、アメリカ国内の天然ガス生産量は「二〇一八年から二〇二〇年までに毎年七％増加する」と予測している。[26] これはおおむね、電力業界でCO_2排出削減とコスト削減のために石炭から天然ガスへの転換が進んでいる結果、需要が増加していることによる。今や天然ガスは石炭より安くなっているのだ。これは明白な事実だが、それより重要なのは、太陽光と風力は今や天然ガスに負けない競争力をつけ、場合によっては天然ガスより安くなっているということだ。その結果、より環境にやさしい再生可能エネルギーにとって有利な状況になっているのである。[27]

二〇一八年のブルームバーグ・ニュー・エナジー・ファイナンス（ＢＮＥＦ）の報告書によれば、「石炭と天然ガスは、世界のエネルギーミックスにおける地位を揺るがす大きな脅威に直面している。これは、風力・太陽光発電のコストだけでなく、（これらの多様なエネルギーを貯蔵するための）電池のコストも著しく低下した結果である」。ＢＮＥＦの上級エネルギーエコノミスト、エレナ・ギアナコプルは、サンクコスト〔すでに支払い済みの費用〕がある石炭・天然ガス火力発電所の一部は、時たま使用されることもあるとしたうえで、「石炭・天然ガス火力発電所を新設することの経済的根拠は崩壊しつつある。電池コストの低下により、化石燃料発電の柔軟性や収益の大きさというメリットはなくなってきている」と指摘している。[28]

価格競争は別にして、電力業界は、再生可能エネルギーは発電量が不安定であり、バックアップとしての天然ガス火力発電がなければ役に立たないという従来の説を繰り返している。天然ガス業界は弁解するどころか、天然ガスの将来について強気な姿勢を崩さない。アメリカガス協会の政府関係業務担当責任者リチャード・メイヤーは言う。「天然ガスが引き続き将来の低炭素社会を支え、［電力］部門で天然ガスの割合が拡大するのは確実だと思う」。[29]

もしそうだとしたら――天然ガスパイプラインや発電所とそれに付随する設備への支出は、少なくとも現時点では、間違いなく「ガスラッシュ」の勢いが衰えていないことを示しているが――、気温上昇を一・五℃以下に抑えるためにIPCC（気候変動に関する政府間パネル）が設定した温室効果ガスの排出削減目標を大幅にオーバーしてしまう。

だが実際にはそうならない可能性が高い。その理由は、世界各国の政府がCO_2排出量に法的拘束力のある目標を定めたからではない――現状では、そういう国はほとんどない。今後の行く末を決定づけているのは市場なのだ。太陽光と風力の発電コストが急カーブを描いて低下し、今や電池による蓄電コストも低下している。これはすべてEUのおかげである。一〇年前に加盟国が法的拘束力のある目標を設定し、固定価格買取制度を導入して初期に自然エネルギーによる発電を奨励したこと、そして企業が自由に太陽光・風力発電の性能と効率の改善に取り組んだ結果、コストが大幅に下がったことの成果なのだ。やがて中国もあとに続き、中国企業が技術革新による効率化を次々に実現したため、太陽光・風力発電のコストはさらに低下した。

先に述べたように、中国はほどなくヨーロッパを追い抜いて、安くて効率的な太陽光・風力発電技術で世界のトップに立ち、その技術を世界中に輸出しはじめた。二〇一六年にスタートした第一三次五カ年計画では、国内にも目を向け、国内市場で安価な太陽光・風力発電技術を大量に生産、販売、実施するようになった。[30]中国が新たに国内での太陽光と風力による発電と設備の設置に力を注ぎはじめ、それと同時期に中国のデジタル送電網の機能が高まった結果、中国の企業やコミュニティが限界費用ほぼゼロの再生可能エネルギーを生産し、オフグリッドで使用したり、売電したりすることが可能になったのである。

エネルギー企業や電力会社、さらには世界中の国々が、EUと中国で起きているこの大転換に気づかないということがありうるだろうか？　ありえない！　私はヨーロッパ、アジア、南北アメリカのエネルギー企業や電力会社の人たちと頻繁に会っているが、彼らはわかっている。数字も見ているし、計算もしている。ヨーロッパや中国で何が起きているかも注視している。それでも彼らは相変わらず大陸を横断する天然ガスパイプライン（四〇年はもつという）の敷設を推進したり、数えきれないほどの天然ガス火力発電所を新設して、温室効果ガスの排出量を増やし、将来の座礁資産を増やすことに貢献している。

見て見ぬふりの北米

というわけで「ガスラッシュ」は進行中であり、その最大のプレーヤーのうちの二つは北米大陸に存在する。アメリカは現在、世界最大の天然ガス産出国であり、隣国カナダは世界第四位に位置する。[31] トランプ政権が天然ガスの生産を国内消費と輸出の両方に向けて増大すると公言し、意欲満々であるのに対し、カナダ政府は公的な機会があるたびに、国内で脱炭素化を進め、気候変動への取り組みにおいて世界をリードしていくとの立場を誇示している。ところが、天然ガスプロジェクトの許可や費用負担となると、とたんに態度を一変させてしまう。北米での化石燃料の採掘を推進する、このような見当違いの政策が及ぼす悪影響は、アメリカ、カナダのみならず全世界の経済にとって大いに懸念されるものだ。

こうした新たな潮流は、化石燃料の座礁資産化、北米のカーボンバブル、そしてアメリカとカナダの経済の不安定化にどのような影響を与えるのだろうか？　ロッキーマウンテン研究所（ＲＭＩ）は、米国防総省やエネルギー省をはじめ、世界各国の政府に助言している非営利シンクタンクだが、そのＲＭＩが発行した詳細かつ広範囲にわたる二〇一八年のレポート「クリーンエネルギー・ポートフォリオの経済学――分散型の再生可能エネルギー源はどのように天然ガス火力発電への投資を圧倒し、座礁させようとしているか」に注目してみよう。

レポートは、アメリカの電力系統における熱狂的な天然ガスラッシュは、「二〇三〇年までに一兆ドルのコストを固定する可能性がある」と結論している。まず第一に、かつては世界の羨望の的だったアメリカの送電網は老朽化が進んでいる。また、既存の火力発電所の半分以上は建設から三〇年以上たっており、二〇三〇年までに閉鎖される予定だ。アメリカでは近年の天然ガスの低価格化を受け、新世代の天然ガス火力発電所に膨大な投資が行われており、その規模は二〇二五年には一一〇〇億ドルにも達するとみられる。電力業界は二〇三〇年までに、老朽化し閉鎖が予定される発電所に代わる新規発電所の建設に、五〇〇〇億ドル以上を投じなければならない。さらに、これらの発電所を稼働させるための燃料に四八〇〇億ドルのコストがかかるため、二〇三〇年までに総額でおよそ一兆ドルを投じる必要がある。これに対し、太陽光・風力発電のコストはすでに、天然ガスと競争できるレベルにまで下落しており、数年後には天然ガスよりはるかに低くなる――しかも限界費用はほぼゼロであり、温室効果ガスの排出はゼロになる――ことが見込まれる。[32]

これには、気が遠くなるような——しかも背筋の寒くなる——代償が伴う。アメリカの電力業界は一兆ドルの座礁資産を抱える可能性があるだけでなく、二〇三〇年まで五〇億トン、二〇五〇年までには一六〇億トン近くのCO_2が排出されることになるのだ。[33]

ＲＭＩは、天然ガス火力発電と自然エネルギーによる発電を比較する研究も行っている。ピーク時対応のために計画中のコンバインドサイクル発電所二基と、燃焼タービン発電所二基を、それぞれ同等のサービスを提供できる、最適化された地域固有の再生可能エネルギーと分散型エネルギー源による発電の組み合わせと比較したのである。その結果、天然ガス火力の四基すべてについて、最適化されたクリーンエネルギーによる発電のほうが、コスト効率が高く、リスクも低いことがわかった。この結果には驚くべき意味がある。すなわち、「すでに石炭火力発電所の早期の引退の原因となった、再生可能エネルギーにおける技術革新とコスト下落によって、今や天然ガスへの投資も座礁資産になる恐れがある」ということだ。[34]このＲＭＩの研究は、アメリカの電力部門にとって落雷のような衝撃となる可能性があり、それがすみやかに認識されれば、化石燃料から自然エネルギーへの移行が一〇年という短期間で起きるかもしれない。ＲＭＩのレポートの結論をここで引用しておこう。

今回の分析の結果、幅広いケーススタディすべてにわたって、地域固有のクリーンエネルギーによる発電は、提案されている天然ガス火力発電を上回る競争力をすでにつけており、向こう一〇年以内に後者の収益を侵食する可能性があることが明らかになった。したがって現在提案され、または建設中の一一二〇億ドルの天然ガス火力発電所と、これらの発電所に付随して提案されている三二〇億ドルの天然ガスパイプラインは、すでに座礁資産となるリスクを負っている。これは天然ガスプロジェクト（電力会社と独立電力生産者の両方）の投資家、および垂直統合された領域における投資を承認する規制当局にとって重大な意味をもつ。[35]

アメリカ合衆国の北に位置する隣国カナダもまた、天然ガスの開発、採掘、販売に大規模な投資を行っている。カナダは、環境や自国の天然資源保護にきわめて熱心に取り組んでいる国と見なされているが、実はもう一つの顔——化石燃料エネルギーと深く結びついた側面——をもっている。アメリカと同様、カナダ政府といくつかの州、金融業界、企業は化石燃料にどっぷり漬かっているのだ。

近年、環境団体による批判の多くはアルバータ州のオイルサンド〔粘性の高い石油成分を含む砂岩層。タールサンドともいう〕開発に向けられてきた。膨大な利益が見込まれるこの事業に揺さぶりをかけようと、抗議運動や訴訟、そして議会での攻防が繰り広げられてきた。カナダはアメリカ、サウジアラビア、ロシアに次ぐ世界第四位の原油生産国であり、イラン、イラク、中国、アラブ首長国連邦、クウェート、ブラジル、ベネズエラ、メキシコといった国々より多くの化石燃料を採掘・精製しているが、このことは世界でもあまり知られていない。[36]それよりさらに知られていないのは、ブリティッシュコロンビア州北部に非在来型天然ガスであるシェールガスの豊富な資源が発見されたことを受け、同州も化石燃料分野に参入してきたということだ。この一〇年でフラッキング（水圧破砕）と呼ばれる技術が発達したことと相まって、この地域ではシェールガス開発ブームが起きている。

ブリティッシュコロンビア州は、二つの相反する展望のケーススタディとなる——化石燃料に深くコミットする展望と、クリーンなポスト炭素時代に向かう展望である。同州最大の都市バンクーバーとその周辺の都市、そして州北部に居住するファーストネーション〔カナダのイヌイット以外の先住民族〕の共同体の多くは、カナダのなかでもグリーンな社会を求める環境保護運動の最も盛んな場所の一つであり、バンクーバー都市圏はしばしば世界でも有数のグリーンな自治体といわれる。言ってみればこの地域には、古いエネルギーと新しいエネルギーとの闘いが集約されている。そしてその結果は、同様の二つの異なるアプローチの間で板挟みになっている他のカナダの地域にも、良き指針を与えてくれるはずだ。

二〇一八年一〇月二日、カナダは化石燃料に大いに力を入れることを公の場で明らかにした。ジャスティン・トルドー首相が、ジョン・ホーガン・ブリティッシュコロンビア州首相とLNGカナダ（ロイヤル・ダッチ・シェルを筆頭に、三菱商事、マレーシアのペトロナス、ペトロチャイナ、韓国ガス公社が出資するコンソーシアム）の代表者とともに、LNG（液化天然ガス）事業へ投資することを発表したのだ。[37] これは同州北東部のドーソンクリークから液化プラントのある北西部沿岸のキティマットまで全長六七〇キロメートルのパイプラインを敷設し、キティマットで液化した天然ガスを、中国はじめアジア各地へ輸出するというものだ。[38] LNGカナダによる投資額は四〇〇億カナダドル（三〇〇億米ドル）に上り、カナダ史上最高の民間投資プロジェクトとなる。トルドー首相はこの事業に、政府として二億七五〇〇万カナダドル（二億七〇〇〇万米ドル）を拠出することを明らかにした[39]。

このLNGパイプラインは、環境保護団体やファーストネーションからの激しい反対や抵抗に遭っている。一般にはあまり知られていないが、実はこのプロジェクトについて熟知するエネルギーアナリストたちも、ブリティッシュコロンビア州をはじめとするカナダ全域が、この先天然ガスに重点をおく——その償却には何十年もかかる——ことについては控えめな、時に悲観的でさえある態度を示している。

このプロジェクトが正式に発表される二年八カ月前の二〇一六年、大手コンサルティング会社ブラトル・グループはLNGの将来に関するレポートを出し、カナダがLNGを中国に輸出することについて深刻な懸念を示している。理由は、太陽光・風力エネルギーとの激しい競争が予想されることだった。レポートは、再生可能エネルギーがかなり浸透しているドイツとカリフォルニアを引き合いに出し、この両者における「天然ガスの需要の伸びは、電源構成における再生可能エネルギーの比率が高いことによって、すでに頭打ちになっている」と指摘している[40]。

現在、中国が同様の道筋をたどっている。石炭火力発電の段階的廃止に伴って短期的に天然ガスの生産が推進されると同時に、太陽光・風力エネルギー生産が増加している。目標は向こう数十年間に化石燃料を実質的にゼロにすることにおかれている。EUでの経験と同様、中国においても再生可能エネルギーのコストの低下がいつ、中国のエネルギー市場に大転換を余儀なくさせるかが焦点となる。それによっては、国全体に自然エネルギーのインフラが行き渡る過程で、何十億ドルもの天然ガス座礁資産が残されることになるのだ。

大転換はすでに起きはじめている。すでに述べたとおり、中国は現在、太陽光・風力発電設備の生産では世界一であり、価格も世界市場で最安値であるため、輸出でもトップを占めている。[41]さらに現在進行中の第一三次五カ年計画では、太陽光・風力発電設備を中国の全地方に設置するという意欲的な目標を掲げており、先行するEUにも肩を並べる勢いだ。

先のブラトル・グループのレポートは、中国でもヨーロッパのエネルギー市場で起きた大転換と同様の傾向がみられることを示唆しており、この先も国内での再生可能エネルギーの生産と配備のコストが急激に低下しつづければ、中国における輸入LNGの需要はなくなる可能性があるとしている。

海外での再生可能エネルギーによる発電コストが十分低ければ（すなわち北米産のLNGによる新たな天然ガス火力発電のコストより低ければ）、発電に使う燃料としての北米産のLNGの魅力は失われる可能性が大きい。[42]

レポートは、現在、天然ガスのアジア市場向け輸出のためにブリティッシュコロンビア州で展開しているLNGインフラ投資の長期的な影響について注意を喚起しながら、次のようにしめくくっている。

提案されているこれらのＬＮＧ輸出プロジェクトの投資リスクは増大している。なぜなら、通常のＬＮＧ契約における二〇年という期間に、再生可能エネルギーによる発電コストが、探鉱・生産段階の投資コストに見合うＬＮＧの販売価格より（温室効果ガス排出が回避された分を考慮に入れなくても）低くなる可能性がきわめて大きいからである。……ＬＮＧを燃料とする火力発電と再生可能エネルギーによる発電との競争は、ＬＮＧ業界側にとってリスクを意味する。すなわち、この先再生可能エネルギーが予想以上に浸透した場合、主要な太平洋・アジア市場における天然ガス需要の伸び（およびＬＮＧ需要の伸び）が妨げられる可能性があるということだ。ＬＮＧインフラへの投資やＬＮＧの売買で長期契約を結ぶ場合には、事前にこれらのリスクを十分に考慮する必要がある。[43]

太陽光・風力発電のコストがかつてないほど低下している現在、アメリカ、カナダ両国にとって、従来のように大規模な天然ガスプロジェクトを導入しつづけることに、もはや商業的な正当性はない。にもかかわらず、化石燃料業界は依然として天然ガスは石炭ほどCO_2排出量が多くないといって、これらの投資を擁護している。これと同様に言語道断なのは、化石燃料業界が相も変わらず「炭素回収・貯留（ＣＣＳ）」と呼ばれる「技術」の有効性を喧伝（けんでん）していることだ。だが現実には、この技術はすでに行き詰まっている。このＣＣＳは、カーボン・ファーミング（炭素固定農法）や再植林、その他の大気中のCO_2を吸収する有機的プロセスを用いた生物学的な炭素隔離とは別物で、混同してはならない。ちょっとグーグル検索してみればわかることだが、これまでに行われた炭素回収実験や、それが技術的にも商業的にも実現不可能であることを示した科学レポートのどれを見ても、この技術にかけられた期待は葬り去るしかない。

ＥＵでは一〇年以上にわたって、この技術について議論してきた。近年アメリカでも、この技術が化石燃料業界や一部の公職者によって喧伝されていることを考えると、ここでヨーロッパでの経験について振り返るのも有益かと思われる。ＣＣＳ技術は三段階のプロセスから成る。まず第一に、発電や工業生産などの場で排出されるCO_2を回収し、次に回収したCO_2を道路輸送タンクや船、パイプラインによって貯留施設まで運び、さらにそのCO_2を地中深くにある地質学的構造に貯留する。

この技術の実現可能性を検討するための試験的調査に何億ドルもの資金を投じた結果、技術的にも商業的にも期待には応えられないことが明らかになり、ＥＵはお手上げだと諦めた[44]。エネルギー・農業・環境問題など幅広い分野の研究者であるヴァーツラフ・スミルは、度重なる失敗の結果生まれた商業面での合意について要約している。彼はこう強調する。「現在のCO_2排出量のたった五分の一を隔離するためだけでも、CO_2の吸収から蓄積、圧縮、輸送、貯留までを行う、まったく新しい世界規模の産業を創出しなければならない。しかもそのプロセスには、今日の世界の石油産業を構成する油井(ゆせい)、パイプライン、圧縮ステーション、貯蔵施設など膨大なインフラ――何世代もかけて建設されたもの――の一・七倍の処理能力が必要なのだ」[45]。

不幸なことに、アメリカはＥＵの失敗を繰り返そうとしているようにみえる。二〇一〇年、アメリカの電力事業持株会社サザン・カンパニーは、ミシシッピ州ケンパーの石炭火力発電所で、

ＣＣＳ技術の実現可能性を証明するためのプロジェクトをスタートさせた。だが年々コスト超過がかさみ、当初二四億ドルだった予算が七五億ドルにまで膨れ上がったあげくに同社はこの事業計画を中止、電力消費者は一一億ドルものコストを負担することになった。[46]

天然ガスの採掘と火力発電がもはやコスト競争力を失う一方で、ＣＣＳは技術的にも商業的にも実現不可能であることが明らかになった以上、そのいずれかに大量の資金を投入することはいかがなものか。ここで思い起こすべきなのは、「自分が穴のなかにいるとわかったら、掘るのをやめろ」という古い格言である。化石燃料は掘らずに、地中に残しておくべきなのだ。

産業界には、失敗が明らかで不毛なＣＣＳ技術ではなく、削減困難とされる部門の脱炭素化に取り組もうとしているプレーヤーもいる。この部門では、いまだに処理過程や生産ライン、サービスにおいて化石燃料に代わる商業的に実現可能な手段が見つかっておらず、脱炭素化はきわめて難しいとされている。

だがこれらの業界におけるＣＯ$_2$削減も、その大部分は第三次産業革命のスマートインフラに接続し、モノの生産を再生可能エネルギーで行うことによって可能になる。輸送／ロジスティクスでは、短距離の場合には自然エネルギーを動力とする電気自動車を使い、水陸の長距離輸送には燃料電池車両や船を使う。また、サプライチェーンやロジスティクスの業務をビッグデータやアルゴリズムで管理することで、企業の総合エネルギー効率も向上する。

プラスチック包装、鉄鋼やセメントなどの建築材料、そして航空に関しては、石油由来ではないバイオ由来の代替素材を見つけることも必要だ。近年、世界の大手化学企業は遺伝子技術企業や生命科学企業と協力して、こうした安価な代替素材を開発するための取り組みを加速させている。他の業界と同様、化学企業も気候変動対策としてCO_2の排出削減に力を入れており、座礁資産の可能性の高まりに警戒を強めている。こうした研究開発の取り組みから生まれた製品は、今まさに市場に参入しはじめている。たとえば、ユナイテッド、カンタス、KLMなどの航空会社は、すでに燃料の一部にバイオジェット燃料を導入しているが、今後全面的にコスト効率の良いバイオ燃料にシフトするには、これまでよりはるかに大がかりな研究開発が必要である。[47]

石油化学製品に代わるバイオ由来の素材も次々に登場している――バイオプラスチック、バイオ由来の食品成分や飼料成分、バイオ界面活性剤、バイオ潤滑剤などなど。石油由来からバイオ由来の素材への転換には、衣料、包装用フィルム、フィルター、飲料、動物飼料、スナック食品、家庭用洗剤、工業用洗浄剤、自動車用・産業用の潤滑剤など、広大な市場の可能性がある。[48]

世界第二の化学企業ダウ・デュポン〔二〇一九年四月、デュポンに社名変更〕は、削減困難な処理・生産過程の脱炭素化の研究で、世界を主導する企業の一つである。二〇一八年一〇月、私はフランクフルトで同社が開催した欧州イノベーションサミットに参加し、同社の経営陣と、バイオ由来の代替素材の市場導入を加速させるための新たな研究開発について話し合った。現在、私たちTIRコンサルティング・グループが作成した第三次産業革命ロードマップのテスト地域のうちの二つ、オー・ド・フランス地方とロッテルダム・デン・ハーグ大都市圏で、バイオ由来の代替素材を迅速に市場に導入するための、業界を超えた取り組みが行われているところだ。このきわめて重要な経済における転換を促進するには、地域にも業界にも強力なアメとムチが必要である。

ブラックゴールドの呪い

この二年ほどの間に、化石燃料の座礁資産化問題は、世界中の企業の重役会議や金融機関、政府省庁、シンクタンクなどで、以前より頻繁に話題に上るようになった。これは市場の上げ下げや政府の短期の経済政策の微調整、あるいは検討課題の見直しといった日常的なテーマでもなければ、時折みられる弱気相場への下落や深刻な景気後退についての話でもない。もっとずっと大きな何かが起きつつあるという感覚が共有されている。それは世界経済のみならず、人類の存在そのものに影響を与え、私たちが生活するこの世界への理解、これまで当然だと思っていた信頼できる未来をも揺るがす由々しき問題なのだという感覚である。

座礁資産という概念は、産業革命以後二世紀にわたって炭素を燃やしつづけた結果たまったエントロピーのツケを、経済的な言葉で言い直しただけのものではない。拡大しつつあるこの懸念は、化石燃料が豊富で、もっぱらその採掘と販売に経済的に依存してきた国々では、きわめて個人的なレベルで感じられている。

中東を訪れるたびに、私が幾度となく聞いてきた格言がある。アラブ首長国連邦（ＵＡＥ）の副大統領兼首相であり、一九五八年から一九九〇年に死去するまでドバイ首長の座にあったシェイク・ラーシド・ビン・サイード・アル・マクトゥームの、次のような言葉である。

「祖父はラクダに乗り、父もラクダに乗った。私はベンツに乗り、息子はランドローバーに乗っている。孫息子もランドローバーに乗るだろう。だがその息子はラクダに乗るだろう」。シェイク・ラーシドは、一九六〇年代後半に石油（ブラックゴールド）が発見されたことで一気に高揚した気分が、やがて苦しみとなってドバイの人々を悩ませることを危惧し、数世代後には石油が枯渇することを予測している——そうなったらどうするのか？　彼は石油を〝依存症〟を引き起こす〝呪い〟と見なし、もし自国が単一資源経済・社会になったら、石油が枯渇したとき〝最後の審判〟が下って報いを受けるにちがいないと考えていた。そこで生涯を産業の多様化のために費やし、ドバイを東洋と西洋の交易の拠点にしたのだ。石油は枯渇しなかったが、今や急速に座礁資産化している。残された石油の大部分は永久に地中にとどまるだろう。

　リスクにさらされているのは首長国連邦だけではない。世界中の化石燃料資源の豊かな国々もまた、その経済を石油、石炭、天然ガスの採掘、精製、販売に全面的に依存している。世界の銀行や保険会社、政府系ファンド、未公開株ファンドなどは、懸念を通り越して危機感を強めている。二〇一八年、世界銀行は「世界の富の推移二〇一八——持続可能な未来をつくる」と題する報告書を発表し、そのなかで化石燃料資源の豊かな国々に待ち受けている将来について厳粛な分析を行っている。

　報告書はこう指摘する——化石燃料部門の民間部門の投資家や企業は、いつでも投資を引き揚げ（ダイベスト）、より収益性が高く持続可能な事業に再投資できるのに対し、化石燃料資源の豊富な主権国家は国境線に縛られているため、はるかに制約され、機敏に動きにくい状況にあると。化石燃料による富を多少なりとも有する一四一カ国のうち一六カ国は、富の少なくとも五%を化石燃料が占め、その大部分は国家収入の半分以上を石油、石炭、天然ガスから得ている。これらの国々はまた世界で最も貧しい国に属し、そのうち一〇カ国は、国家が破綻または独裁政権下にあり、危機的状況におかれた中東や北アフリカの国々である。[49] 座礁資産化や化石燃料収入の損失によるダメージは、これらの国々にとって破滅的な影響を及ぼすことは必至だ。

迫りくる危機の大きさをつかむ手がかりとして、世銀の報告書は「化石燃料関連の国有企業上位一〇社は、化石燃料の採掘・加工に関連する国有の生産資産〔生産過程で産出された非金融資産〕のうち二兆三〇〇〇億ドルを保有する」と述べている。[50] 化石燃料の需要がピークへと向かい、経済が低成長になりはじめていることを踏まえ、世銀は化石燃料資源が豊富で、それに依存する国々に対し、迅速に経済を多様化して損失を補うのに十分な税収を確保するよう強く呼びかけている。

一部の国では化石燃料からのダイベストメントやグリーンな技術への再投資が行われているものの、その取り組みはきわめて小規模なものにすぎない。世銀の報告書は、ダイベストメントと再投資が最善の道筋だとしつつも、残念なことに「データが示すとおり、これらの国々の政府は化石燃料資源の富を長期的に、持続可能な形で利用することなくきてしまった」と悲観的なトーンで締めくくっている。[51] 今からわずか五年か一〇年後、石油の需要がピークに達し、中東から北アフリカ一帯で大混乱が起きることを想像してみていただきたい。

警鐘を鳴らす金融業界

化石燃料関連業界における座礁資産が今どうなっているかを知りたければ、常にカネの流れを見るのがベストである――すなわち、銀行業界と保険業界に注目せよということだ。二〇一五年、いち早く警鐘を鳴らしたのはシティグループと、イングランド銀行のマーク・カーニー総裁だったが、今や警鐘はいたるところで鳴らされている――グローバル経済全体に目を覚ませと警告しているかのように。

化石燃料関連の座礁資産と、それが金融業界の状況や投資業界のゲームのルールを急速に変化させつつある問題に対応している国際金融機関は、世界銀行だけではない。二〇一八年一一月、大手投資銀行ラザードは化石燃料エネルギーと自然エネルギーのコストを比較する独自のレポートを発表した。このレポートは、大手エネルギー・コンサルタント会社の多く、あるいは一部の大手石油会社のレポートと同様に、「いくつかのシナリオでは……代替エネルギーのコストが大幅に下落し、従来型発電の限界費用と同等かそれを下回ることが示された」としている。[52] 同社の副会長で電力・エネルギー・インフラグループのグローバルヘッドを務めるジョージ・ビリシックは、きわめて明快に要点を述べている。

われわれは今や「変曲点」に到達している。すなわち、新たに代替エネルギーのプロジェクトを建設し運営するほうが、既存の従来型発電所を維持するよりコスト効率が良いケースもあるということである。[53]

このようなレポートが出されている現在、化石燃料関連の座礁資産問題は、気候変動に関する議論にとって欠かすことのできない部分となっている。

二〇一八年八月、イングランド銀行傘下の、健全性規制機構（ＰＲＡ）は、イギリスの銀行部門の九〇％――資産一一兆ユーロ（一四兆二〇〇〇億ドル）――を対象にした調査の結果を発表した。それによれば、イギリスの銀行の七割は気候変動がほとんどあらゆる領域において広範囲の資産にリスクをもたらしていることを認識し、「政府の政策や技術革新などによって促進された低炭素経済への転換が、銀行が関与している企業のビジネスモデルにどう影響するかを評価する作業を始めている」という。だがもっと気がかりなのは、問題への認識はあるにもかかわらず、銀行のうちで現在このリスクに「総合的に」対応しているのはわずか一割にすぎず、三割は「気候変動を企業の社会的責任の問題としてしかとらえていない」ことだ。[54]

化石燃料部門やそれと密接な関係にある業界の座礁資産問題をはじめ、気候変動が急速にグローバル経済のほとんどあらゆる領域で投資リスクに影響を及ぼしていることについて、銀行部門がその切迫性を十分に認識していないのではないかとの懸念から、マーク・カーニーは再度この問題に介入した。

カーニーはイングランド銀行総裁以外に、二〇一八年末まで、グローバルな金融システムを監視し、助言を行う国際機関である金融安定理事会（ＦＳＢ）の議長を務めていた。ＦＳＢにはＧ20各国および欧州委員会などが参加している。迫りくる座礁資産の集中砲火に対して銀行システムの準備態勢が整っていないとの認識から、カーニー率いるＦＳＢは気候関連財務情報開示タスクフォース（ＴＣＦＤ）を設置し、委員長には前ニューヨーク市長マイケル・ブルームバーグが就任した。大手銀行、保険会社、資産管理会社、年金基金、会計事務所、コンサルティング会社などの代表三二人で構成されるＴＣＦＤは、「投資家、金融業者、保険業者が重要なリスクを理解するのに役立つ気候関連の情報を、自主的かつ一貫性をもって開示すること」を任務とする[55]。

二〇一七年六月、ＴＣＦＤは一連の提言を発表し、その冒頭で、大半の金融機関は気候変動を長期にわたって影響を及ぼす現象と見なし、現時点で行われる金融投資には関係がないと認識していると述べている。言いかえれば、すでに大転換が起きはじめていることや、二〇二〇年代に臨界点が迫っているという、いくつかの大手エネルギー・コンサルティング会社の予測についての理解は、ほぼ皆無だということだ。このため大半の金融機関は、現在の投資判断に対するアプローチを再評価することに、ほとんど緊急性を感じていない。

ＴＣＦＤは、エネルギーの効率化および温室効果ガス排出削減目標の達成とともに、化石燃料エネルギーから、これまで以上に低コストになった自然エネルギーへの転換を加速させることによって、「石炭、石油、天然ガスの採掘、生産、利用に依存する機関に対し、ごく近い将来において重要な影響を及ぼすことが可能である」としている。さらに提言は、「実のところ気候関連のリスクと低炭素経済への転換は、エネルギー部門だけでなく、ほとんどの経済部門と産業に影響を与える」としたうえで、向こう八〇年間にグローバルな管理可能資産の総額に対するリスクは最大で四三兆ドルに上るという、エコノミスト・インテリジェンス・ユニット〔「エコノミスト」誌の調査部門〕の調査結果を引用している。[56]

提言はまた、向こう三〇年間に低炭素社会に転換するという目標を達成するには、当分の間、新しいエネルギー部門に年間およそ三兆五〇〇〇億ドルの新規投資を行う必要があるという国際エネルギー機関（ＩＥＡ）の試算を引用し、大転換は「気候変動の緩和や適応策への取り組みを重視する機関にとって大きなチャンス」を創出すると強調している。[57]

エコノミスト・インテリジェンス・ユニットのレポートは、グローバル経済全体における気候変動リスクと、化石燃料関連部門における座礁資産リスクとの複雑に絡みあった関係についても言及し、この難題について次のように述べている。

これは、グローバルな投資家たちが目下、厳しい選択に直面していることを意味する。気候変動対策がとられて、化石燃料企業に保有する資産の減損を被るのか、あるいはほとんど対策がとられず、管理している資産全体に損失を被るのか？　この二つの可能性のいずれも回避するには、長期投資家にとって、自らの投資ポートフォリオに含まれる企業を見直し、収益性の高い低炭素の未来に向けた投資を行う強い意欲をもつことが必要である。[58]

ＴＣＦＤは、投資家、金融機関、銀行および保険会社に向けた一連のガイドラインを提示している。これは、リスクと機会をモデル化して座礁資産によって被る損害を軽減すると同時に、温室効果ガス排出削減にさらに合致したプロジェクトをスタートさせ、企業が従うべき適切な基準とデータ収集の開示情報を準備するためのものである。開示についての提言は、ガバナンス、戦略、リスク管理、指標と目標、の四つのカテゴリーにわたって示されており、金融機関は「短期、中期および長期にわたる……気候関連のリスクと機会の管理」についての情報を開示し、その機関が「気候関連のリスクの識別と評価」をどのように行ったかを明らかにし、「気候関連のリスクと機会を評価するために……使われた指標」について説明するよう求めている。[59]

二〇一八年、ニューヨークで開催されたワン・プラネット・サミット〔パリ協定の実施と低炭素経済への移行加速を目指す国際プラットフォーム〕の第二回会合で、マーク・カーニーは「気候関連の情報開示は主流になりつつある。今や世界有数の銀行、資産管理会社、年金基金をはじめとする五〇〇以上、総資産一〇〇兆ドルを超える機関がＴＣＦＤの提言を支持している」と述べた。[60]これは金融界が、迫りくる大転換について理解しはじめたことの明らかな兆候にほかならない。

第Ⅱ部

廃墟から立ち上がるグリーン・ニューディール

第5章　巨人を目覚めさせる
――声を上げる年金の力

気候変動、座礁資産化に直面する化石燃料業界の長期的な財務的安定への信用喪失、そして太陽光や風力など再生可能エネルギーの競争力の増大――これらに対する関心の高まりを受け、世界の金融業界では資金の提供先の優先順位を再評価する動きが進んでいる。具体的には、資本を化石燃料から自然エネルギーやクリーン技術に移すファンドが増加しているのである。

二〇一八年に英国持続可能投資・金融協会と気候変動コラボレーションが、イギリスのファンドマネジャー（投資総額一三兆ポンド（一七兆ドル））に行った調査では、彼らは「数年以内に、気候変動関連リスクが原因で国際石油企業（ＩＯＣ）の評価は悪化する」と予測し、うち六二％は「評価に影響する石油の需要ピークは今後五年、天然ガスの需要ピークは一〇年のうちにくる」と考えていた。さらに半数以上（五四％）が「ＩＯＣの風評リスクはすでに評価に悪影響を及ぼしている」と答えた。ファンドマネジャーの七九％は二年以内に影響が出ると回答し、ほかにも「代替技術の競争力増大による化石燃料の需要減少や、ＩＯＣが金融的に有利な形で転換できるかに対して投資家が信用を失ったことによる市場心理の変化」などの懸念事項をいくつもあげていた。「全体としてファンドマネジャーの八九％は、こうした転換リスクが今後五年間にIOCの評価に『大きく』影響するとの見方に立ち」、半数は「すでに『大規模な埋蔵量を保有する（少なくとも）二〇〇社の石炭、石油、天然ガス企業から投資撤退(ダイベスト)した』アクティブファンドやビスポーク型ポートフォリオ（運用の組み合わせ）を提案している」と答えている。[1]

カール・マルクスをひっくり返す

アメリカをはじめ世界各国では、それぞれの地域に合わせたグリーン・ニューディールのインフラの構築と拡大に必要な資金をどこから調達するのかが、ますます差し迫った問題になりつつある。グリーン・ニューディールについて考えるとき、この壮大なビジョンと物語(ナラティブ)を構築するうえで必ずぶつかる最初の障害は、「巨額の財政支出」の問題だ。ほかでもない地球上の生命の存続がかかった危機的状況にある今でさえ、否定論者はそんな金銭的余裕はないと主張する。絶滅の可能性も、政府が対処すべき数々の重要事項のうちの一つにすぎないと言わんばかりに。

市や郡、州、連邦政府の各レベルで一定程度の資金負担は求められるとしても、新たなインフラの構築に必要な資金の大部分は、グローバルな年金基金から拠出されることになる可能性が高い。年金基金の資金は、公共および民間部門で働く何千万という労働者に対して退職時に支払われる繰り延べ賃金である。

カール・マルクスは、よもや二一世紀に「万国の労働者」が年金基金を介して世界の投資資本の主要な所有者になるなどとは想像もしなかっただろう。読者にとっても驚きかもしれないが、二〇一七年には年金基金は総額四一兆三〇〇〇億ドルに上り、世界の投資資本の最大部分を占める。イントロダクションでも触れたとおり、アメリカの労働者は二五兆四〇〇〇億ドルを超える年金資産を有し、今や最も強力な発言力をもつ存在となっている[2]。

気候変動に対する不安や、座礁資産を抱える化石燃料産業に投資しつづければ労働者の退職年金を失いかねないという懸念に駆られ、アメリカの年金基金は率先して投資撤退（ダイベストメント）を進めはじめている。州や市は、化石燃料業界やその関連産業――石油化学産業のように化石燃料産業にサービスを提供あるいは依存している産業――から公的年金基金を引き揚げ、第三次産業革命の経済を構成するグリーンな事業へと投資先を変えている。民間年金基金も同様だ。

労働組合からも、グリーン・ニューディール経済への転換に伴う新たな雇用機会に向けて、労働者の再訓練を求める声が大きくなっている[3]。近い将来、組合労働者が雇用されることを期待しつつ、年金基金がアメリカおよび他の国々でグリーン・インフラにますます投資されることが予想される。

現在ある巨額の年金資金は、わずか七〇年という期間に蓄積されたものだ。これは従来の意味での革命ではないし、これらの年金基金の何千万という所有者を含むほとんどの人は、自分が世界に投資される資本を代表する階級に属しているとは考えていないだろうが、これはまさに新しい現実なのだ。ある意味では、現代の資本主義の歴史におけるとっておきの秘密ともいえる。

この四一兆三〇〇〇億ドルという巨額の資金のもつ経済的影響力は、この集団を構成する何千万もの個々の「資本家」に十分受け入れられ、管理されれば、世界中の労働者と、国際経済秩序を統治する経済機関との関係を根底から再編成する可能性がある。

そこで、マルクスをひっくり返して、万国の労働者が無数の「小さな資本家」として団結すると考えてみよう。二〇一七年の時点で　アメリカでは公共部門と民間部門合わせて一億三五〇〇万人が働いており、そのうちの五四％が退職年金制度に加入している。言いかえれば、約七三〇〇万人のパートタイム労働者や正社員で構成される「小さな資本家」の集団が存在するということだ[4]。では、もしこれらの年金資本家が世界中の年金資本家と一致団結し、世界経済におけるこの巨大な資本を管理したらどうなるだろうか？

弾丸を発射することも、階級闘争も、ストライキや反乱、革命もなしに、これらあまたの労働者が今日の主要な資本家階級であるという現実だけで、形勢は——少なくとも紙の上では——逆転した。「紙の上では」と言ったのは、これらの資本家のほとんどが自分たちを一つの階級、いや一つの集団とさえ認識していないからだ。だがもし彼らが立ち上がって——いうなれば権力を奪取して——繰り延べ賃金と退職後の収入の投資のしかたについて主張したとしたら？　何が起きるだろうか？

時は一九四六年五月一三日、いつもと変わらないアメリカ連邦議会議事堂でのことだった。上院で、「年金資本」と呼ばれる新たな富を誰が管理すべきかについての法案審議が始まった。議長は上院議長代行のケネス・マッケラー、議題は炭鉱労働組合のリーダーでアメリカ労働運動の指導者でもあるジョン・L・ルイスが提示した要求についてだった。ルイスは雇用主に対し、炭鉱労働者が採掘する石炭一トンにつき一〇セントを保健福祉基金に回す分として支払い、それを労働組合が組合員に代わって管理することを求めたのだ。

最初に発言したのは、バージニア州選出の上院議員ハリー・バードだった。バードはルイスの提案に真っ向から反対し、「もしこのような優遇措置がアメリカ中のすべての労使契約に拡大すれば……少なくとも年間四〇億ドル以上支払わなければならなくなる」と警告した。労働者たちが「この金を使って労働者の代表だけで管理する基金を設立すれば……労働組合の力は強大化し、どんなに組織立った政府も手に負えなくなる」というのだ。労働組合が組合員の基金を管理し、彼らの代理として投資に運用すれば、やがては「アメリカの民間企業制度の完全崩壊」へといたるとバードは主張した。[5] バードの懸念にもかかわらず法案は上下両院で可決されたものの、ハリー・トルーマン大統領が拒否権を発動し、成立にはいたらなかった。

だが、翌一九四七年、共和党の有力者ロバート・タフト上院議員が、労働組合の活動の一部を規制するタフト＝ハートリー法案に修正を加えるよう提案した。それは労働組合が設立を要求する年金基金すべてに、組合と雇用主側の代表者半々で構成される合同受託者委員会を設置するというものだった。組合の指導者だけが受託者になれば、組合員の年金基金を不正目的または経済的影響力や政治権力を行使するために利用されかねないと、タフトは主張した。

この遠回しな物言いに腹を立てたのが、フロリダ州選出の民主党上院議員クロード・ペッパーだった。共和党の議員たちが労働組合による年金基金の管理に反対する本当の理由は、近い将来大きく成長することが確実なこの新たな投資資本を、金融業界にいる〝お友だち〟が支配できなくなることを恐れているからだというのである。

修正法案は可決され、いったんは大統領が拒否権を行使したものの、連邦議会によって覆され成立した。最終法案には、年金基金は受益者の利益を最大にする形で運用されなければならないとの付帯条件が盛り込まれた。運用方法に関するこの制限がついたことで、年金基金は金融業界の思うままとなり、資本市場の成長のためだけに用いられることになった。

一九七四年、従業員退職所得保障法（ＥＲＩＳＡ）が連邦議会で可決され、ジェラルド・フォード大統領がこれに署名した。この法律には、今日「思慮深い投資家の原則（プルーデント・マン・ルール）」と呼ばれるルールが組み込まれ、企業年金の運用の仕方がさらに厳しく規制された。表向きの理由は、悪質な金融アドバイザーから年金基金を守るためだとされたが、実際には「思慮深い」投資の範囲と規模を決める金融業界の利益を増大するためだけに基金を使うことを保証するものだった。強大な勢力をもつ機械労働組合を率いるウィリアム・ウィンピシンガーは労働者を代弁し、「思慮深い投資家の原則」とは労働者の繰り延べ賃金を乗っ取って金融業界の利益増進のために使うことを意味する法律用語にすぎないと非難している。[6]

一九四六年に年金基金を誰がどのように管理するかについて連邦議会が下した決定が、一九七〇年代後半にしっぺ返しとなって襲いかかってくることになる。以下に詳述するように、北東部と中西部の一六州の命運と、あまたの労働者の生活が文字どおり一変したのだ。その影響は今日まで続いており、何世代にもわたって人々は社会的地位の下落や貧困を余儀なくされ、見捨てられ、大いなるアメリカンドリームから排除されているのである。

アメリカの経済状況におけるこの変化はどのように生じ、それが多数のアメリカ国民の生活にどんな影響を及ぼしたかについて理解を深めるには、新しいインフラのパラダイムの重要性について探る必要がある。インフラは個人や家族、コミュニティ、企業、労働者の福利や、富の再分配を決定づけるうえできわめて重要な因子であり、その重要性は学問や政治の世界で認識されているよりはるかに大きい。

アメリカにおける第一次産業革命では、鉄道が経済生活の再編成に重要な役割を果たした。大都市間が鉄道で結ばれたことにより、北東部や中西部の路線沿いには人口が密集する都市が誕生した。同様に、当初は鉄道の円滑な運行に使われた電信システムも、路線沿いに導入された。第一次産業革命の原動力となった主要エネルギーの石炭は、おもに北部のペンシルベニア州やオハイオ州の炭鉱から供給された。鉄鋼や出版、その他の産業も、北部の活気ある都市を結ぶ鉄道インフラに沿って発展した。

一九〇五年から一九八〇年代にかけて行われた第二次産業革命のインフラ構築は、第一次産業革命のインフラと重なり、やがてはその大部分を吸収したり置き換えたりすることになった。この転換期において、アメリカの経済地理は再び変化する。自動車の大量生産や幹線道路、なかでも全米各地を縦横に結ぶ州間高速道路網の敷設によって、移動と物流(ロジスティクス)が促進された。電気や電話は全米津々浦々まで普及し、どこでも誰でも利用できるようになった。自動車文化を支えた主力エネルギーの石油は、一八五九年に初めてペンシルベニア州タイタスビルで掘り当てられ、ほどなくテキサス、オクラホマ、のちにはカリフォルニアの各州で採掘されるようになった。また、石油によって航空機での空の移動や巨大コンテナ船による輸送も可能になり、商取引を国内市場から世界市場へと発展させたのである。

以上のことを、二〇世紀半ばにアメリカで起きた経済的、社会的および政治的大変動の文脈で考えてみよう。物語は一九四四年一〇月二日、ミシシッピ州クラークスデールで始まる。約三〇〇〇人の群衆が驚きの目で見守るなか、新しい綿摘み機の実演が行われた。綿摘み機は一時間で約四五〇キログラムの綿を摘み取ったが、黒人労働者一人が手摘みで摘み取った綿は、二キログラムにも満たなかった[7]。やがて一九七二年には、南部の綿は一〇〇％機械で摘み取られるようになっていた[8]。第二次世界大戦直後、南部の農場に枯葉剤が導入されると、何世紀にもわたって雑草を刈ってきた黒人労働者――最初は奴隷として、南北戦争後はシェアクロッパー（収穫を地主と分け合うことで地代とする一種の分益小作人。とくに隷農的性格が強かった）として――の仕事は失われてしまった。

こうして南部の黒人労働者は、突如として雇用に適さない余剰人材となる。そして、ニコラス・レマンが著書『約束の土地』（松尾弌之訳、桐原書店、一九九三）のなかで、「人類史上最も大規模で最も速い内陸での大移動の一つ」と表現した事象が始まったのだ。この「大移動」では、五〇〇万人を超すアフリカ系アメリカ人が南部から北上し、北部や中西部の州に定着した[9]。そこで男たちはデトロイトの自動車産業、インティアナ州ゲーリーやペンシルベニア州ピッツバーグの鉄鋼産業、シカゴの家畜飼育場などに職を求めた。一九七〇年代には南部の黒人の半数以上が、ジム・クロウ法に縛られ困窮した田舎暮らしに別れを告げ、工場での職を求めて北部に移住していた。[10]

大規模産業労働組合――なかでも全米自動車労働組合（UAW）や全米鉄鋼労働組合、電機労働組合、機械工労働組合――は、第二次世界大戦後の二〇年間で発言力を増し、労使間ではより切実な要求を突きつけるようになった。これらの巨大労働組合は、南部から新たにやってきた黒人労働者を歓迎した。たとえばデトロイトにあるフォード最大のリバー・ルージュ工場は、UAWで最も精力的に活動している単位労働組合の拠点でもあり、組合員の三〇%以上がアフリカ系アメリカ人だった。[11]同様に一九五〇年代のデトロイトでは、クライスラー従業員の二五%、ゼネラルモーターズ従業員の二三%をアフリカ系アメリカ人が占めていた。[12]

経営側は、力をつけた組合労働者からの拡大する要求をなんとか回避しようと、二つの戦略を立てた。第一に、自動車メーカーは工場の現場にコンピュータと数値制御技術――最初の自動化技術――を導入し、黒人の半熟練労働者が大部分を担っていた仕事を削減した。こうした動きはまたたく間に北部の他の産業にも広がり、一九五七年から一九六四年までの間にアメリカにおける製造業の生産量は倍増する一方、組み立てラインの自動化が進んだ結果、肉体労働者数は三%減少した。[13]第二に、高速道路が建設されたことにより、三大自動車メーカーはデトロイトを中心に誕生した郊外へ、文字どおりの逃げ道を手に入れた。郊外には高度に自動化された工場が建設され、都市中心部からの脱出を強く望む、より熟練した労働者にその運営を任せるようになったのだ。

ほかの産業、とりわけ軍産複合体の一翼を担う産業は、南部の州に工場を建設した。一九八〇年代以降、ホンダやトヨタ、日産、ＢＭＷといった海外の自動車メーカーがアメリカにおいた生産拠点も、ほぼすべてが南部の州間高速道路出口に近い場所につくられた。[14] 南部諸州には労働組合の影響力をそぐために、組合に加入するかどうかを決める権利を労働者に認める「労働権法」が存在する。グローバル企業にとっては、低賃金でも受け入れ、労働組合活動にも熱心でない白人労働者の多い南部のほうが好都合だったのである。

州間高速道路網が全米に張りめぐらされたことで、企業は反労働組合の南部州に拠点をおきながら――北部や中西部の大都市圏を結ぶ鉄道に依存することなく――全国に広がるサプライチェーンと物流ルートを利用することが可能になった。

これがとどめの一撃となった。職にあぶれた黒人労働者の多くにはもともと自動車を買う余裕などなく、自宅の近辺にとどまるしかなくなった。幹線道路と州間高速道路の建設が、新しい形の隔離を生んだのだ――都市計画の専門家や一部の学者を除けば、今日まであまり語られてこなかったことだが。自動車時代の最盛期、都市部に不可欠な輸送手段である公共交通機関は北部全域で衰退の一途をたどった。都市部の路面電車や公共バスの多くは廃止され、自動車が唯一の移動手段となった。職を失い、移動手段をもたずに孤立したアフリカ系アメリカ人たちは何世代にもわたり生活保護で暮らすことを余儀なくされ、ゲットー化した彼らの住居の周辺では麻薬取引やギャング間抗争などが蔓延していったのである。

私が同僚のランディ・バーバーとともに、北東部や中西部の州でアメリカ人労働者と中小企業がおかれている苦境について話すようになったのは、一九七七年のことだった。当時、私たちは企業や産業全体が大挙してサンベルト〔バージニアからカリフォルニアにいたる温暖な地域〕へ移動した結果、大都市中心部のアフリカ系アメリカ人や白人労働者階級のコミュニティが荒廃していくさまを目の当たりにしていた。また、アメリカのビジネスが実体経済（メインストリート）から金融業界（ウォールストリート）へと急速に移行し、アメリカだけに縛られることなく、利害も事業も世界中に広がるグローバル企業が台頭してきたことも痛感していた。

私たちは、この先もっと開かれた民主主義経済を構築するにはどうすべきかについて、国民的議論を深めるための道を探ろうとした。とくに関心があったのは、アメリカの創造性の中核をなす中小企業を再び活性化し、新規雇用を創出して都市中心部に活気ある社会生活を取り戻すためのアイデアやテーマだった。

それまで私たちは長い年月をかけて、金融業界の手によって労働者の力が奪われていることへの危惧を共有する全国労働組合や単位労働組合の指導者と、密接な関係を築いていた。ランディは多くの組合指導者や学者に働きかけ、アメリカだけでなく全世界で拡大し、政治と経済のダイナミクスを変容させる可能性のある現象についての研究を大量に蓄積していった。そうした研究を読み解き、ピースをつなぎ合わせていくなかで、それまで誰にも気づかれず、注目もされてこなかった変化が、資本主義の本質に起きつつあることがわかってきたのだ。そして二人で戦わせた議論をまとめ、一年後の一九七八年に出版したのが、『北部は再生する――一九八〇年代の年金、政治、権力（*The North Will Rise Again: Pensions, Politics and Power in the 1980s*）』という本である。

この本で私たちが言いたかったのは以下のことである。第一に、北東部と中西部の一六州は、この地域を世界の経済的原動力たらしめた産業そのものによって、急速に見捨てられつつあるという明白な事実。第二に、アメリカの労働組合運動は、反労組の労働権法が導入されている南部や西部の州では、企業や産業全体が新たな機会を求めるなか、組合員の数が日に日に減少するという事態に直面している。これは由々しき問題だった。全米の労働組合員のうち、六〇%は北東部や中西部に住居か職場があるのに対し、サンベルトはわずか一五%にすぎなかったのだ。[15]サンベルトの労働者を組合に加入させる取り組みは、農村部出身者が大勢を占める労働者や地元の政治エスタブリッシュメント、そして商工会議所の反労組的感情との衝突を繰り返した。南部の企業に組合を組織する試みは、お世辞にもうまくいったとはいえなかった。行き詰まった労働組合には、ほかに手立てはほとんど残されていなかった。

ではどうするか？　アメリカの労働組合指導者たちは長い眠りから目を覚まし、力強さと明るい展望を秘めた新しい現実に目を向けるべきだと、私たちは主張した。眠っている間に、公共機関や民間企業に雇用されている数千万人の労働者は、労働協約によって給料の一部を天引きされ、退職時に払われる年金基金という形で支払いを繰り延べされてきた。そして世界中の国家、州や県、都市もアメリカの例にならい、公務員にも民間部門の労働者にも同様の年金基金を設立していたのである。

私たちはこう書いた。

アメリカでは、年金基金はこの三〇年間に誕生した新しい形の富であり、その規模は民間資本として世界最大のものとなっている。今やその価値は五〇〇〇億ドルを超える。……年金基金は現在、米企業の株式の二〇〜二五％、債券の四〇％を所有する。年金基金は、アメリカの資本主義体制における最大の投資資本の源泉となっているのだ。……今日、年金基金資本のうち二〇〇〇億ドル以上が、北東部および中西部のベルト地帯を構成する一六州で働く一九〇〇万人の労働組合員と公務員の繰り延べ賃金を合わせたものである。

これだけでは労働組合運動や金融業界を揺さぶるには不十分だったとしても、私たちは結論部分で、アメリカの労働組合運動の指導者および北東部と中西部一帯の州や地方自治体の指導者を容赦なく批判した。

労働組合と州はこれまで長年かけて、この強力な資産の管理を金融業界に明け渡してきた。そして銀行は、こうした資本資産を利用して米国産業の雇用や生産拠点をサンベルトや海外へ移し、その結果、労働組合とアメリカ北部経済を機能不全に陥らせたのだ。[16]

言いかえれば、銀行・金融業界がアメリカの大手企業に投資したのは何百万人もの組織労働者の繰り延べ賃金であり、これらの企業はその後組織労働者を見捨て、労働権法が制定されている南部諸州に移転していったのである。組織労働者たちの貯蓄が、ほかでもない彼らの仕事をなくすという明白な方針をもつ企業に投資されていたにもかかわらず、誰もそれに気づかなかったように思われた。

そこでランディと私は、北東部や中西部の州や市、そして全国労働組合と単位労働組合の労働者に直接質問をぶつけた。あなたたちは「自分たちの資本を自らの意に反する形で使わせつづける」つもりなのか、それとも「自分たちの雇用とコミュニティを守るために、これらの資産を直接管理する権利を主張する」のか、と[17]。

私たちが投げかけた問いは、実際的かつ戦略的な色合いこそ濃いものの、その背後にあったのは、一七七六年にアダム・スミスが『国富論』を著して以降、資本主義を悩ませつづけてきたイデオロギー上の問い――「誰が生産手段を管理すべきなのか?」――にほかならない[18]。この問いは、かつてないほど重要な意味を帯びつつあると私たちには思われた。というのも当時、金融業界とグローバル企業は、組織労働者の年金資産の形をとった繰り延べ貯蓄を使って、サンベルトからさらに世界各地へと移転し、行く先々の国で労働者を貧困に陥らせていたのだ。これらの企業は安価な労働力を得るために労働者同士、コミュニティ同士を競わせ、環境基準がゆるく（あるいは存在すらせず）、工場の労働条件もほとんどチェックされないような地域を選んで事業を展開していた。

　この本にはすぐさま反響があった。読者には何万という全国労働組合や単位労働組合の指導者、そして一般の組織労働者だけでなく、金融業界の有力者や有名企業の重役たちも含まれていた。彼らは全員、この巨大な資本の管理をめぐる闘いに利害関係のある人々だった。この本はその後四〇年にわたり、さまざまな論文に引用され、社会的責任投資（ＳＲＩ）〔環境保護や人権保護など、企業が社会的責任を果たしているかを判断の基準にして投資を行うこと〕という考え方が生まれるきっかけの一つになったと評価されてきた。だがここで、あらためてこう問うてみるべきだろう。世界中の国家や都市、労働組合ははたして、数兆ドルに上る年金基金――その投資先は市場の方向性を左右する――を首尾よく管理下においたのだろうか？[19]　あるいは、その取り組みは徐々には進んでいるものの成果は周辺的・断片的なものにすぎず、社会資本そのものを掌握するまでにはいたっていないのか？

　出版から二〇年経った一九九八年、当時アメリカ労働総同盟・産業別組合会議（ＡＦＬ－ＣＩＯ）の財務書記長だったリチャード・トラムカ（現在は会長）の呼びかけで、ラスベガスで全国の労働組合の財務書記長会議が開催された。ランディと私はオブザーバーとして招待され、極力感情を抑えてコメントした。ただ言っておかなければならないのは、トラムカは、私たちがこの本で展開した議論を最も強く主張する人物の一人だということだ。彼は次のように述べている。「われわれが自分の金に裏切られないようにするために、自分たちの年金基金を活用し、投資戦略を立てること――労働運動において、これほど重要な戦略はない」[20]。

　私たちの主張や行動の呼びかけをめぐる成功と失敗について、より慎重で理路整然とした分析と批評を行ったのは、組織行動学と環境学を専門にするカリフォルニア州立大学助教授リチャード・マレンズだった。二〇〇四年、マレンズは「ジャーナル・オブ・ビジネス・エシックス」誌に発表した「北部の再生を待ちながら――アメリカの労働組合による一世代に及ぶ金融活動を経てバーバーとリフキンを再考する」という論文のなかで、次のように述べている。

一世代前、ランディ・バーバーとジェレミー・リフキンという二人のコミュニティ活動家は、共著『北部は再生する』で、アメリカの労働運動は新たな方向に進むべきであると提唱した。この本は、労働組合が一九七〇年代に経験した政治的敗北と組織化における失敗――二〇年にわたる組織率〔労働人口に占める組織労働者の割合〕の減少と、労働法改革に向けた取り組みが無残な失敗に終わったこと――を受けて書かれたもので、著者らは急速に蓄積されている公的機関および労働組合が管理する年金基金に、大きな流れに逆行する建設的な傾向がみられると指摘する。労働組合の任務は、この資本を――新たな雇用創出への投資を生み出す手段としても、御しがたい企業経営者と闘うための武器としても――使う方法を習得することにある、というのが本書の主張だ。[21]

マレンズはこう続ける。アメリカの労働組合やその指導者の多くが、この本の分析と展望を肯定的に受け入れ、その後一〇年の間に、新たに設立され、「さまざまな形の金融活動に日常的に関与する」ＳＲＩ組織と協力関係を結ぶようになった。その結果、「さらに一〇年後には、労働組合の投資活動家は数々の改革や明らかな成果を示せるようになった」という。[22]かつて経営幹部が密室で話し合っていた議題の多くが株主（としての労働者）によって決議されることになり、経営慣行は変化を余儀なくされたのである。

　こうした株主決議のなかには、簡単に従業員の首を切り、賃金を据え置く一方で法外な役員報酬を出すことに反対するものもあり、ディケンズの小説さながらの劣悪な労働環境――大部分はアジア――が世間に注目されることで、企業イメージが傷つき、株主価値（会社の株主資本（自己資本）の価値）が損なわれるとするものもあった。

　それでもマレンズは二〇〇七年に発表した論文で、こう結論している。公的年金基金や企業年金基金は、ＳＲＩを増やし株主価値を向上させるうえで中心的役割を果たし、アメリカ実業界（コーポレート・アメリカ）を監視するという新しい役割を制度化したのは確かである一方、「労働者による株主行動は……あくまで戦術兵器という域にとどまる可能性が高い――経営幹部とのちょっとした衝突や、不満を公表する際には興味深く、役に立つ可能性があるにもかかわらず[23]」。世界の労働者が、職場やコミュニティ、家族を代表して年金基金の投資方法について責任を負うという私たちのビジョンに関しては、マレンズは少なくとも二〇〇七年時点での現状をみるかぎり、その可能性は低いとしている。たとえひいき目にみても結論は出ていないと……だが、もはやその段階は過ぎた。

理論から実践へ――革命の始まり

　今回、先頭に立っているのは市や州、そして国の公的年金基金である。これらは株主決議の域をはるかに超え、巨額の資金を管理して経済の脱炭素化に投資している。政府や自治体、公務員組合が公的年金の資金を化石燃料やその関連産業から引き揚げ、再生可能エネルギーやグリーン技術、エネルギー効率向上のための事業に投資先を変える動きが始まり、今やグローバルな運動がしっかりと根づいているのだ。

アメリカでは、変革は大学から始まった。学生たちが大学の理事会に「ダイベスト・アンド・インベスト」という要求を突きつけたのだ。アメリカに本部をおく国際環境NGO、「350. org」代表のビル・マッキベンは、この運動の拡大に中心的役割を果たした。最初は、ごく一部の小規模な地方自治体――ほとんどは大学のある街――が、年金基金の投資先を見直しただけだった。それは実質より、象徴的な意思表示といえるものだった。だが、この小さな流れが奔流となるのに時間はかからなかった。そして今や大洪水寸前の状態にまでなっている。世界の大都市――ワシントンDC、コペンハーゲン、メルボルン、パリ、サンフランシスコ、シドニー、シアトル、ストックホルム、ミネアポリス、ベルリン、ケープタウンなどなど――も、名乗りを上げてこの流れに加わっている。今日、各大陸の五〇の都市と地域が、公的年金基金を従来の化石燃料エネルギーへの投資から引き揚げ、第三次産業革命インフラを構成する再生可能エネルギーや電気自動車、排出ゼロへの建物改修などに再投資している。[24]

転機が訪れたのは二〇一八年、ニューヨークとロンドンがその影響力を発揮したときだった。一月一〇日、ニューヨークのビル・デブラシオ市長が公的年金受託者とともに、二〇二三年までに化石燃料から完全に投資撤退すると発表、ニューヨーク市はたちどころにグリーン・ニューディール社会への転換において最も重要な存在になった。ニューヨーク市の公務員年金基金は、七一万五〇〇〇人の組合員と退職者、そしてその家族などの受給者を抱え、基金総額は一九四〇億ドルに上る。[25] 市長は記者会見で、投資撤退は倫理的かつ経済的な決定であると明言した。市長のメッセージは手厳しいものだった。彼はニューヨーク市民にこう語りかけた。

　ニューヨーク市は未来の世代を守るために、アメリカの大都市で初めて年金基金を化石燃料への投資から引き揚げる決断を下しました。それと同時に、気候変動との闘いを化石燃料企業に対して突きつけます。彼らは気候変動がもたらす影響を知りながら、自分たちの利益を守るために意図的に国民を欺いてきたのです。[26]

さらにデブラシオ市長は、ニューヨーク市民のみならずアメリカの全国民に向かって、二〇一二年一〇月にハリケーン・サンディがニューヨーク市の五つの行政区を直撃した際の被害をあらためて強調した。このハリケーンで四四人が犠牲となり、物的資産やインフラの被害と経済的損失は一九〇億ドルを超えた。[27] 濁流となった雨水が道路を埋め、窓を突き破ってデパートに流れ込み、地下鉄の階段を流れ落ちる様子は世界中にライブ放映され、人々を恐怖に陥れた。ニューヨークは、海面上昇と暴風雨・ハリケーンの激化や増加に伴い、世界でも最も大きな危険にさらされている大都市の一つである。市民は、二一世紀後半には市内のどこかが完全に水没するのではないかとの不安を抱きはじめている。[28]

今世紀中に、ニューヨーク市が途方もない人的・物的損失を被る可能性は否定できない。市長によれば、投資撤退の決定は、同市の経済的安定と未来を確保するための経済的配慮でもある。市当局の推定では、同市による年金資金の投資総額の三％、およそ五〇億ドルが化石燃料に向けられており、ここから引き揚げた資金は再生可能エネルギーや建物群の改修、グリーン・インフラ事業を最優先に投資していくという[29]。

この投資撤退は、「ワン・ニューヨーク――強靱で公正な都市づくり」と銘打った、より広範な脱炭素化計画の一環として行われる。その目標はパリ協定に基づき、二〇五〇年までに温室効果ガス排出量を二〇〇五年比で八〇％削減することだ[30]。

同じようにロンドン市長のサディク・カーンも、いまだに炭素系エネルギーに投資されている公的年金基金七〇万ポンド（九〇万三〇〇〇ドル）を引き揚げる計画を発表している。市長は、同市の年金運用資産の化石燃料産業との最後のつながりをすみやかに断ち切り、完全に化石燃料から投資撤退すると語った。同市はさらに「市長エネルギー効率化基金」を創設し、市の公営住宅や大学、図書館、病院、博物館を環境に配慮したものにするために五億ポンド（六億四五〇〇万ドル）投資する計画だ[31]。

二人の市長は「ガーディアン」紙に連名で寄稿し、次のように述べている。「私たちは、化石燃料を採掘し気候変動の直接的な原因となっている企業への機関投資をやめることが、未来は再生可能エネルギーや低炭素を選択することにあるという力強いメッセージを送る一助になると考えている[32]」。

この記事が掲載された直後、カリフォルニア州では、同州最大の二つの公的年金基金、カリフォルニア州職員退職年金基金（ＣａｌＰＥＲＳ）とカリフォルニア州教職員退職年金基金（ＣａｌＳＴＲＳ）の管理者に、「ポートフォリオ（資産配分）における気候リスクを確認し、そのリスクについて三年ごとに住民と議会に報告する」よう求める法案が可決され、ジェリー・ブラウン州知事がこれに署名した。[33] アメリカの州議会がこの種の法律を可決するのは初めてのことだった。この法律は、気候関連の財務リスクを法的に定義するだけでなく、同時に、その投資先が気候変動に関連して州が定める他の法的要件を満たすことも確保しながら、州の公的年金制度が投資判断を下すにあたって果たすべき法的責任を規定している。ここで、簡単にこの法律の一部をみておくことは有益だろう。公的年金基金を管理する政府がグリーン・ニューディールや、化石燃料文明から脱炭素時代への転換の資金提供を担うなか、アメリカだけでなく他の国々の州や地方自治体がもつ受託者責任について見直し、理解するためのひな型がここにあるからだ。

カリフォルニア州の新しい法律は、こう明記する——「気候変動は、転換リスクや物的リスク、訴訟リスクなど、分別ある投資家が投資判断を下す際に考慮すべき数々の重大な財務リスクを提示している」。この法律はさらに、「こうしたリスクへの認識や対策を怠れば、それに伴う法的責任と財務リスクにさらされる結果を招く」としたうえで、気候変動が長い時間をかけて起こる現象だということを踏まえると、投資意思決定は「退職基金運用の短期的および長期的な影響とリスクを考慮する」必要があると警告している。[34]

そして結論部分では、これら二つの巨大投資基金の受託者に対し、とりわけ投資先の企業や事業の性質が気候変動を助長するものである場合には、その投資意思決定はもはや短期的な市場収益だけに結びつけることはできないことを、厳しい調子でこう述べている。「気候変動が破滅的影響をもたらす可能性や、炭素排出に伴う社会的・経済的代償に関する報告、および気候変動がもたらす重大な財務リスクに関する新たな資料の数々を踏まえれば、退職年金受託者委員会が金融気候リスクを無視することなど断じてできない」[35]。

ここでいったん中断して、この新しい法律の重要性について考えてみよう。ＣａｌＳＴＲＳは組合員と受給者合わせて九五万人を擁する世界最大の教職員の公的年金基金であり、総資産は約二二四〇億ドルに上る[36]。一方のＣａｌＰＥＲＳは現役公務員と退職者、その家族合わせて一九〇万人を抱えるアメリカ最大の年金基金で、総資産は三四九〇億ドル[37]。したがってこの二つの巨大基金は合わせて五七三〇億ドルを超える資産を管理し、ほぼ三〇〇万人の公務員と退職者、そして家族受給者に代わって運用していることになる。

この法律の意義は、公的年金基金運用の指針となる受託者原則を微調整して、基金加入者の財務利益を最大化することの意味を資産管理者がより良く理解できるようにしていることだ。これまで七〇年以上にわたり、年金基金受託者は投資収益率だけが基準とされた「思慮深い投資家の原則」を指針としてきたが、その理解がいささか浅かったために、そうした投資が――たとえ投資を行う時点では思慮深い判断に思えたとしても――他の投資に悪影響を引き起こし、ブーメラン効果によって長期的には加入者の運用資産全体の最大化を危うくしかねないことまで考えが及ばなかったのである。

化石燃料企業や電力会社への投資を例にあげてみよう。これらの企業が排出する温室効果ガスは、カリフォルニア州の旱ばつを深刻化させ、山火事を引き起こす。山火事による断線で電力不足や停電が発生し、建物は破壊され、商業活動は中断を余儀なくされる。その結果、破壊や損失の影響を受けた他の企業への投資資金も損なわれる可能性がある。このように雪だるま式に拡大する影響は理論上のものではなく、現実そのものだ。カリフォルニア州の電力会社PG＆Eは「フォーチュン500」に入る大企業だが、二〇一七年に同州で発生した二一件の大規模な山火事のうち、少なくとも一七件は同社の設備が原因だったと州当局が発表した結果、二〇一九年には破産申請に追い込まれた[38]。

バーバーと私は『北部は再生する』で、まさにこのことを主張した。すべての年金基金の投資意思決定にあたっては、短期的な収益とは関わりなく、その影響を考慮しなければならない。なぜならそうした影響が、その基金の出資者である労働者の中長期的な経済的福利を損なう可能性があるからだ、と。バーバーと私が、かつての銀行の振る舞いを批判したことを思い起こしていただきたい。銀行は、北東部や中西部に住む労働者の公的および民間の年金基金を、それらの地域から南部のサンベルトや、人件費の安いアジア諸国に移転した企業に投資していたのだ。これは一九六〇年代から一九九〇年代まで切れ目なく続き、何百万人もの労働者とその家族、コミュニティ、州を貧困に陥れた。今日、当時を振り返って、年金受託者により行われたこうした投資が「思慮深い」投資だったと考える労働者は一人としていないだろう——たとえそれなりの利益があったとしても。現在、温室効果ガスの排出に最も大きな責任を負う企業や産業に行われている投資も、これと同類だ。思慮深い投資？　とんでもない！

二〇一八年六月、その年世界第五の経済大国だったイギリスの政府は、公的および民間の年金基金資産の運用と評価に生じている根本的な変化について、いささかの疑問も残らないようにしようと、「思慮深い」投資とは何かを明確にするための行動に出た。[39] カリフォルニア州で新法が成立したのとほぼ同時期に、英国労働年金省（ＤＷＰ）が新たな規則を公布したのだ。これは年金資産一兆五〇〇〇万ポンドの管理において、今後行われる公的年金運用の評価方法を規定するものだった。[40] そしてカリフォルニア州と同様、受託者責任とは何を意味するかについての理解を深めることに重点がおかれた。

新しい指針の公布にあたり、エスター・マクヴェイ労働年金相は法律用語や遠回しな表現を極力避けながら、国民、とりわけ若い世代に直接語りかけた。「若い世代の人たちは、自分のお金が何に使われるのかについて高い関心をもち、年金が自分の価値観に合う形で運用されているのかについても大きな関心をもっています。この規則ができた今、年金は将来の世代のために、より持続可能で公正で平等な社会を築くために用いられるようになったのです」[41]。この規則は年金基金受託者に対し、こう提言する。「気候変動を明確な検討事項に含めることが必要である。なぜなら気候変動は分野横断的で全体に浸透するリスクであり……環境リスクや環境機会のみならず、社会やガバナンスについての考慮にも影響を与えるからだ」。そしてこう付け加えている。「英国が気候変動に関するパリ協定に参加していることは、政府が気候変動を重大な懸念事項だと見なしていることの表れにほかならない」[42]。

こうした提言を、イギリス政府が年金基金受託者や数百万の公務員に対し、政府のイデオロギー的見解を押しつけようと規制力を誇示しているだけだと解釈する向きもあるかもしれない。だが実際はその逆である。多くの場合、政府に交渉の席につくよう圧力をかけているのは公務員組合のほうなのだ。

イギリス最大の労働組合UNISONは、地方自治体や教育、国民医療制度、エネルギー分野などの公共部門と民間部門の労働者で構成され、組合員は一三〇万人に上る。イギリス全土の地方自治体が一六〇億ポンド（二〇六億ドル）を化石燃料産業に投資している事実を突きとめたUNISONは、全国の組合員を動員し、地方自治体に対して化石燃料への投資から年金基金運用資産を引き揚げ、自然エネルギーなどへの社会的責任のある投資に切り替えるよう圧力をかけることを全国大会で決定した。UNISONのデイヴ・プレンティス書記長は、組合員に宛てた公開書簡で次のように述べている。「投資撤退の決定が、BPやシェルなどの資産が地中にとどまる『座礁』資産となり、価値が失われる見通しなど、経済的理由によりなされる場合には、年金基金がそれを実施する妥当な理由になる」[43]。

二〇一八年七月、アイルランドは世界で初めて、五年以内に「すべての」公的年金基金を化石燃料企業から投資撤退すると発表した。アイルランド議会は、政府資金八九億ユーロ（一〇四億ドル）の運用を管理するアイルランド戦略投資基金に、化石燃料産業に投資している推定三億一八〇〇万ユーロを引き揚げることを強制する法案を可決した[44]。

それからわずか八カ月後の二〇一九年三月には、ノルウェー政府が政府系ファンドをすべての石油および天然ガスの生産事業から投資撤退するよう求める勧告を出し、金融業界に動揺が走った。ノルウェーは西欧最大の産油国であり、政府系ファンドは世界最大規模を誇る。[45]メッセージは明らかだった――ノルウェーは手を引く、というのだ。

政府が化石燃料からの投資撤退を命じることについて聞く耳をもたない、あるいはなかなか腰を上げない国では、公務員組合が代わって、加入者の年金基金の投資を引き揚げることを一方的に宣言している。韓国（二〇一八年現在、世界一一位の経済大国）では、電力の四六％が今なお石炭火力発電で賄われている。[46]いっこうに動こうとしない政府の態度に業を煮やした教職員年金基金と政府公務員年金基金（運用資産は合わせて二二〇億ドル）は、「新規石炭事業への投資をやめることにコミット」し、石炭事業から引き揚げた資金を再生可能エネルギーに再投資すると発表。他の投資機関が同様のコミットメントを表明し、政府レベルで投資撤退の動きが生まれることに期待をかけた。[47]

地域や地方、各国政府、そして公的年金基金の動きは速く、化石燃料関連産業からの投資撤退とグリーンエネルギーへの再投資が進んでいるが、世界の大手保険会社もさして後れはとっていない。またそれには十分な根拠もある。すでに化石燃料産業から投資撤退した保険会社は一八社――ほとんどがヨーロッパに拠点をおき、資産はそれぞれ一〇〇億ドル以上――を数え、最大手のアクサやミュンヘン再保険、スイス再保険、アリアンツ、チューリッヒも石炭事業との保険契約を制限または廃止した。アクサとスイス再保険は、オイルサンド事業との保険契約も制限している。[48]

これに対してアメリカでは、大手保険会社一〇社のうち気候変動を考慮して投資戦略を変更したのは、ＡＩＧとファーマーズのわずか二社にとどまる。アメリカ西海岸が長年にわたり気候変動を原因とする旱ばつや山火事で壊滅的な被害を受け、二〇一七年だけでも一二九億ドルの保険金が支払われたことを考えると、驚かざるをえない[49]。テキサスや、ルイジアナ、フロリダ、ミシシッピ、ジョージア、サウスカロライナ、ノースカロライナ、バージニアの南東部各州にはハリケーンが襲来し、ネブラスカ、アイオワ、ウィスコンシン、ミズーリなどの中西部各州では一〇〇〇年に一度という記録的洪水に毎年のように見舞われ、ますます悪化する一方だ。すべて、わずか一〇年で気候変動が招いた災害であり、おびただしい人的・物的被害が生じている。しかし、気候変動が引き起こすこれだけの現実を目の当たりにして、アメリカの保険会社も今後二、三年のうちには投資撤退と再投資に舵を切ることになるだろう。

化石燃料産業と関連産業からの投資撤退にあくまで消極的な公的年金基金や民間年金基金の受託者が抵抗する理由は、「社会的責任投資（ＳＲＩ）」――目的は高潔でも市場での実績は見劣りがする――の要請に応えるために、みすみす投資収益を損ないたくないというのがほとんどである。こうした考えは多くの場合、年金基金の資金不足によって発生する債務についての懸念からきている。受託者は何より収益率の低い社会的責任ファンドへの投資を避けるべきであり、そうしなければ労働者に支払うべき給付がさらに枯渇するという警告があちこちで聞かれるからだ。

たしかに、年金基金はこれまで資産不足の状態が続いてきた。だが先にも指摘したように、その原因の一部は、銀行や他の機関が、自らの貸借対照表を強化する目的で年金基金を業績の悪い株に投資するために利用してきたという、悪名高い振る舞いにある。

近年、アメリカでは公的年金基金も民間年金基金も深刻な資産不足に陥っていたが、これは二〇〇八年に始まり、景気が回復の兆しをみせる二〇一二年まで続いた世界的な景気後退（グレート・リセッション）が、投資全体にもたらした損害によるところが大きい。最近の過熱した強気相場で年金基金の金庫は一杯になっているが、ここでも注意が必要だ。二〇一八年半ば、S&P500指数に表れた構成銘柄五〇〇種の時価総額（株価に発行済株式数を掛けたもの）平均値は、同じ五〇〇社の実質的な企業評価額の平均値を七三%上回っていた。過去の株式市場を振り返っても、株価がこれ以上に過大評価されたのは一九二九年の大恐慌直前と、二〇〇〇年にドットコム・バブルが弾ける直前の二回だけである。[50]

アメリカのNGOピュー・トラスツの行った調査によると、公的年金債務（将来の給付のために必要な金額の現在価値）のうち七二%が積み立てられているという（甘い数値だとの見方もある）。もし市場が急激に弱気相場に転じた場合、株式が大幅に過大評価されて取引されているため、未積み立て分の年金債務がさらに拡大することになるが、それは他の投資手段で運用しても同様だ。[51]

年金基金を化石燃料から投資撤退させることへの反対論が完全に見当外れになるのは、石油と天然ガスの株式が、不名誉にもS&P500採用銘柄のなかで最も業績の悪いセクターに属しているという――化石燃料への投資を続けることを支持する論拠にはなりようもない――現実を突きつけられたときである。[52]

もっと細かくみていくと、さらに明らかな事実が浮かび上がる。二〇一六年、コーポレート・

ナイツ〔カナダ、トロントに本拠をおく出版・投資顧問会社〕がアメリカ第三の年金基金であるニューヨーク州退職年金基金（加入者一一〇万人、資産総額一八五〇億ドル）の運用利益を分析したところ、もし化石燃料から投資撤退をしていた場合、三年間の利益は五三億ドル増えていたことがわかった。一人あたりに直せば四五〇〇ドルになる。[53] これ以上の説明は不要だろう。

私たちは差し迫った化石燃料文明の崩壊が何を意味するか、十分に理解する必要がある。環境保護活動家や社会正義活動家はこれまで何十年にもわたり、化石燃料文明がグローバル市場や社会統治、そして私たちの生活様式そのものに対して振るってきた経済力と闘ってきた。そして近年、私たちは化石燃料部門とその関連産業が膨大な損害をもたらし、地球を暴走する気候変動と大量絶滅の瀬戸際へと追い込んでいることへの恐怖を日々募らせているのだ。

思えば長い道のりだった。一九七三年一〇月、第四次中東戦争が勃発したことを受け、石油輸出国機構（ＯＰＥＣ）がアメリカをはじめとするイスラエル支持国への原油の輸出を禁止した。それから二カ月足らずで、ガソリン価格は一バレル三ドルから一一・六五ドルに急騰し、わずか数ガロン〔一ガロンは約三・八リットル〕のガソリンを求めて押し寄せた車がスタンドから数ブロック先まで列をなした。

このとき初めて、人々は石油メジャーの巨大な支配力を実感した。そしてＯＰＥＣ諸国と共謀した石油メジャーが禁輸を利用してガソリン価格を高騰させ、戦争の危機から莫大な利益を確保しようとしていると非難した。アメリカ全土のいたるところで、国民は怒りをたぎらせた。
ボストン茶会事件（一七七三年一二月一六日）から間もなく二〇〇年というこの時期、誰もが二世紀前の東インド会社と今日の石油メジャーとの類似性に気づかずにはいられなかった。当時、私は「人民の二〇〇周年委員会」というグループ（一九七六年に予定されている連邦政府主催の建国二〇〇年記念式典に代わるイベントを企画するという趣旨で結成された）に参加していたのだが、私たちはティーパーティーの二〇〇周年記念日に石油メジャーへの抗議行動を行おうと計画し、ボストンとニューイングランドの地域活動家に参加を呼びかけた。一二月一六日、二万人を超えるボストン住民が吹雪のなか集結し、ファニエル・ホールからボストン埠頭まで、二〇〇年前の茶会事件で人々が歩いたのと同じ道を行進した。ボストン埠頭には東インド会社の船のレプリカが係留され、市長や連邦政府の代表らが式典の開会を待ち構えていた。そこにグロスターからやってきた一隻の漁船が姿を現した。漁師は船をレプリカ船の横につけると、マストに上って空の石油ドラム缶をいくつも海に投げ込んだ。これに合わせて数千人がいっせいに「エクソンを告発しろ」、「汚い石油、汚染された世界」と、抗議の声を上げたのだ。これを翌日の「ニューヨーク・タイムズ」紙は「一九七三年のボストン・オイルパーティー」と呼んだ。知られているかぎり、これがアメリカで最初の石油メジャーに対する抗議行動となったが、決して最後になることはなかった。

世界中で四〇年にわたって行われてきた石油メジャーへの抗議をへて、突如、形勢は逆転した。かつては無敵と思われていた化石燃料部門が、今や私たちの目の前で崩壊へと突き進んでいる。

しかも、ほんの数年前にはほとんど想像もできなかったスピードと規模で。石油産業との対決に気をゆるめてはならないが、同時に、廃墟からグリーン文明を築くことにも早急に着手しなければならない。ゼロ炭素経済への転換に資金を出し、すべてのコミュニティや地域に政府の対策を行き渡らせて、エコロジカルな時代へと進んでいかなければならない。アメリカ、そして世界中でグリーン・ニューディールが必要なのだ。

第6章 経済改革
——新しい社会資本主義

公的年金基金および民間年金基金が、数十億ドルの投資資金を化石燃料部門とその関連産業から引き揚げ、スマートなグリーン経済に再投資するという劇的な動きが広がっている。それは社会資本主義時代の到来を告げるものだ。投資意思決定における脇役にすぎなかった社会的責任投資（ＳＲＩ）が、今や市場活動の主役へと変化している、それにより、転換の最も根本的な部分である、化石燃料文明と訣別するための出口戦略に大きなうねりが生じている。

主役は社会的責任投資（ＳＲＩ）

なぜＳＲＩは資本主義的投資の脇役から主役に躍り出たのか？　利益を増すからだ！　そもそもＳＲＩという考えが最初に生まれたのは、アパルトヘイト時代に南アフリカの産業への投資が見直され、投資撤退へと世界が動いたときだった。しかしアメリカ国民がそれをより一般的な問題として痛感したのは、一九七〇年代後半、労働者の年金基金がほかならぬ労働者の経済的安定やコミュニティの福祉を損なう形で使われている、との議論がわき起こったことがきっかけだった。ＳＲＩの考えを支持する人たちは、退職年金の投資先の評価においてＳＲＩの概念を考慮に入れるべきだと主張した。

これに対し、ノーベル経済学賞を受賞した「シカゴ大学新自由主義派（シカゴ学派）」の主唱者ミルトン・フリードマンは、年金基金の投資において社会的責任を果たすという考えは、大きな政府が資本主義的投資の流れにイデオロギー的拘束を課すことになり、最終的に資本主義市場のパフォーマンスを悪化させると反論した。このフリードマンの見解が、その後何十年にもわたり、増大しつづける労働者の社会資本プールを管理する、大多数の年金基金受託者にとっての金科玉条となったのだ。

表向きは、このフリードマンの見解が――少なくとも二〇〇〇年代初頭までは――支配的であるようにみえた。だが水面下では、ベビーブーム世代やX世代、ミレニアル世代といった若い世代は、株主間の争いや労働者の年金基金運用の管理において、環境・社会・企業統治（ガバナンス）（ＥＳＧ）の観点に基づく判断を下すよう強く求めた。

経済投資をめぐる一般の議論に登場したのは、「良い行いをして成功する（Doing well by doing good）」（ベンジャミン・フランクリンの言葉）という格言だった。道徳的・社会的に良いビジネスをすることと利益とは切り離す必要はないし、切り離してはならない。切り離すことは誤った二分法であり、実際には「良い行いをする」ことと利益の増大はイコールなのだという。

労働組合とＮＧＯはこの新しい合い言葉を掲げ、企業の年次総会でＳＲＩを事業活動に組み入れるよう求める株主決議案を出しつづけた。そこでの成果が、二〇〇〇年のドットコム・バブル崩壊後にＳＲＩが加速することにつながった。若者世代は道徳的に無責任で容認しがたい行動をとる企業を批判することになんの躊躇もなく、多くはＳＮＳや口コミサイトを利用して企業にバツの悪い思いをさせ、事業活動の変化を促したのだ。

今やＳＲＩは主流になった。米金融大手モルガン・スタンレーの報告によると、ミレニアル世代の八六％がＳＲＩに関心をもっており、年長の世代との違いが際立つ[1]。こうした変化を反映して、アメリカでは今やＳＲＩは一二兆ドルを超え、その大部分は年金基金による投資が占めている[2]。ひと口にＳＲＩといっても多岐にわたり、全産業および部門に及ぶものだが、気候変動や環境、カーボン・フットプリント、そして石油メジャーによる地政学的影響への懸念の深まりが、化石燃料関連産業からの投資撤退と、再生可能エネルギーやグリーンな産業への投資を勢いづけている。

こうした新たな動きから生まれたのが「インパクト投資」である。これは事業のあらゆる側面にＥＳＧを組み入れた企業に資金を投入するというものだ。モルガン・スタンレーが資産市場部門を対象に行った調査では、多くの回答者が、顧客の望む投資の種類が変化しているため投資意思決定の性質そのものが転換点を迎えていると、確信をもって答えたという。「良い行いをして成功する」が新たなスローガンとなっているのだ。

ではそこに根拠はあるのだろうか？　過去二年間にハーバード大学、ロッテルダム大学、ＥＳＧ投資専門の運用会社アラベスク・パートナーズとオックスフォード大学などが行った詳細にわたる研究によると、バリューチェーン全体でESGに力を入れている企業は、ライバル企業より業績が良い傾向にあることが明らかになった。総合エネルギー効率の向上、廃棄物の減少、サプライチェーンを循環型（省資源・廃棄物削減型）社会に適合したものにすること、低カーボン・フットプリントなどへの取り組みが、すべて利益を増大させることに貢献しているのだ。そしてこれらの取り組み一つひとつが、化石燃料文明からグリーン時代への移行に結びついている。[3] これが当然でなくて何だろうか。

私たちの経済のあらゆる側面が化石燃料でつくられ、動かされている。化石燃料は、経済と商業のどんな営みも可能にする第一次および第二次産業革命のインフラには不可欠だった。このインフラなしには企業も、ひいては社会全体も存在することはできなかった。ひと言でいえば、化石燃料インフラは今日まで社会の繁栄と福祉の基盤だったのである。

化石燃料が今日の世界経済の原動力だとして、今が化石燃料時代の夜明け、あるいは絶頂期や安定期だと考える人がいったいどこにいるだろうか？　化石燃料文明の土台であるインフラはどうだろう？　インフラはいまだに堅固で安定しているといえる人がいるだろうか？　明らかに、化石燃料の時代は終わろうとしている。

インフラは生き物のようなものだ。誕生して成長し、成熟し、その後長い下り坂の時期をへて最終的に死を迎える。これがまさに炭素依存の第二次産業革命に起きていることだ。さいわいなことに第三次産業革命の脱炭素インフラ――グリーン・ニューディールの核をなすもの――が成長、拡大しており、それに伴って総合エネルギー効率と生産性の向上やCO_2排出量の劇的な削減が進んでいる。そして二一世紀のグリーン経済を構築し、管理していくために新たな企業と労働力が求められることは必至である。

低炭素事業への投資は、社会的責任を果たすものではあっても財務リターンは小さいのではないかという問題について、S&Pダウ・ジョーンズがS&P500指数の炭素リスクをいくつかのバージョンについて分析したところ、「ほとんどの場合、低炭素バージョンでは五年間にベンチマーク（基準）を上回った」と結論している。[4]

第2章と第3章でみたように、今や世界中で、第二次産業革命のインフラを構成する主要部門——ICT／通信、電力、移動／ロジスティクス、不動産——が化石燃料文明から脱却し、初期段階の第三次産業革命のインフラに乗り換えている。たとえ世界の年金基金受託者が、年金加入者やその他受給者が手にする生涯の経済的利益を最大化させたいと考えていたとしても、座礁資産や衰退するビジネスモデルを抱える第二次産業革命の廃れゆくインフラに投資を続けていては、実現するとはとても考えがたい。

グリーン・ニューディールの要（かなめ）はインフラだ。グリーン・ニューディールのインフラの根幹であるブロードバンドやビッグデータ、デジタル通信、限界費用ほぼゼロで排出ゼロのグリーン電力、再生可能エネルギーを電源としてスマートな道路を走る自動運転電気自動車、そして接続点（ノード）のように結ばれた排出ゼロの発電設備を備えた建物が、それぞれの地域で構築・拡大され、すべての地域をまたいでつながり、世界中に広がっていく必要がある。気温上昇を一・五℃以下に抑えるためには、このインフラ転換を迅速に——少なくとも一部は向こう何年かのうちに——

実現する必要があるのだ。

費用はどれだけ必要か?

第二次産業革命のインフラの一部を修復し、座礁資産化するインフラの使用をやめるには、どの程度の資金が必要なのか?　そして第三次産業革命のスマートな排出ゼロの新しいインフラを建設するのに必要な資金はどのくらいか?　イギリスのシンクタンク、オックスフォード・エコノミクスの調査によれば、世界の国々はGDPに占めるインフラ投資比率を、現在の動向から予測される年三%から三・五%に引き上げる必要があるという——間違いなく実行可能な数字だ。[5]

だが、すばやく本腰を入れている国もあれば、悲惨なほどに後れをとっている国もある。米コンサルティング大手のマッキンゼーによると、アメリカはインフラ投資の対GDP比では世界一二位という肩身の狭い位置にある。二〇一〇年から二〇一五年までのインフラ投資はGDPのわずか二・三%にすぎず、しかもこの間、比率は年々下がりつづけたという。[6]

少なくとも世界の人々は、インフラの重要性を理解しているようだ。最近のある国際的調査では、対象者の七三%が「インフラへの投資は［自国の］将来的な経済成長には不可欠」だと答え、五九%が「自国のインフラは必要を十分に満たしていないと思う」と回答している。[7]

まさに今、アメリカは後れを取り戻そうとしているところかもしれない。もはや限界近くまで老朽化したインフラがアメリカ経済に文字どおり数千億ドルの損失をもたらし、国家安全保障の問題になりつつあることへの認識が広がったことで、これまで政界ではほとんど話題にもならなかったインフラ支出が、国民の間で活発に議論されるようになっている。しかも近年の気候の激甚化に伴う災害が、すでに劣化したインフラに追い討ちをかけているのだ。

トランプ大統領は向こう一〇年に一・五兆ドルをインフラ整備に費やすと公言しているが、これはおもに老朽化した第二次産業革命のインフラの修繕のためだ。とはいえ、額面どおりというわけではない。ホワイトハウスが提示している連邦政府による支出は二〇〇〇億ドルのみで、ほとんどは民間投資に対する税額控除という形でのものであり、資金の大部分は州が負担することになる。[8]一方、民主党は連邦政府支出による一兆ドルのインフラ政策を求めており、これには第二次産業革命のインフラの改修のほか、排出ゼロ社会に移行し、気候変動対策をとるための第三次産業革命のグリーンインフラの構築が含まれている。[9]

実のところ、トランプ政権下で出される資金はごくわずかではあるものの、アメリカのインフラ整備資金に連邦政府支出が占める割合から大きく逸脱しているわけではない。近年の平均では、インフラ総費用の約二五%を連邦政府、残りを州が負担しているのが現状だ。さらにトランプ政権が進めている減税は、連邦政府が州を支援し、インフラ関連事業に伴う市場メカニズムを刺激するために通例行うこととおおむね合致している。だが残念なことに、同政権の頭にある減税とは、ほぼ例外なく時代遅れの化石燃料インフラの強化に関連するもので、そのインフラの大半は急速に座礁資産化しつつある。連邦政府がとるべきより賢明な道は、税額控除や所得控除、追徴税、助成金、低利融資などの手段を使ってグリーン・ニューディールへの転換を奨励し、市場や州がこれらのインセンティブを活用して化石燃料文明から排出ゼロ社会への移行を迅速に進めるようにすることだ。

しかし、第三次産業革命のインフラを支える全国送電網の構築に関しては、連邦政府が州とともに大きな責任を担うべきである。これについては前例がある。第二次産業革命インフラを支えたのは、アイゼンハワー政権下で一九五六年に施行された全米州間国防高速道路法だ。この道路建設公共事業で全米の各地が結ばれ、郊外が誕生し、移動／ロジスティクスのインフラが完全に統合された形でアメリカ全土に構築された。三七年という年月をかけた数万キロにも及ぶ道路建設に連邦政府が負担した費用は、推定四二五〇億ドル（二〇〇六年のドル価値換算）に上る。[10]このうち連邦政府が負担したのは九割で、ガソリン税の微増税で賄われ、残り一割を州が負担した。[11]シームレスな相互接続によって、アメリカ全域で再生可能エネルギー資源による電力の共有を可能にする二一世紀のスマートグリッドは、国内での移動にシームレスな相互接続をもたらした二〇世紀の州間高速道路網の構築と類似している。

ヨーロッパの大手エネルギー・コンサルタント会社ＫＥＭＡは一〇年ほど前に、この類似性を次のように指摘していた。「スマートグリッドと電気エネルギー部門との関係は、インターネットと通信部門の関係と同じであり、このことに基づいてスマートグリッドをとらえ、支えていくべきである[12]」。

第三次産業革命のスマートなインフラと州間高速道路網の間には、もう一つ類似点がある。ドワイト・Ｄ・アイゼンハワー大統領が広大な州間高速道路網の建設に熱心だった理由の一つは、軍隊での個人的な経験だった。一九一九年、若き陸軍少佐だったアイゼンハワーは、リンカーン・ハイウェー（一九一三年に開通したアメリカ初の大陸横断道路）を使って大陸を横断する自動車部隊に加わった。この演習は国内の道路改良のための調査を目的としたもので、終了までに二カ月を要した。のちにアイゼンハワーは自伝のなかで、「大陸横断はきつくて骨が折れたが、楽しかった」と振り返っているが、このときアメリカ全土で目にした道路整備の遅れが、軍人時代には頭から離れなかったという。第二次世界大戦時、ヨーロッパ戦線の連合国最高司令官に着任したアイゼンハワーは、ドイツの高速道路アウトバーン――当時は国が建設したものとしては世界で唯一の高速道路網だった――を見て衝撃を受け、のちにこう語っている。「昔の自動車部隊での経験から、しっかりした二車線高速道路が必要だと考えるようになったが、ドイツではもっと幅広い道路を国全体に張りめぐらせるという英知を目の当たりにした[13]」。

一九五三年、大統領に就任したアイゼンハワーにはすでに、アメリカの経済と社会をすべて結びつける州間高速道路網という「大いなる計画」があった。防衛と安全保障の問題を常に念頭においていたアイゼンハワーは、核攻撃を受けた場合に都市部の住民が大量に避難する可能性や、侵攻された場合に要請に応じて軍装備品を運ぶ必要性についてとくに懸念し、州間高速道路網が不可欠だと考えていた。だが、州間輸送インフラ事業に取り組んだ理由はそれだけではない。一九五四年の全米州知事協会に向けた演説で、アイゼンハワーは道路上での国民の安全確保、交通渋滞の緩和、財やサービスの生産と流通におけるロジスティクスの改善など、それ以外の理由をいくつもあげている。しかし彼は、防衛の問題も優先事項であることをあらためて強調し、「万が一核戦争が勃発した場合、大惨事や防衛上の要請に応えられないという恐ろしい不備」があると警告した。こうして一九五六年、一般には「全米州間国防高速道路法」の名で知られる連邦補助高速道路法が制定されたのである。

州間高速道路網と同様、新たに登場したスマートグリッドは、アメリカの経済と社会をデジタル的に結びつけ、国全体の効率や生産性、経済的福祉を向上させている。そして完成した段階では、かつて州間高速道路網が建設される——少なくとも一つの——理由となった安全保障問題にも対応することになる。一九五〇年代の脅威は核戦争だったが、今日の脅威はサイバー戦争である。プラス面をみれば、スマートグリッドは、常に変化を続けるプラットフォーム上で何百万ものプレーヤーが結ぶ緊密な関係から成る、多様で複雑なエネルギーインフラを管理している。ところが、このシステムのもつ複雑さこそがサイバー攻撃に対する脆弱性を増大させているのだ。これは単なる理論上のことではない。アメリカの送電網と電力システムは、すでに外国からのハッキングを受けており、敵対勢力だけでなく危険なテロリスト集団が、アメリカの大型変圧器や高圧送電線、発電所、配電システムなどをターゲットにしていることに懸念が高まっている。もし電力が、ある地域全体または国内全域で数カ月間、いや数週間でも使えなくなるような事態に陥れば、経済も社会も崩壊し、政府はあらゆるレベルで事実上機能不全に陥ってしまう。

こうした可能性が見え隠れするなか、政治家も軍も実業界も、いったいサイバー攻撃はあるのか、あるならそれはいつかと自問して夜も眠れずにいる。現時点では、国内の電力供給網全体にまったく対策ができていないとわかっているからだ。今、ようやく地域や州、連邦レベルで、そして電力業界内部でも、スマートグリッドを大型電気変圧器や長距離高圧送電線から末端利用者への最終的な配電にいたるまで、いかに全面的かつ迅速に強化するかについての議論が大急ぎで行われている。少なくとも一つのことに関しては意見が一致している。それは、サイバーセキュリティのカギはレジリエンスの強化であり、そのためにはすべてのコミュニティで電力の分散化を拡大する必要があるということだ。

マイクログリッドの設置は、間違いなくアメリカを最前線で守る手段になる。もし国内のどこかでサイバー攻撃があった場合、個人の住宅も企業も、コミュニティ全体がすみやかに広域送電網からマイクログリッドに切り替え、近隣の地域同士で電気を分けあうようにすれば、社会は機能不全に陥らずにすむ。アメリカの送電網を標的にしたサイバー戦争の脅威が、国家安全保障の問題ではないといえる人はおそらくいないだろう。

サイバー攻撃の脅威が継続的な警戒を促しているのと同様に、国内全域で急激に拡大し、生態系だけでなくモノや人命、商業活動に数百億ドルもの損失をもたらしている壊滅的な異常気象の脅威にも警戒が必要だ。今後サイバー攻撃と気候災害はともに増大することが見込まれるなか、サイバーセキュリティと気候変動に対するレジリエンスの問題は、アメリカにとって国家安全保障の最優先課題となっている。

次に、州間高速道路の先例を念頭におきつつ、気候変動に取り組み、アメリカの経済と社会を変革するために排出ゼロのスマートインフラを整備するにあたって、資金を投入する必要のある領域をざっとみていくことにしよう。それぞれの領域でどのくらいの資金が必要か、そしてそれを連邦政府と州でどのように分担するか？　興味深いことに、電力研究所（ＥＰＲＩ）が全国規模のスマートグリッド構築に必要な費用として算出した四七六〇億ドルという金額は、アイゼンハワー政権下での州間高速道路の建設費用とほぼ同じであり、その経済効果がコストを大幅に上回ると予想されている点でも一致している[14]。スマートグリッドを構築するにあたって、当初一〇年間で連邦政府が投じるべき資金は年間およそ五〇〇億ドルにすぎない。

　連邦政府による一〇年間にわたるインフラ投資には、このほかに税額控除や所得控除、助成金、低利融資などの形による年間五〇〇億ドルも含める必要がある。これは太陽光・風力発電設備の設置や電気および燃料電池自動車の導入、総合エネルギー効率の向上などを促進して企業や労働者、そして各家庭をグリーン時代へと導くためのものだ。比較のために数字をあげると、二〇一六年に連邦政府が税額控除の形で行った優遇措置は、再生可能エネルギーを対象にしたものが推計一〇九億ドル、エネルギー効率や送電では推計二七億ドルに上った[15]。二〇一八年から二〇二二年までに電気自動車に対して行われる税額控除は、七五億ドルと見込まれている[16]。

　連邦政府による税額控除をはじめとするインセンティブは、太陽光・風力発電設備の設置推進に役立ち、アメリカに自然エネルギー市場を生み出している。住宅に太陽光パネルを設置すると、「太陽光エネルギー投資税額控除」によって設置費用の三〇％が税額から差し引かれる。二〇一八年現在、太陽光発電を利用する家庭は五〇〇万世帯を超える。風力発電も同様に税額控除の対象であり、現在アメリカでは一七五〇万世帯が風力発電による電気を使用している。これまでも税制優遇措置によって、太陽光・風力発電市場の誕生や、エネルギー効率の向上、電気自動車の導入が促進され、グリーンエネルギー時代への大規模な転換が進んできたのは確かだが、今後二〇年間にはこうした税制優遇措置を少なくとも三倍にする必要がある。

そして最後になるが、連邦政府は居住用、商業用、工業用、および公共機関の建物の改修に年間一五〇億ドルを確保しなければならない。ロックフェラー財団とドイツ銀行が行った包括的な調査によると、こうした建物の改修費用として今後一〇年間で約二七九〇億ドルが必要になるという。だがこの調査は二〇一二年のもので、今日では必要な費用は三〇〇〇億ドルを超えると予想される。さらに私たちTIRコンサルティングのグローバルチームの推計では、改修の範囲と規模を考慮すると、完了までに二〇年以上かかる可能性が高い。

ロックフェラー財団とドイツ銀行の調査では、この投資だけでも一〇年間に一兆ドルの省エネルギー効果が見込めるという。これは、アメリカで使用される総電力を年間三〇%節約できることを意味する。また、国内全域で建物群を改修することになれば、三三〇万人年(にんねん)(一人年は一人が一年間働いたときの仕事量)の雇用が創出され、温室効果ガスの排出も一〇%削減できる。[17]

以上を合計すると、連邦政府のインフラ整備計画で最初の一〇年間に必要な費用は、年間一一五〇億ドルになる。内訳は、全国送電網に年間五〇〇億ドル、太陽光・風力発電設備の設置や電気自動車の購入、充電スタンドの設置など第三次産業革命のインフラ構成要素を奨励するための税額控除や所得控除、助成金、低利融資などのインセンティブに年間五〇〇億ドル、排出ゼロ経済への転換を加速させるための居住用、商業用、工業用その他の建物の改修に年間一五〇億ドル。これによって一〇年間のインフラ整備に必要な連邦予算の総額は一兆一五〇〇億ドルに達する。これによってアメリカでは、少なくとも「最低限の」スマートグリッドとそれに伴うインフラが機能することになる。この額は、二〇一九年の国防総省の年間予算を少し上回る程度だ。

では、はたして一〇年で完了するのだろうか？　ブラトル・グループによれば、統合された全国送電網の主要な要素である「大規模送電事業の計画、開発、承認、建設には、平均して最低一〇年の時間が必要である」という[18]。したがって答えはイエス、一〇年で完了することは可能だ。

とはいうものの、連邦政府が一〇年間にわたって負担する年間一一五〇億ドルは、完全に機能するスマートなグリーン経済への転換に必要なものの頭金にすぎない。第三次産業革命のインフラを構築するには、大幅な追加資金が必要になる。前にも示唆したように、転換に必要な資金はおもに州や郡、市町村が負担することになる。現在、新しいスマートインフラの構築と管理において連邦政府が担う役割に関して、ワシントンの政治家の間で盛んに行われている議論では、いずれもインフラの維持に果たす連邦政府の役割は小さい。注目しておくべきなのは、アメリカでは州や地方政府——連邦政府ではない——がインフラの九三％を所有し、その維持と改良にかかる費用の七五％を負担していることである[19]。

同様にグリーン・ニューディールのインフラへの転換も、州と国が同じ七五対二五という比率で行われると仮定すると、連邦政府の負担が年間一一五〇億ドルなら、州の負担は年間約三四五〇億ドル、合計すると一〇年間のインフラ構築費用は年間四六〇〇億ドルということになる。先に述べたように、ブラトル・グループの研究によれば、電力需要に対応できるようスマートグリッドの「送電インフラ」をスケールアップするだけでも、二〇三一年から二〇五〇年までに年間四〇〇〇億ドルの新たな投資が必要だという。他の研究でも、長期間にわたるインフラのスケールアップに要する追加費用が含まれるようになるはずだ。

ここで再度強調したいのは、現在、連邦議会で議論されているインフラ関連の提案は一〇年という期間を想定しているということだ。最良のシナリオでいけば、〝若い〟第三次産業革命のインフラを一〇年以内に構築することは可能だろう。しかし十分に統合され、運用できる〝成熟した〟グリーンインフラを完全に構築するには、さらに一〇年が必要となる。ここで問題にしているのは、二〇年をかけてアメリカ全体を第三次産業革命パラダイムへと転換する話である。連邦政府と州が、最初の一〇年と同じレベルで投資を続けるとすれば、二〇年間では約九兆二〇〇〇億ドルの資金が投入されることになる。

たとえアメリカのGDPが成長しなくなり、二〇一八年と同じ年間約二〇兆ドルのまま推移したとしても、必要な投資は全体で、古いインフラの修理や維持に現在投資されているGDPの二・三％に、年間二・三％を上乗せする程度である。つまり年間、GDPの四・六％を投資すれば、二一世紀のレジリエントな経済を管理するための最新のデジタル化された、排出ゼロのスマートインフラを設計し、整備できるということだ。政府の権力者が、年間のインフラ支出を現在の対GDP比わずか二・三％から四・六％へ倍増することにひるむことのないよう、中国が二〇一〇年から二〇一五年の間に行ったインフラ投資が、年平均で対GDP比八・三％だったことを指摘しておこう。[20]

これらの数字は、もし年間のインフラ支出が中国より大幅に少ないままでいた場合、今後五〇年間にアメリカに、そして世界経済におけるアメリカの立場にどんなことが起こりうるかを物語っている。つまり、アメリカが世界の主要国でありつづけることを望むなら、インフラへの年間投資を倍増することは理にかなっており、排出ゼロの第三次産業革命経済に二〇年で転換することは可能だ――あくまですべての州の足並みがそろっている場合に限られるが。繰り返すが、これは日進月歩の技術革新のなかでの予測であり、この歴史的なインフラ転換を進めていくなかで、不断の見直しと更新を重ねることになるだろう。

二〇年間に九兆二〇〇〇億ドルという、スマートグリッドとそれに伴うインフラのスケールアップに要するコストは、他の研究が出した予想をいくらか下回っている。その理由は、太陽光・風力エネルギー技術や電池貯蔵、電気自動車や燃料電池車による移動などのコストの急激な低下と、ＩｏＴにより構築された環境の総合エネルギー効率がこの先二〇年間は維持できると予想され、全国規模のスマートなグリーンインフラ整備にかかる全体的なコストを大幅に削減できることにある。これに加えて税額控除、所得控除、助成金、低利融資などのインセンティブや、累進追徴税などが相まって、個人住宅や企業、地区、そしてコミュニティ全体でのインフラ導入が加速することが予想される。太陽光・風力エネルギー技術の導入ではまさにそれが現実となったが、電気自動車による移動がそうなる日も近い。

これは強調すべき重要なポイントだ。インフラは従来、政府が膨大な費用を負担し、一般市民が使うために構築された包括的で中央集権型のプラットフォームだと考えられてきた。道路網に電線、電話線、発電所、上下水道、空港、港湾施設などなど。それはそれで結構なことだった。

だが第三次産業革命のインフラの場合、住宅や自動車、会社、工場、コミュニティなど何百万というプレーヤーの間を行き来するグリーン電力の流れを調節・管理する全国規模のスマートグリッドが必要ではあるが、そこに接続する実際のインフラ構成要素の多くは、本質的に高度に分散化されており、文字どおり何百万もの個人や家庭、そして何十万もの中小企業に所有されている。同様に、太陽光パネルを張った屋根や風力タービン、ＩｏＴの接続点（ノード）となる建造物、蓄電池、充電スタンド、電気自動車などもすべてインフラを構成する要素である。第一次および第二次産業革命のトップダウンで一方通行の静的で大規模なインフラとは異なり、第三次産業革命の分散型で水平方向に拡大するインフラは、その特性ゆえに流動的かつ開放的であり、まさに世界中の数十億というプレーヤーが自宅や職場で、あるいは通勤中に、それぞれが所有するインフラ構成要素をブロックチェーン・プラットフォーム上で、構築したり再構築したり、ばらばらに分けたり再結合させたりすることができるのだ。

こうしてスマートインフラの大部分は、大幅な税額控除などのインセンティブと、インフラの構成要素やプロセスの急激なコスト低下とが相まった結果、稼働を開始する。グリーン・ニューディールにおいては、インフラは各地域で民間企業による統治ではなく、コモンズの統治によって監視され、それによって民主的で参加型、そして常に新しいパターンへと変化しつづけるものになりうる。九兆二〇〇〇億ドルという金額には、今後数十年間にこのデジタル化された分散型インフラが出現し、進化していく道筋が示されているのだ。

最後にひとこと――こうしたインフラ改良によって、一ドル投資するごとにＧＤＰが三ドル増え、数百万人分の新規雇用が創出されることを忘れないでおこう。[21]

資金はどこから

では、二〇年に及ぶアメリカ全土でのグリーン・ニューディールのインフラ構築に連邦政府と州政府が投じる九兆二〇〇〇億ドルは、どこから調達するのか？　まずは連邦政府についてみていこう。

連邦議会で与野党が入れ替わり、政権が交代すれば、アメリカが最大の成長と繁栄を享受した一九五〇～六〇年代と同様、超富裕層に対する累進税率の引き上げを実施することが可能になる。これはたしかに理にかなっているし、筋も通っている。大富豪とますます貧困化する労働者との格差の拡大を考えればなおさらだ。アーバン・ブルッキングス税務政策センターのディレクター、マーク・メーザーによると、年間所得が一〇〇〇万ドル以上の超富裕層の所得のうち、一〇〇〇万ドルを超えた分に限界税率七〇％を適用した場合、連邦政府の歳入は七二〇億ドル増加するという。[22]

世界第二位の富豪ビル・ゲイツ（資産総額九〇〇億ドル）と第三位のウォーレン・バフェット（資産総額八四〇億ドル）は、超富裕層を対象とした税率の大幅引き上げに賛成し、超富裕層とその他の人々との間で拡大する不平等の問題に取り組むための法改正への支持を、公の場で表明している。[23]二〇一九年二月、ＣＢＳのスティーヴン・コルベアのトーク番組に出演したゲイツは、

「巨万の富をもつ人から徴収する割合を大幅に増やす税制にすることは可能だ」と明言したうえで、「そういう富は通常の所得で築かれたものではないから、公平性を高めるにはキャピタルゲイン（資産の値上がり益）税や相続税に目を向けるべきだ」と語った。[24] バフェットも同意見で、「一般の人に比べて、富豪が払う税金は明らかに少ない」と述べている。[25]

超富裕層への増税で増加した収入は、グリーンインフラ移行に伴う新たなビジネス機会や大量雇用を創出するグリーン・ニューディールの資金として使用できるし、そうすべきである。だが、この新しい収入源だけでは十分とはいえない。

数十億ドルの国防総省予算の一部をグリーン・ニューディールに充てるという方法もある。これも、しごくもっともに思える。アメリカ土木学会の推定では、この国のインフラを及第点のBグレードまで上げるだけでも、すでにインフラ構築に費やしているコストに加えて年間二〇六〇億ドルが必要だという。[26] これは、第三次産業革命のスマートなグリーンインフラへの転換をスタートさせ、アメリカ経済を再建し、気候変動に取り組むにはいささか少ない額に思われる。二〇一七年に気候関連の災害がアメリカにもたらした被害は合わせて三〇〇〇億ドルに上ることを考えれば、なおさらだ。[27] それもたった一年での話である。

アメリカ政府に国のインフラを大幅に改良する余裕はないと主張する人がいたら、二〇一九年の防衛予算だけでも、過去最大の七一六〇億ドルに上っていることを考えてみるべきだ。[28] 連邦議会予算局によると、国防総省予算の約三分の一は兵器システムに充てられている。[29] アメリカの防衛予算は、中国、ロシア、イギリス、フランス、インド、日本、サウジアラビアの軍事予算をすべて合計したものより多い[30]。国の「安全保障」のために連邦政府が行っている財源の割り振り方に、大きな間違いがあることは確かだ。国防総省の優先順位を少なくとも一部入れ替えて、決して使用することのない兵器システムへの膨張する一方の支出を減らし、サイバー戦争から国を守り、気候関連災害への対策や救済措置を講じるうえで軍隊が担うべき新たな役割へと重点を移すことを検討すべきである。サイバー戦争と気候災害はこの先、アメリカの国と地域社会が直面する最も重要な国家安全保障上の問題だとする見方が強まっていくことは必至だ。国防総省の肥大化した兵器システム予算を一二・六％——二〇一九年の軍事予算全体のわずか四％ほど——削減すれば、追加の三〇〇億ドルをグリーン・ニューディールの連邦政府負担分として準備できる。国防総省予算のほんの一部を見直して、サイバー戦争や壊滅的な気候事象に対応できるレジリエントなスマートグリッドの確保に充てることさえためらうのであれば、アメリカは甚大な危機に陥ることになる。

また石油や天然ガス、石炭産業に供与している連邦補助金約一五〇億ドルを廃止すれば、さらに政府資金を増やすことが可能だ[31]。資産が急速に座礁資産化している化石燃料部門に補助金を出すことを正当化できる理由は、もはやない。

右記の数字を合わせただけで、次のことがわかる。連邦政府は超富裕層からの税収で年間約七〇〇億ドル、兵器の開発・調達費の一二・六％削減で三〇〇億ドル、化石燃料部門への補助金廃止でさらに一五〇億ドル、合計で年間一一五〇億ドルを確保でき、これを排出ゼロのグリーンインフラ転換における連邦政府負担分に使用できるのだ。

言うまでもなくこれは、今後二〇年間のグリーン・ニューディールの拡大に連邦政府が負担する資金の調達について、考えうる多くのシナリオの一つにすぎない。ほかの組み合わせもいろいろある。たとえば、提案されている（一般消費者も含めた）一律炭素税による収入のごく一部を、グリーン・ニューディールの構築において連邦政府と州政府が負担する資金に充て、残りを各家庭に分配すれば、炭素税は実質的に化石燃料産業が負担することになる。だが重要なのは、ここであげた数字はどれも、超富裕層の莫大な富や国防総省の軍備、そしてアメリカの家庭の経済的健全性にさほど大きな譲歩を強いなくとも、すぐに実行できるという点である。

それはさておき、少なくとも費用の一部を調達するのに同じくらい有望な財源がもう一つある。公的年金基金と民間年金基金の数兆ドルだ。これらの基金は現在、グリーンな第三次産業革命への転換に伴って生じる大きな投資機会に目を向けつつある。年金は今や熱い注目の的であり、民主、共和両党の政治家たちも盛んに話題にしている。二〇一九年二月、政治専門紙「ザ・ヒル」に、ニューヨーク大学スターン・スクール・オブ・ビジネスの財政学名誉教授インゴ・ウォルターとコンサルティング会社トレードウィンド・インターステート・アドバイザーズの業務執行パートナー、クライヴ・リプシッツによる「公的年金とインフラ——理想的な組み合わせ」と題するオピニオン記事が掲載された。労働者の公的年金基金という巨大な資金源が政府とのロマンスに落ちれば、二一世紀の最新インフラの構築資金に役立つことを示唆する内容だった[32]。年金基金の一部が全国送電網の構築と、連邦政府所有の有形資産のグリーン化に投資されることになるのは確実だ。連邦政府がインフラ移行のために直接提供する資金と、年金基金やその他の民間資金源を用いたインフラ構築資金との適切なバランスを見出すことが、連邦議会とホワイトハウスにおける民主党、共和党間の大きな争点となりそうだ。審議の内容によっては、両政党が党派を超え、排出ゼロ経済への不可避の転換に向けて団結できるかもしれない。

だが、この「理想的な組み合わせ」には、重要な但し書きがある。組合加入労働者の年金基金をグリーンインフラへの投資やその関連事業に用いる場合、資金投入には可能なかぎり組合員労働者を関与させなければならないというのだ。これは労働者の年金資金が、意図的に現場から組合員労働者を排除しようとする反労組の企業に提供されないようにするためである。アメリカの労働組合組織率が一一%にすぎず、組合員労働者だけでは人手が足りないグリーンインフラ事業も出てくることを考えると、労働者に――本人が望めば――少なくとも団結権や団体交渉権を保障することが必要になろう。

公的年金基金や民間年金基金とグリーンインフラ構築を結ぶ仲介役は、グリーン銀行だ。グリーン銀行の使命は、第三次産業革命におけるグリーンインフラの構築に資金を提供するという明確な目的のために、融資可能な資金を一定の割合で提供することである。この一〇年間に、イギリスや日本、オーストラリア、マレーシアなどの国々ではグリーン銀行が設立され、グリーンエネルギーに四〇〇〇億ドル以上の投資を行っている。[33] 二〇一二年には国際労働組合総連合（ＩＴＵＣ）が、世界中の労働者年金基金の資金とグリーンインフラ投資を結びつける情報センターの役目を果たすグリーン銀行を設立するよう提言を行った。[34]

アメリカでは二〇一四年、当時下院議員だったクリス・ヴァン・ホレン（現在はメリーランド州選出上院議員）が、連邦レベルでは初となるグリーン銀行法案を提出した（上院ではコネチカット州選出のクリス・マーフィーが同様の法案を提出）。この法案は、まず一〇〇億ドル分の財務省債券を発行して銀行に資金を提供し、その銀行がグリーンインフラ事業に資金提供したりグリーンインフラへの転換を活発にするための「融資や融資保証、債務の証券化、保険、ポートフォリオ・インシュアランス〔元本保証型の資金運用手法〕、その他の資金調達支援やリスク管理」を提供するというものだった。[35] 結局、ヴァン・ホレンの法案は成立しなかったが、アメリカで「グリーン銀行」という概念に命を吹き込むことには成功した。二〇一六年には、ニューヨーク、コネチカット、カリフォルニア、ハワイ、ロードアイランドの各州とメリーランド州モンゴメリー郡でグリーン銀行が稼働し、他の自治体でも設立に向けて準備が進められた。[36]

インフラの大部分は州が責任を負っているため、連邦政府による国営グリーン銀行設立の計画は、すでにかなり進行している州のグリーン銀行設立計画に合わせて、やり方を修正する必要があることが明らかになった。そのため、二〇一六年にヴァン・ホレンが再提出した国営グリーン銀行の設立を求める法案では、連邦政府がグリーンインフラに直接資金を提供することを禁じた。それによって、国営グリーン銀行の業務を州や市町村のグリーン銀行への貸し付けに限定し、州や市町村のグリーン銀行が、グリーンインフラ事業の費用を直接負担する責任を負うこととなったのだ。[37]

二〇一九年には、グリーン銀行は世界中に設立された。同年三月、パリでグリーン銀行デザイン・サミットが開催され、二三カ国――大半が発展途上国――の代表が出席して自国にグリーン銀行を設立することを目的に話し合いが行われた。これらの国々を合わせると世界の人口の五六％、世界のＧＤＰの二六％に相当し、CO_2排出量は世界全体の四六％にあたる。[38] 話し合いには機関投資家も参加し、年金基金やその他の投資ファンドも準備態勢を整えている。

　発展途上国にグリーン銀行を設立して第三次産業革命のスマートインフラへの転換を促進しようという動きの高まりは、グリーン・ニューディールが全世界にアピールしていることの明白な証だといえる。興味深いことに、このスマートなグリーンインフラ革命は発展途上国のほうが急速に進むという見方が強まっている。理由は単純で、マイナスを抱えていることが逆にプラスにもなるということだ。言いかえれば、先進国が古い第二次産業革命のインフラを廃棄したり、それを基にして新しいインフラを構築しなければならないのに対し、インフラが不十分な発展途上国は、まっさらなグリーンインフラを関連する法令や規制、基準とともに、より迅速に整備できるというのだ。太陽光・風力発電設備は、今や発展途上世界の全域で急速に設置されている。

　二〇一一年、当時国連工業開発機関（ＵＮＩＤＯ）の事務局長だったカンデ・ユムケラーと私は、どうすれば発展途上国が第三次産業革命の構想を描き、実践できるかについて話し合い、同年、隔年で開催されるＵＮＩＤＯの総会でこのテーマについて共同で講演した。ユムケラーはこう語りかけた。「今、第三次産業革命が始まろうとしています。この革命を現実のものとするために、世界中の知恵や資本、投資をどのように共有していけばいいのでしょうか？[39]」。こうしてＵＮＩＤＯは、国連と発展途上国を脱炭素の物語（ナラティブ）とグリーンインフラの整備へと向かわせるという取り組みに着手したのだ。

グリーン銀行は今や発展途上国、先進工業国の両方で急速に増えている。そのための資金構成がどのようなものであろうと、年金基金がグリーン経済への転換における原動力になることは間違いない。これはグリーン・ニューディールのインフラ構築に関わるすべての当事者にとっての利益となる。

何千万もの労働者が自分たちの年金を国の未来に投資することは、組織労働者を可能なかぎり守り、労働者の団結権を守り、年金基金の安定した運用収益を確保するだけでなく、気候変動問題に正面から取り組むことも可能にする。さらには、各国で出現しつつあるグリーン時代のインフラ改革に伴う大きなビジネス機会と雇用の創出も加速されるのだ。

アメリカ国内では、どんなグリーン銀行法が成立するかにかかわりなく、公的年金基金だけでなく民間年金基金も、連邦レベルでのグリーン・ニューディールへの資金提供に重要な役割を担うことになる。とはいえ、やはり年金基金が最も重視するのは、州や地方レベルのグリーンインフラへの大規模な投資であり、その額は今後二〇年間に年間三四五〇億ドルに上る見込みだ。

だがその前に、考えておくべき厄介な問題がある。インフラはその性質上、すべての市民が利用する公共財であるため、インフラサービスは従来、地方や州、連邦レベルの政府が提供する公共サービスだと考えられてきた。しかし近年、州でも地方レベルでも変化が起き、既存の公共インフラが民間に売却されたりリースされたりするケースが増え、新しいインフラが最初から民営化されていることも多い。「官民連携」と呼ばれるこうした動きの背景には、一九八〇年代初頭に始まった政治状況の変化がある。当時政権の座についたマーガレット・サッチャー英首相とロナルド・レーガン米大統領が、民営化と規制緩和を進めたのだ。政府の資金によってつくられ管理されるインフラの運営を政府機関に任せておけば、競争がないために無気力なお役所仕事と堕して革新とは程遠くなり、たとえやろうとしたところでその能力もない、というのがその論拠だった。

これは、新自由主義イデオロギー――重要なインフラサービスは民営化し、その後の管理は「開かれた市場」に任せるべきだとする――の、まさに要の部分である。だがこの際付け加えておくべきなのは、インフラは民間に任せたほうがうまく機能するという主張を裏づける十分な証拠は、一度も示されていないということだ。鉄道や電力供給網、郵便や公衆衛生、公共テレビ放送など政府が提供するサービスは――少なくとも中進国や先進国では――きわめて円滑に機能しているようにみえる。それでも、公共インフラが政治問題化したことは人々の大きな関心を引いた。これに勇気を得たサッチャーやレーガンからブレアやクリントンにいたる新自由主義政権は、従来政府が負っていたインフラに対する責任の多くを、民間セクターと移り気な市場の動きに委ねることにしたのだ。この新自由主義の時代が長い歴史に終わりを告げるときがくるとすれば、そのとき私たちはこう気づくのかもしれない――それは既存の市場をもう十分食べ尽くした民間セクターが、すべての人が選択の余地なく利用するしかないゆえに莫大な利益の見込める公共インフラサービスを、躍起になって手に入れようとした時代だったのだと。

さらに近年になって、インフラ民営化の第二の波が訪れた。これは主として公的債務の増加や、一部の国では、減税措置を求める要求が――とくに賃金が生活費に追いつかない中産階級や労働者階級の間で——高まってきたことに応えたものである。したがって地方や州の政府が、公共インフラを次々に民営化しようとしてきたことは驚くにはあたらない。とはいえインフラを管理する民間企業は、インフラをサービスよりも事業ととらえ、利益をあげることにきわめて熱心になりがちであり、業界専門家が「資産剥奪（アセット・ストリッピング）」〔不採算資産を安く買い取り、採算部門だけを高く売って利益を得ること〕と呼ぶ手法の餌食（えじき）になることも少なくない。これは民営化された刑務所や有料道路、学校などで繰り返し起きている共通の問題である。

インフラを取り戻す

年金基金がインフラ投資に参入することで、インフラとの関わり方において多くの点で民間企業とは異なる、新たな所有者層が生まれている。年金基金受託者は自らを管理人や管財人と見なし、資金の運用ではより社会的責任の大きい方法を選択する傾向が強い。なかでも公的年金基金の受託者は——多くの場合、年金加入者や労働組合指導者の考えに促され——社会的責任投資（SRI）、すなわちESG原則を採用する先駆者となってきた。そして今では、民間年金基金の受託者も同様の傾向を強めている。これらの年金基金はこれまでにはない意識をもって、インフラ事業における「社会資本」への投資に敏感に反応している。

この数年の間に、年金基金は投資先を従来の株式からほかへと移しはじめている。株式投資は、過大評価されたリスクの大きい短期投資であり、加熱した強気相場と深刻な景気後退との間で乱高下を繰り返すものだとみられているのだ。年金基金受託者は、株に比べて変動が少なく安全で、利益が予測できるグリーンボンド〔温暖化対策や環境プロジェクトなどの資金を調達するために発行される債券〕への長期投資に興味を示しはじめており、インフラ投資がその要件を満たしているのである。英会計事務所大手ＰｗＣとグローバルインフラ投資家協会（ＧＩＩＡ）が最近行った研究報告「グローバルインフラ投資」は、まさにこの点を強調している。同報告は、「この一〇年間に世界の経済インフラは大きく変容した……それは長期間の安定した利益を求める資金が流入したことによる」と述べ、その大部分の出どころは年金基金だとしている[40]。

　公務員年金基金にとって、公共インフラへの投資は頭を悩ます問題ではない。何といっても加入者は公共部門で雇用されており、公共サービスの重要性を誰よりもよく理解しているからだ。だが、公的年金基金と民間年金基金がインフラへの投資にもっと積極的になる理由がある。とりわけそのインフラが加入者の住居や職場と同じ地域にある場合、投資することで本人やその家族に、改善されたインフラサービスを享受できるという付加的な恩恵がもたらされるからだ。

　その実例はすでにある。巨大な資金をもつケベックの年金基金「ケベック寄託・投資金庫（ＣＤＰＱ）」は、モントリオールに軽量軌道交通システムを構築し、稼働させるための十分な資金を投資した[41]。ドイツの年金基金は地域の土木企業と提携し、新しい道路建設に投資している[42]。

　長期的にみれば、年金基金による公共インフラへの投資は、グローバル企業がインフラを民営化し、一〇〇％営利事業として運営することより良いやり方だといえる。

　さてここで、インフラを民営化するグローバル企業か、年金基金による公共インフラの構築への直接投資か、という問題をなぜこれほど詳細にわたって掘り下げてきたのかについて、個人的な話をさせてもらいたい。第1章では、グーグルがトロントでスマートインフラの民営化や構築、管理を目指して進めているプロジェクトを紹介した。このスマートインフラは、最終的にはトロント都市圏に住むすべての人々の動向を監視するものだ。不安を掻き立てられはするが、これは巨大インターネット企業とICT企業にとっての次なる一大マーケットなのだ。グーグル創業者のラリー・ペイジ自身、デジタル技術のもつ効率性や利点に魅せられたあまり、このプロジェクトに市民が嫌悪感を抱こうなどとは一瞬たりとも考えなかったと述懐している。だがEU各地でグリーンインフラ構築の長期ロードマップの展開に関わった経験からいわせてもらえば、公共インフラの民営化を巨大グローバル企業、とくにインターネット企業やICT企業、電気通信企業の手に委ねると、必ずといっていいほど失敗するものである。

　一方、インフラに公的資金を投入することにも独自の難しさがある。政府にとって真っ先に必要なのは、債務の対GDP比を最小化することだ。これはEU全域で必須条件となっている。アメリカでも地方や州の政府は同じことに留意しており、増税をしたり債務を増やしたりすることで必要な投資が実現できるわけではないことを承知している。ではどうやって迷路を通り抜け、二一世紀のグリーンインフラ構築のための資金を調達する実際的な方法を見つけるのか？　金融業界で多くの賛同者を得ているメッセージは、公的年金基金と民間年金基金のうち、眠っている資金数兆ドルを使った投資機会に目を向けよ、というものである。

　年金基金の側は投資に前向きだ。だが、そこには問題がある。何より大きいのは、投資しようにも十分に準備の整った大規模な第三次産業革命インフラ事業がないことだ。この問題はアメリカに限らず、世界中でみられる。市や地域、そして国が、あまたの小規模で互いに関連のないパイロット事業に投資しており、そこではインフラの転換を促進する取り組みはほとんどなされていない。たとえばイギリスでは現在、年金基金の連合体が資金を提供する巨大インフラ事業は、「ヴィクトリア朝以降最大のロンドンの下水管整備」と銘打って行われている、投資総額四二億ポンドの「テムズ・タイドウェイ・トンネル」建設事業一つしかない[43]。

資産総額一二〇億ポンドのランカシャー州年金基金を管理するローカル・ペンションズ・パートナーシップの最高投資責任者クリス・ルールは、こう言い切る。「私の考えでは、年金基金は国内インフラへの投資に対して非常に前向きだ。[問題は]需要と供給にある。投資先の数より投資先を求める資金のほうが多い。このことが利回りを押し下げている」。アリアンツ・グローバル・インベスターズのインフラ債務チーム担当役員エイドリアン・ジョーンズも、年金投資家や、大規模インフラ開発への投資機会を探るもう一つの主要投資家である保険会社からよく聞く話を繰り返す。「インフラにもっと多くの資金を投じるのに、抜本的な改革は必要ない。必要なのはもっと多くの投資可能な事業だ[44]」。年金基金受託者は口をそろえて、こう不満を漏らす――パイロット事業はもういらない！　長期にわたって投資できて、安定した利益が見込める大規模な第三次産業革命のインフラ整備事業があれば投資する、と。

要約すれば、アメリカの市町村も郡も州政府も、大規模なインフラ事業の資金を調達するために債務の対ＧＤＰ比を大きくしたり増税することには乗り気ではなく、年金基金は大規模投資をしたがっている。すなわち、アメリカ全域の公共インフラを排出ゼロのグリーンインフラに迅速に転換させるのに必要な条件はそろっているのだ。

さらにもう一つ、アメリカがグリーン・ニューディールのスタートラインに立つために取り組まなければならない問題がある。アメリカの地方レベルでのインフラ投資の大部分は、利子非課税の地方債を資金源としている。ここに問題がある。地方政府はインフラ事業の資金を調達するのに、官民提携で民間企業と協定を結ぶよりも、公的調達を選択することが多い。非課税の地方債のほうがより安くて受け入れられやすく、インフラの民営化に当然ながら警戒心を抱く市民にも売り込みやすいからだ。だがそうなると、民間企業が不満を募らせる。多くの場合、民間企業は非課税地方債による割安な投資には太刀打ちできないし、官民提携を勝ち取るためには投資利益の少ない条件を受け入れざるをえないが、それも容認できないというのだ。

しかし、年金基金はグリーン地方債への投資にかなり前向きで、地方政府との投資提携で得られる利益率の低さも受け入れている。年金基金にとって最大の関心は、加入者に安定した利益を保証することだからだ。それにもかかわらず、非課税地方債市場に参入することを完全に受け入れてはいないのは、年金基金も非課税であるため、非課税地方債に投資しても付加価値を得られないからである。とはいうものの現在、市や州が公的年金基金や民間年金基金の資金をグリーン地方債の購入に誘い込もうとするなか、年金基金アドバイザーが新しい提案を行って関心を集めている。それは年金基金に、グリーン公債への投資に対する税額控除という形でインセンティブを与えるというものだ。

二〇一七年、マーカタ―・アドバイザーズのデヴィッド・セルツァーは全米公務員退職年金制度会議でこの構想について紹介した。セルツァーは「年金基金は債券投資や株式投資に付随する税額控除を現金化することができる」と述べ、次のように説明した。「年金基金は、加入者に払い戻しできない税額控除分を、退職者に支払われる年金の源泉徴収税の財務省への支払いに充てることによって現金化できる」というのである。[45]

グローバル企業や補助金を受けている数多くの産業、金融業界、そして超富裕層に与えられる連邦税法上の数々の税制優遇措置とは異なり、この税額控除は規模こそ小さいが、年金基金に十分な利益を供与することだけに焦点をおき、それによってインフラ事業の財源となるグリーン地方債への投資を促すことを目的としている。そして、この税額控除が導入されて数十億ドルの年金基金が化石燃料産業から引き揚げられ、グリーン・ニューディールの第三次産業革命インフラに再投資されれば、七三〇〇万人の労働者の退職後の生活を守るだけでなく、気候変動の世界に生きる彼らの子孫の幸福も確保できるという、さらなる利点もあるのだ。

税額控除はたしかに、二の足を踏む年金基金にグリーン地方債への投資を促すことにはなるが、市や州が抱える公的債務の増加という問題は依然として残る。公的債務を抑えるためには、市や州は何らかの形の官民提携を受け入れる必要がある。だがここでも、地方政府が民間企業と提携してインフラ民営化を進めることにまつわる、ぞっとする話は山ほどある。業績不良や不十分な管理、コスト超過、利益維持のための資産剝奪（アセット・ストリッピング）、破産などなど。公共インフラを民営化する企業にとって最大の関心は利益を最優先にすることであり、それはすなわちコスト削減の名のもとに、いつでもどこでも可能なかぎりコストカットを行うこと——しかし最終的には、自分たちが構築と維持の責任を負うインフラの効率的な運用を犠牲にすること——を意味するのだ。

ESCO——グリーン・ニューディールのビジネスモデル

とはいえ、グリーン・ニューディールにおける官民提携を成功させる別の道もある。それは二五年の実績のある「エネルギーサービス企業（ESCO）」というビジネスモデルだ。「パフォーマンス契約」と呼ばれるものに基づいて利益を確保する革新的なアプローチであり、資本主義の基本原理である売り手と買い手という基盤そのものをひっくり返す、常識とは相いれない事業手法である。

パフォーマンス契約では、売り手と買い手から成る市場を完全になくし、供給者と利用者から成るネットワークに置き換える。ESCOはインフラ構築や省エネ改修工事において事業の費用のすべてを調達する責任を負い、契約に定められた新しいグリーンエネルギーの生産とエネルギー効率化の成果（パフォーマンス）に基づいて報酬を受け、利益を確保するという仕組みだ。

政府とESCOの間で結ばれるこの新しい形の官民提携は、民間企業のもつ技術的な専門知識や成功事例を一般市民のために——両者のプラスになるような形で——役立て、公共部門と民間部門の間に新しい強力なダイナミクスを生み出す。年金基金は、こうした官民提携の多くに資金を提供する際の最高のパートナーとなる。この資金の出どころは多くの労働者の繰り延べ賃金であり、労働者はその年金資産に安定した確実な収益を得られるうえに、新しいグリーン経済で見込まれる数百万人分の新規雇用や、子や孫の世代にとってほぼ排出ゼロのグリーンな未来といった恩恵も手にすることができる。この新しい経済モデルによって、初めて地方や州の政府、実業界、そして労働者が強力な提携関係で結ばれ、その相互関係によって社会契約のあり方そのものが変わるのだ。

ＥＳＣＯ事業の具体的な仕組みを説明しよう。まず、地方や州の政府が入札募集情報の告知をし、ＥＳＣＯがインフラ全体または一部を構築する契約に入札する。ただし条件があり、落札した企業はインフラ構築の資金を自分で調達しなければならない。ＥＳＣＯが投資によって得る利益は、太陽光・風力発電設備の設置によるグリーン電力の発電や、スマートグリッドの構築と管理によって得られる送電効率の向上、およびその他のパフォーマンス契約事業――建物の改修、施設内および周辺でのエネルギー貯蔵設備の設置、エネルギー効率の監視や向上のためのＩｏＴセンサーの設置、電気自動車用充電スタンドの設置、あらゆる事業段階における総合エネルギー効率向上のための生産施設やプロセス、サプライチェーンの改善など――により実現するエネルギー効率の向上によって、もたらされる。

政府とＥＳＣＯが結ぶパフォーマンス契約には、いくつかのバリエーションもある。たとえば、政府機関はパフォーマンス契約事業の資金を、そうした事業への資金調達に開放的なチャンネルをもつことの多いＥＳＣＯの助けを得て調達することができる。この種のパフォーマンス契約では、資金の返済には政府機関が責任を負うが、事業の支払いと提供価格を可能にする省エネルギー保証の責任はＥＳＣＯが負う。また、もし損失が生じればすべてＥＳＣＯの負担となる。この二つ目の方法のメリットは、政府機関がその事業に対して免税措置を得られる点にあり、ＥＳＣＯと政府機関の両者にとってより魅力ある方法といえる[46]。

パフォーマンス契約にはまた、事業の進行中やＥＳＣＯの投資が完全に回収される以前に生産される自然エネルギーやエネルギー効率化による利益を、顧客が共有できるようにするものもあり、「省エネルギー契約」と呼ばれる。通常、ＥＳＣＯは自社の投資が完全に回収され、契約が終了するまでは、生産されたエネルギーと達成したエネルギー効率によって上がった利益の大部分――普通は八五％――を受け取り、その後の利益はすべて顧客（インフラの利用者）のものになる[47]。市や郡、州は見返りとして、事業期間中に生じた資本投資や経済的損失の責任を負うことなく、最終的に高効率のスマートな低炭素インフラを手にすることができる。「良い行いをして成功する」というスローガンを掲げた社会的責任ある年金基金は、自然エネルギーの生産や省エネルギーの促進に取り組むＥＳＣＯにとって、まさに打ってつけの資金調達方法なのだ。

ＥＳＣＯの事業活動は公共だけでなく民間の領域にもわたっている。個人が所有する住宅不動産や低・中所得者用の住宅、多くは経済的に恵まれないコミュニティにある古い商業地区、工業・技術団地などは、そのインフラを第三次産業革命のグリーン・パラダイムへ転換させなければならない。ＥＳＣＯ事業のビジネスモデルは、政府関連か商業施設か、あるいは「市民社会」かの領域を問わず同様に機能する。グリーン・ニューディール革命を推進するには、すべての市町村や郡、州で居住用、商業用、工業用、および公共機関のインフラを転換させるための手厚い税額控除や累進追徴税を整備することが必要である。

化石燃料社会からグリーン社会へと転換させる対象が公共インフラであれ、民間インフラであれ決定的なのは、転換の過程において最も脆弱で、最も考慮されていないのは最も貧しいコミュニティだという事実である。地方政府とESCOの官民提携は、まさにそこで最大の威力を発揮する。すなわち、こうしたリスクにさらされたコミュニティがグリーン・ニューディールのインフラに転換して、新規事業とそれに伴う雇用機会を利用し、同時に気候変動によってますます悪化する公衆衛生状況の改善にも取り組むよう後押しするのだ。

気候変動がアメリカ国内のすべてのコミュニティに及ぼすと予想される影響について、郡ごとに行った画期的な研究報告が、二〇一七年六月の「サイエンス」誌に掲載された。それによれば、南部や中西部の南側に位置するアメリカでも最も貧しいコミュニティは、気温上昇に最も大きな影響を受け、今世紀末にはGDPが総収入の二〇％にも相当する損失を被ることが予測されるという。この報告の筆頭著者でカリフォルニア大学バークレー校の公共政策教授ソロモン・シャンは「このままいけば、貧困層から富裕層へ移転する富がアメリカ史上最大になる可能性があることを、この研究は示している」と警告する。[48]

気候変動は当然のことながら、アメリカの公衆衛生にも深刻な影響を及ぼしている。ここでもやはり、影響を受けるのは最も貧しいコミュニティだ。こうした地区の住民は、十分な医療サービスも、異常気象の被害からの復旧や適応に必要な資金も、最も利用しにくい状況におかれている。気候の急激な変化は、すでに公衆衛生に影響をもたらしており、悪化の一途をたどっている。

温室効果ガス排出によってオゾンや微小粒子状物質の汚染にさらされた結果、喘息（ぜんそく）をはじめ肺機能の低下が生じ、山火事が広がることで煙にもさらされる。気温上昇によってアレルゲンへの曝露機会が増え、熱中症や心臓血管疾患など、熱さに関連する病気や死が増加し、虫の生息地が変化したために虫を媒介とする疾患への感染も増える、などである。

気候変動と切り離せない関係にある公衆衛生の非常事態の拡大は、アメリカおよび世界中で気候変動を原因とするハリケーンや洪水、旱ばつ、山火事の被害を被っている数えきれない人々にとって、まさに目の前の現実となっている。そしてこれらの災害がもたらす生命への差し迫った脅威とは別に、水の汚染が引き起こす二次的な影響も生じている。

アメリカの古いコミュニティの多くにおいて、下水設備は下水を排水処理場に送ることと、雨水の排水という二つの役割を果たしている。けれども今日、激甚化する暴風雨やハリケーンがアメリカの各地で下水や排水のインフラをあふれさせ、未処理の下水や暴風雨の雨水が逆流し、住宅やオフィス、街、水路、川に流れ込んで公衆衛生に深刻な脅威を及ぼしている。しかも気候変動に伴い、事態は悪化する一方だ。

残念なことに、こうした事態は地方自治体が水道事業を民間企業に売却することと同時並行して生じている。民間企業は利益が減ることを嫌って、時代遅れの上下水道や排水システムの改良にはなかなか腰を上げないことが多いのだ。

アメリカの都市に限らず世界中で、老朽化した上下水道や排水システムと気候変動によって引き起こされる洪水が相まって、公衆衛生と人々の安全を脅かすとの認識が広がりつつある。そのため最近では、こうした重要なインフラを「再公営化」する動きがあちこちでみられる。かつては地域社会の公衆衛生を守るために政府が行っていたきわめて重要な公共サービスを、再び公的支配のもとにおこうというのである。

ここでもまた、最も影響を受けるのは貧困層の人々だ。そうした人々が暮らすコミュニティのインフラは多くの場合、どこよりも古く欠陥だらけで、十分な公衆衛生サービスも、改善や適応のためのプログラムも行き届いていないからだ。

これらすべての理由から、アメリカの最も恵まれないコミュニティおよび最貧困層に対しては、地方や州の政府か民間部門かを問わず、ＥＳＣＯの介入を最優先にすべきである。パフォーマンス契約はエネルギー効率や生産性、ＧＤＰのためであるばかりでなく、気候変動に適応し、地域の経済的・社会的生活のあらゆる側面でレジリエンスを高めることで、誰一人取り残すことなくコミュニティの公衆衛生を確保するためのものでもあるのだ。実際、パフォーマンス契約の文脈ではこれらは区別できるものではない。

これは事業計画そのものに社会的義務を統合した、新しいタイプの資本主義（社会資本主義）である。ＥＳＣＯは投資で利益を得るための新しい技術や管理手法を不断に追求し、コミュニティはそこからさまざまな形で利益を得る――家庭や企業の水道光熱費が安くなり、家庭や企業にクリーンな再生可能エネルギーによる電力が供給され、グリーン電力が電気自動車や燃料電池自動車の動力源になり、環境の汚染度が減少して公衆衛生が促進され、新しいビジネス機会や雇用が創出される。そして得られた収益や便益はコミュニティに還流し、地域社会の経済的・社会的福祉が増進するのだ。

最後に重要なことを付け加えよう。パフォーマンス契約の成否は全面的に、何百万人もの潜在的な半熟練労働者や熟練労働者、専門職労働者の研修と配置にかかっている。彼らが、アメリカ中の居住用、商業用、工業用、および公共機関の建物の修復やスマートグリッドの構築、太陽光・風力発電設備の設置、ブロードバンドケーブルの敷設、IoT技術の埋め込み、電気自動車や燃料電池自動車の製造、充電スタンドやエネルギー貯蔵設備の構築と設置、スマートな太陽光発電道路（ソーラーロード）〔ソーラーパネルを路面に埋め込んだ道路〕の全国整備などに携わるのだ。パフォーマンス契約で事業を行うエネルギーサービス事業は、ESCO、労働者、コミュニティの三者に平等に利益をもたらすのである。

パフォーマンス契約は単に資本主義を補足する新たな要素というより、資本主義モデルを根底から崩壊させ、二一世紀の社会における経済生活のあり方に関してパラダイムの転換を余儀なくさせるものである。一九六三年にペンシルベニア大学ウォートン・スクールで初めてマーケティングのクラスを受講した日のことを、今でもよく覚えている。黒板にラテン語で *caveat emptor*（買い主に用心させよ）と書いた教授は学生に向かって、私の授業でほかには何も学ばなかったとしても、このきわめて重要な原則だけは忘れるな、と言った。これは経済学で「情報の非対称性」と呼ばれるもので、売り手は製品やリービスに関してもっている情報――実質原価や実際の性能、商品の寿命など――をすべて買い手に知られたいとは思っていないという意味だ。システムに組み込まれたこの透明性の欠如によって、買い手は明らかに不利な立場におかれている。この非対称性は、企業の品質保証で一部は緩和されるものの、買い手を守るには不十分であるのは避けられない。

パフォーマンス契約は、売り手と買い手から成る従来の資本主義モデルを「ネットワークにおける提供者と利用者」に置き換えることで、市場取引における売り手と買い手の不公平性を取り除き、常に売り手側に一方的に生じる利益も除去する。

繰り返しになるが、パフォーマンス契約では、ESCOは確実な業績を挙げることで初めて投資を回収できる。たとえば、エネルギー生産と総合エネルギー効率を十分に上げることによって投資を回収するということだ。その後、利用者は労せずして利益を手にする。いったんESCOが投資を回収してしまえば、利用者は設置された設備とそれに伴う効率化によって得られる自然エネルギーとエネルギー効率を、安定して享受することができるのだ。

ESCOの根底には、そのサービスが総合エネルギー効率や生産性、そして顧客事業の次世代育成能力の増大を目標にしているという特徴がある。そしてそれによって、顧客事業の固定費と限界費用を削減し、カーボン・フットプリントを減らし、顧客の事業慣行のあらゆる側面に循環性とレジリエンスを深く根づかせることを目指すのだ。多くのESCOは、とくに商業や工業部門では、当初のパフォーマンス契約の投資回収後もサービスを延長し、利用者に代わってサービスの継続的な向上のための管理を行っている。

これまでESCOは、どちらかといえばニッチな役割を果たし、小規模な独立事業を対象にすることが多かった。だが、一世代のうちに地区や都市、国境を超えた地域、そして大陸で第三次産業革命のインフラ整備の規模を拡大することが急務となっている今、この新しいビジネスモデルへの出資金は増加し、評価も上がっている。

二〇一七年、ナビガント・コンサルティング（TIRコンサルティング・グループのパートナー）が発表したESCO上位一〇社は、次のとおりである。一位シュナイダーエレクトリック、二位シーメンス、三位アメレスコ、四位NORESCO、五位トレーン、六位ハネウェル、七位ジョンソンコントロールズ、八位マッキンストリー、九位エナジーシステムズ・グループ、一〇位AECOM[49]。シュナイダーとシーメンスは過去一〇年間、TIRコンサルティングの地域ロードマップに参加している。

二〇一三年、私は当時のシーメンスCEO、ペーター・レッシャーに招かれて同社の年次総会に参加した。取締役会と会合し、その後グローバル部門のリーダー二〇人を相手に、ビジネスモデルを創出し第三次産業革命インフラ構築の機会を拡大するにはどうすべきか、じっくり話をしてほしいというのだ。部門リーダーたちと会ってみると、それぞれが互いに独立して業務を行っていることが判明した。シーメンスにはITやエネルギー、ロジスティクス、インフラなどの部門があり、いずれもスマートなグリーンインフラの整備には欠かせない要素である。このとき同社はスマートで持続可能な街づくりに協力する「ソリューションプロバイダー」へのブランド再構築を進めている最中で、総会はまさに絶好のタイミングだった。インフラ構築が、同社のさまざまな部門が個々の枠を超え、より団結した包括的なソリューションプロバイダーになるための筋書きを提供したのだ。

総会では、都市部と農村部でスマートインフラを拡大する新しい事業手法として、ＥＳＣＯのパフォーマンス契約モデルについて討論が行われた。それから五年後、シーメンスの準備は整った。二〇一八年二月八日、私は同社の招待でニューヨークを訪れ、集まった顧客や開発業者、インフラ組織や投資銀行の関係者、政策顧問らを前に第三次産業革命について講演した。「明日への投資――北米都市のデジタル化に向けて」というまさにぴったりのタイトルが付されたこの会議の一部は、第三次産業革命の展開におけるパフォーマンス契約についての討論に割かれていた。

シーメンスは二〇一八年の国際企業番付「フォーチュン５００」では六六位だが、世界経済を排出ゼロの第三次産業革命へとパラダイム転換するために、向こう二〇年間にあらゆる都市や地域、国のインフラ構築を単独で拡大させることのできる企業は、同社以外にはないはずだ。だがそれより可能性が高いのは、シーメンスをはじめとする何百という大企業が、分散ネットワーク（ブロックチェーン）型の協同組合の形をとる何千という地域のハイテク中小企業と手を組み、世界または国内の年金基金の連合体が資金提供するＥＳＣＯパフォーマンス契約のビジネスモデルに則って、地方自治体や地域と協力しつつスマートインフラの構築を拡大していくことである。この分散型のＥＳＣＯブロックチェーンモデルは、向こう一五～二〇年という厳しい時間枠を考えれば、地方や地域の経済を迅速に転換させる方法として支持される可能性が高い。

取り残されるのは、グローバル企業が単独で行う古い新自由主義モデルである。これは、従来のビジネス手法を用いて民間ベンチャーとしてグリーンインフラの構築と管理を行うもので、インフラとそれに付随するサービスに対する影響力やコントロールはその企業が握る。

これに対し、新しいパフォーマンス契約モデルは混合型だ。新しいインフラ構築に対するコントロールと所有権は市町村や郡、州政府で構成され、コミュニティの全体的な福祉に奉仕する「コモンズ」にとどまる一方、インフラの構築と管理を成功させるための経済的負担は民間のESCOが負う。「買い手が不利な立場におかれる」売り手／買い手による市場が、提供者が「良い行いをして成功する」提供者／利用者のネットワークに取って代わられるのだ。

これこそ「社会資本主義」の真髄であり、短期間でほぼ排出ゼロ時代への転換を加速する実際的なビジネスモデルにほかならない。売り手／買い手による市場が化石燃料文明と「進歩の時代」にふさわしいビジネスモデルだったとするなら、ESCOのパフォーマンス契約に携わる提供者／利用者ネットワークは、新しい「レジリエンスの時代」における持続可能なグリーン文明の構築と管理にふさわしい、特別あつらえのビジネスモデルだといえよう。

第7章
市民の力を結集せよ
――地球上の生命を救うために

アメリカとヨーロッパをはじめ世界中で、グリーン・ニューディールが拡大しているのを目の当たりにするのは心強いかぎりだ。人間の考え（アイデア）ることには、たしかにここまでの影響力があるとの思いを強くしている。私たち人間はストーリーを語る種である。自分たちが共有する物語（ナラティブ）やストーリーを指針として生き、そうすることで自分たちが集団で生きる社会的存在であることを理解する。グリーン・ニューディールもまた一つの「筋書き（ストーリーライン）」であり、長い歳月をかけて洗練され、微妙な意味合いを帯びながら進化し、成熟してきた。今や人類は終盤、あるいは新たな始まり――願わくはこちらでありたい――の苦しみのなかにいる。グリーン・ニューディールは、私たちに集団としての声と、皆が共有する共通の使命感を与えてくれる。今、どうしても必要なのは、この「筋書き（ストーリーライン）」を力強い物語（ナラティブ）に変え、それによって前進することだ。

そのためには、アメリカが仲間に加わることが何より重要である。「やればできる」という姿勢はアメリカの文化的DNAに書き込まれているが、それを解き放ち、開花させるのは「アメリカンスピリット」だ。これまでの歴史では一貫して、この精神（スピリット）こそがより良い未来への希望だった。あとに続く世代が、高潔な務めのために自らの生活や財産、そして尊い名誉を――時には現実の厳しさや障害を無視してまでも――捧げることを繰り返していくはずだと。このことは、市場のみならず市民社会において、起業家精神が解き放たれるときにたびたび目にする。何よりアメリカ人らしい特性といえば、金銭的なものか、社会的なものかを問わず、失敗を恐れないことだ。外国に行って友人や仕事仲間と話すと、たびたび話題になるのがアメリカ人のリスクを厭わない姿勢だ。そして失敗してもまた一からやり直し、敗北から学び、決して途中で投げ出さない姿勢である。

これこそ、今後襲いかかってくる気候変動の危機を乗り切るのに、人類が必要としている姿勢ではないか。未知のものに直面しても真っ向から対峙し、押し倒されても再び立ち上がろうとする勇気あるレジリエンスだ。しかし、これから私たちが迎えようとする明日は、過去に経験してきた明日のようにはいかない。甘い言葉で社会のグリーン化を語り、グリーン・ニューディールによって今までどおりの生活様式が守れるかのように言う人がいたら、決して信用してはいけない。人類の明日には激甚化するあまたの気候事象が待ち構えており、私たちのコミュニティや生態系、あらゆる生物が共有する生物圏に甚大な損害をもたらすことはもはや不可避なのだ。

私たちは未知のフロンティアに足を踏み入れつつある。自然は再び野生に戻り、私たちは不確実性を甘受して――それがもたらす驚異にその都度適応しながら――生きていく術を学ばなければならない。自然をなだめ、人間に役立つように形を変えるというこれまでの考えは、いっさい捨て去ることだ。私たちは再び団結し、集団の力を奮い起こし、知恵を働かせて生きる術を身につけ、自らの奥深くにレジリエンスを根づかせなければならない。そうすれば宇宙のこの小さな青いオアシスで生き残り、人類と仲間の生物を待ち受ける未知の未来へと進んでいくことができる。今、アメリカや世界中で気候変動への対策を求める若い世代の行動が急速に拡大していることは、長く待ちわびていた末にようやく訪れた歓迎すべき展開にほかならない。

ヨーロッパからの手紙

二〇一九年初頭、アメリカの若い世代の活動家や、地方、州および連邦レベルの新人議員がグリーン・ニューディールを求めて、高らかに力強い声を上げた。このことを心に留めつつ、ここでアメリカの同胞に向けて、ヨーロッパにおけるグリーン・ニューディールの直近の進展に関する最新の情報を伝えたい。これは本書の執筆にとりかかる少し前に、欧米双方の活動家がこれから起こる大きな動きについて情報交換できるように、欧州委員会が発表したものである。

二〇一八年一一月二八日、欧州委員会はヨーロッパ大陸を脱炭素化し、より持続可能な未来を実現するための道のりの次の段階として、二〇五〇年までに「気候中立」すなわち実質排出ゼロを目指すことを明らかにした。これは、ヨーロッパ大陸全域で排出ゼロのエコロジカルな社会を実現することを意味する。[1] EU加盟全二八カ国はこれに賛同し、その熱意に温度差はあるものの、今は後退ではなくいっそうの努力が求められる時だという見解で一致している。

この二〇五〇年気候中立戦略が発表されるまでの経過について、簡単に紹介しよう。まず二〇一六年八月、EU加盟国に二〇一八年末までに提案される新たな気候目標を受け入れてもらうことから始まった。スロバキアが欧州連合理事会の議長国を務めていた二〇一六年七月九日、私はスロバキアで欧州委員会副委員長のマロシュ・シェフチョヴィッチと面会した。シェフチョヴィッチはEUエネルギー同盟の新たな指針について、二〇三〇年と二〇五〇年に向けた再生エネルギーやエネルギー効率、CO_2削減の新たな目標と、「スマート・ヨーロッパ」プログラムの展開とを結びつけながら説明した。私に求められたのは、二一世紀半ばまでにEUの脱炭素社会への移行を実現するためには、スマートインフラへの転換が必要であることを論証することだった。[2]

次の機会は翌二〇一七年の一月三日に訪れた。私は欧州中央銀行で「未来の歴史――二〇二五年の世界」と題するプレゼンテーションを行い、そのなかで金融業界に向けた同様のメッセージを伝えた。[3]

一週間後の二月七日、EU地域委員会が主催した高レベル会議「欧州への投資――スマートな都市と地域の連携構築」で、シェフチョヴィッチと私は、地域委員会のマルック・マルックラ委員長と会見した。[4]二〇五〇年までにヨーロッパを脱炭素化する計画を実現するには、域内の三五〇の地域それぞれに合わせたスマートなグリーンインフラの拡大が欠かせない。したがって、強力ではあるが見落とされがちなこれらの地域を巻き込むことが重要だという点が確認された。シェフチョヴィッチは、持続可能な未来は、再生可能エネルギーの拡大とエネルギー効率の向上、CO_2排出量の削減についてのEU目標を「地域や都市が達成することにかかっている」と強調した。さらに私たちは地域の代表たちに、オー＝ド＝フランス、オランダのロッテルダムからデン・ハーグまでの二三都市、ルクセンブルク大公国で私たちが協力していた三つのテスト地域での進捗状況について説明した。

ＥＵ連合理事会や欧州中央銀行、ＥＵ地域委員会の反応がかなり前向きだったことを受け、シェフチョヴィッチらは、その後一年一〇カ月ほどかけて、長く待たれていた欧州委員会による二〇五〇年までの長期戦略を策定し、二〇一八年一一月二八日、シェフチョヴィッチと気候行動・エネルギー担当委員ミゲル・アリアス・カニェーテ、輸送担当委員ヴィオレタ・ブルツがその報告書を発表したのである。

シェフチョヴィッチは、この戦略が「二〇五〇年までにヨーロッパで気候中立と繁栄を両立させることが実現可能であることを示すもの」だとし、カニェーテはＥＵのこの新戦略の歴史的重要性について、「二〇五〇年までにヨーロッパが世界の主要経済圏で初めて気候中立を実現するための提案である」と語った。[5] 報告書によれば、ＥＵにおける再生可能エネルギーの消費量は二〇〇五年の九％から二〇一八年には一七％に増加しており、二〇二〇年までにエネルギー効率を二〇％高め、温室効果ガス排出量を二〇％削減するとともに、加盟二八カ国全体でエネルギー消費に占める再生可能エネルギーの割合を二〇％にするという「20・20・20」の目標も達成できる見込みだ。[6]

今後、この計画では七つの領域——エネルギー効率、再生可能エネルギーの利用、クリーンで安全なコネクテッド・モビリティ〔ネットワークにつながった交通手段〕、競争力のある産業と循環型経済、インフラと相互接続性、バイオエコノミー（生物資源とバイオ技術を活用して持続可能な成長を目指す経済）と自然の炭素吸収源、残留CO_2の回収・貯蔵——で共同行動が求められる。

二〇二〇年の目標達成がみえてきたところで、ＥＵはさらに意欲的な目標を設定した。二〇三〇年までに再生可能エネルギーの比率を三二％にし、エネルギー効率を三二・五％向上させ、温室効果ガス排出量を四五％削減するのに加え、二〇五〇年までにはCO_2排出量をほぼゼロにするというものである。[7]だが報告書は、ＥＵが排出ゼロの脱炭素時代へ向けて世界の先導役を果たしているとはいえ、現状では取り組みのペースが遅すぎると指摘している。新たに出されたＩＰＣＣの報告書によれば、世界各国の経済が一二年以内に脱炭素化を達成しなければ、地球の気温は一・五℃以上上昇するリスクが高いという。そうなれば地球が六度目の大量絶滅へとまっさかさまに落ちていくことは避けられないというのだ。

ここで、欧州委員会の報告書の冒頭部分を紹介しよう。ここには、アメリカで今拡大しつつあるグリーン・ニューディール運動のメッセージと大いに通じる部分がある。

> したがってこの戦略は、求められている経済的・社会的改革のビジョンの概要をまとめたものであり、それには二〇五〇年までに温室効果ガス排出量実質ゼロへの転換を達成するために、経済と社会の全部門で取り組んでいくことが必要である。この転換が社会的に公正な——ＥＵの市民や地域を一人として、あるいは一つとして取り残さない——ものであり、グローバル市場におけるＥＵの経済と産業の競争力を強化し、ヨーロッパにおける質の高い雇

用と持続可能な成長を確保できるものであることを、この戦略は目指している。[8]

実に心に響く内容である。ＥＵはやるべき事業の長いリストを抱えた状態から、「経済的・社会的改革のビジョン」を明確に示すところまで前進し、ＥＵの新時代の始まりを告げようとしている。これはヨーロッパから、アメリカをはじめ世界のグリーン・ニューディール活動家への重要なメッセージである。世界の都市や地域、国の大多数はいまだに、時代遅れな化石燃料経済のパラダイムと、それに伴うビジネスモデルやガバナンスの範囲内での、単独でバラバラのグリーン事業や構想の段階から抜け出せずにいるのだ。

これまで公開の場での議論で検討されてきたグリーン宣言やマニフェスト、報告書、研究の多くは、良くて「ストーリーライン」、悪くいえば「買い物リスト」にすぎない。個別にみると、どれもきわめて専門的で不十分なものであり、私たちの意識の変化を促し、進むべき道に導くようなものにはほど遠い。

種として考える

歴史の重要な岐路である現在、いくつもあるグリーン・ニューディールのストーリーラインをまとめて、首尾一貫した経済的・哲学的な物語（ナラティブ）へと高める必要がある。それは種（しゅ）としての集合的アイデンティティを創り出し、人類を新たなグローカルな活力ある世界観へと導いてくれる物語（ナラティブ）である。ストーリーがなければ、どんなアイデアも個々のアイテムがごちゃ混ぜになった山のなかで道を見失い、互いに結びつくことはない。アイデアはすべて、無駄に言い争われるだけの脈略を欠いた断片と化し、歴史の次の段階に進むのに必要な、想像力ある跳躍をするための力を私たちから奪い取ってしまうのだ。

そこで第1章「要はインフラだ！」に立ち戻って考えてみよう。人類史において起きた大きなパラダイム転換はインフラ改革であれ、それによって私たちの時間的／空間的位置づけから経済的モデル、ガバナンスの形態、認知、そして世界観そのものまでが一変する。経済と社会を管理し、動かし、動力を提供するための新しい通信技術、新しい移動／ロジスティクスの形、そして新しいエネルギー源が一つに集合することで、私たちの周囲の世界に対する見方が変わるのだ。

二〇万年に及ぶ人類史の大部分にあたる狩猟採集社会の原始的なインフラは、それぞれ驚くほどよく似た物語（ナラティブ）をもっており、人類学という「神話的意識」と、部族による統治（ガバナンス）を特徴としていた。やがて一万年前に農耕が始まり、その後シュメールやインダス川流域、中国の長江流域で大規模な灌漑農業のインフラが登場したことにより、「神学的意識」と中央集権的な統治国家が誕生した。さらに一九世紀に登場した第一次産業革命のインフラは、「イデオロギー的意識」と国内市場や国民国家による統治形態を生み出した。続いて二〇世紀の第二次産業革命のグローバルインフラは「心理的意識」を生み出し、グローバル市場やグローバル・ガバナンス機関の端緒を開いた。そして二一世紀に現れた第三次産業革命のグローカルインフラにより、「生物圏意識」と平等な討議集合体（ピア・アセンブリー）によるガバナンスが生まれつつある。上空の大気圏から地中の岩石圏、そして海中にまで及ぶ生物圏は、地球上のあらゆる生物が生き、互いに作用しあい、繁栄する場所である。

こうした大規模なパラダイムシフトとともに、人類の共感の衝動も、より大きな集団に対するものへ、より大きな世界観の共有へと進化した。狩猟採集社会では、共感の対象は血縁者や親族、共通祖先のもつ世界観の共有に限られていた。次の灌漑農業文明では、共感の対象は同じ宗教を信仰する人々に広がった。この時代に主要宗教が誕生し、宗教的なつながりに基づく血縁関係のない「想像的な家族」が生まれた。ユダヤ教への改宗者は誰もが、想像的な家族としての他のユダヤ教徒との一体感をもつようになり、ヒンドゥー教徒、仏教徒、キリスト教徒、イスラム教徒も同様だった。一九世紀の第一次産業革命では、共感の対象は自分の生まれた母国や父祖の国に対して共通の忠誠心をもつ想像的な家族へと広がった。人々は国民国家への帰属意識に基づいて同胞同士、互いに一体感をもつようになったのだ。さらに二〇世紀の第二次産業革命では、共感の対象は、どんどんボーダーレスになっていく世界で国境を超えた専門分野による結びつきへと広がり、似たような考え方の人同士が一体感をもつようになった。そして第三次産業革命では、グローバルな教室でスカイプで授業を受け、フェイスブックやインスタグラムで交流し、バーチャル世界でゲームに興じ、リアルな世界ではこだわりをもって旅行するデジタルネイティブの若い世代は、自分たちを地球上の共通の生物圏に生息する集団の一員だと見なしはじめている。今や多くの若者が、自らを絶滅の恐れのある種の一員だと考え、進化の遺産を共有する地球上のすべての生物に対して、不安定化する地球環境がもたらす苦境への共感を抱き、さらなる一歩を踏み出そうとしているのだ[9]。

気候変動の問題に直面する若い世代は、不安を掻き立てられると同時に、新たな意識に目覚めつつある。すなわち、地球が数えきれないほどの活動の相互作用——水圏、岩石圏、大気圏、生物圏、磁気圏の連合した動きや、地球の概日（がいじつ）リズム、概月（がいげつ）リズム、概年リズムや季節の変化による時間的変動、そして地球上に生息する多種多様な生物が途切れることなくふれあい、影響しあうことがもたらす自然の律動——に組み込まれているということだ。それらすべてが互いにぶつかりあい、そこに多数のフィードバックが生まれる。だがそのフィードバックがあまりに微妙であるため、個々の衝突がシステム全体のダイナミクスを変化させていることに、私たちはほとんど気づかないのだ。それでも地球は、まるで自らが生き物であるかのように絶えず進化し、再調整し、適応し、均衡を保っているようにみえる——少なくともこれまでは！

私たちはこれまで、かつて地質時代に存在した生命の残骸——石炭や石油、天然ガスへと姿を変えたもの——を掘り起こしてきたが、突如、この〝墓場荒らし〟の結末に目を開かされている。人類は過去二〇〇年間、この蓄えられたエネルギーの塊を消費して生き、同時に大気圏へ、CO_2排出という形でゴミを捨てつづけてきた。そして大転換が引き金となって地球上のさまざまな活動全般に正のフィードバック〔同一方向への加速的暴走的変化〕が生じ、人類を地球史上六度目の大量絶滅へと向かわせているのである。

過去一二世代にわたって人類が炭素依存の産業文明を築き上げるのに用いた石炭の一片、石油の一滴、天然ガス一立方フィートが今、地球のダイナミクスを変化させる結果を招いていることを、私たちは知っている。気候変動は私たちに、人類の行動の一つひとつが地球上の人間以外のあらゆるものの機能に影響し、人類と共存するすべての生物の福祉に影響を与えるということを教えてくれているのだ。

　地球上のあらゆる活動が私たちの存在そのものに影響を及ぼす——そう気づくことは、人類の傲り（おご）を反省させられる経験であり、気候変動が私たちに伝えている重要な教訓でもある。こうした活動を支配するのではなく、そのなかで生きることを学んでいくことで、私たちは一方的な支配（コントロール）から共生的な相互管理（スチュワードシップ）へ、そして人間中心の超然主義から、生きた地球との深い関わりへと転換することができる。この時間的・空間的認識の大いなるシフトこそが、私たちに生物圏という視点をもたらしてくれるのである。

　この人間の意識の根本的な変革は、一筋の希望の光をもたらす。想像力における革新を真に内面化し、活用できれば、私たちは気候大崩壊の危機を乗り切り、生き延びるチャンスを勝ち取ることができるのだ。そればかりか、今日私たちが知るのとはまったく別の世界で、計り知れないほど永い年月にわたって新たな形で繁栄しつづけることさえできるかもしれない。

三頭のゾウ

　最近まで、排出ゼロの経済への移行において世界をリードしてきたのは、五億八〇〇万人の人口を抱えるEUだった。そこへ近年、人口約一四億人の中国が脱炭素時代への転換計画を携え、轟音を上げて参入してきた。そして今、人口三億二七〇〇万人のアメリカがこれに加わろうとしている。この三頭のゾウが足並みをそろえてベストプラクティス（最良の実践モデル）を共有し、共通の規則や規制、基準、インセンティブを定め、それ以外の世界の国々に対してともに働きかけて仲間に入れることなしには、二〇年以内にCO_2排出ゼロ文明を実現する闘いに勝つことはできない。

　これまでEUと中国の指導者と協力するなかで、どちらの政府も気候変動への取り組みでは同じ道をたどっていることがわかった。両方とも、すべての部門と産業を第二次産業革命のインフラから迅速に切り離し、第三次産業革命のインフラと結びつけることが必須であると理解しているのだ。EUでは第三次産業革命のことを「スマート・ヨーロッパ」と呼び、中国では「中国インターネット・プラス」と呼ぶ。計画は類似しており、両政府間には小競りあいや意見の不一致、時には疑念が生じることもあるが、どちらも共通の基盤に立っている。

　まず第一に、EUは中国最大の貿易相手であり、中国はEUにとって第二位の貿易相手国だが、第一位になるのも時間の問題とみられ、二つの巨大な国と地域が共通する通商分野で結ばれている。[10]第二に、EUも中国も、上海からロッテルダム港までの広大な地域に広がるユーラシア大陸を共有し、この世界最大の地理的空間を介して結ばれている。第三に、EUも中国も、世界史におけるこの瞬間に自分たちが果たすべき役割——気候変動に取り組み、地球上の生命を守ること——を明確に理解している。第四に、EUも中国も、他の地域の脱炭素文明への転換を支援するため、地理的境界線を越えて手を差し伸べている。この最後の点については、中国の「一帯一路」構想が圧倒的にリードしている。この構想は二〇一三年に習近平国家主席が発表したもので、かつて中国とアジア、西欧を結んだ交易路であるシルクロードから着想を得ている[11]。

そのビジョンは、ユーラシア大陸全域を結ぶ二一世紀のスマートなデジタルインフラを構築し、史上最大の統合された経済圏をつくるというものだ。一帯一路は、十分な輸送／ロジスティクスの回廊を確保し、ユーラシア大陸におけるサプライチェーンや市場での通商を迅速化するための従来のインフラ投資と組み合わせた、新しい世界貿易構想にとどまらない。中国にとってそれは、「生態（エコロジカル）文明」を築くための大規模な思想的計画の一部なのだ[12]。

二〇一二年、中国共産党は憲法の中心部に「生態文明」の語を取り入れ、第一三次以降の五カ年計画のテーマとすることで、党によるガバナンスとその世界観におけるきわめて大きな転換を示唆した〔二〇一六年の全人代で憲法が改正され、盛り込まれた〕。具体的には、今後の中国における経済計画や開発はすべて自然の基本原理や地球の作動システムに従い、それと調和するものでなければならないと規定したのだ。

生態文明は中国国内政策だけでなく、一帯一路構想の中核を占めるものになる。このビジョンによって中国は、第一次および第二次産業革命を通じて世界の国々の政治を支配していた地政学的世界観から、エコロジカルな時代が幕を開ける第三次産業革命において、国際情勢の主導原理となりつつある生物圏的世界観へと移行する。

だからといって、従来の地政学が一帯一路構想により、突如として姿を消すわけではない。中国やEU、アメリカ、そればかりか他の国々でも、二一世紀の間は地政学的政治と生物圏政治の対立がまだまだ続くだろう。だが確かなのは、化石燃料文明と強く結びついた地政学的世界観は衰退しつつあり、新たに生まれた生態文明という生物圏的世界観が、人類が進むべき道筋の次の段階を示しているということだ。中国だけでなくEUでも、グリーンな社会を目指すビジョンや物語が出現して社会の転換も進みつつあり、アメリカをはじめ世界各地で今まさにスタートが切られようとしているという壮大な光景が広がっているのである。

二〇一八年九月、欧州委員会とEUの外務・安全保障政策上級代表が共同文書「ヨーロッパ・アジア連結戦略」を発表した。これは、ユーラシア大陸にシームレスでスマートなインフラを構築するためのEUによる取り組みの概要をまとめたものだ。ユーラシア大陸の国々やコミュニティを支援するこの取り組みにおいては、中国の一帯一路構想のように、電気通信とインターネットの接続性や、再生可能エネルギー生産の増大、輸送の脱炭素化と移動のデジタル化、建物群全般におけるエネルギー効率の優先、およびその他第三次産業革命のインフラ構成要素すべてを統合したデジタルネットワークの構築に重点をおくことが明確に示されている。[13]

この共同文書では、デジタル技術で結ばれたユーラシア大陸のスマートなインフラを成功させるには、すべての参加国が「透明性」の精神をもって合意する規範や規制、基準、インセンティブ、そして罰則の制定が不可欠だと明記されている。そうすれば、この世界最大の大陸に統合されたスマートな商業空間を展開することが可能になるというのだ。

EUと中国の協力は、化石燃料文明からの投資撤退と生態文明への再投資には不可欠である。強大な力をもつEUと中国双方においては、転換はすでにかなり進んでいる。中国については、一帯一路地域において今なお化石燃料関連インフラへの投資を続けているとの批判も、当然ながらあるだろう。だが中国が、第三次産業革命のパラダイムを構成する再生可能エネルギーやスマートグリッド、電気車両による輸送網へと迅速な方向転換を進めているのも事実である。

二〇一七年五月、中国の環境保護部、外交部、国家発展改革委員会および商務部は、国や地域、地方がグローバルな協力関係を結び、生態文明を構築することを目指す、まさに一帯一路構想の基盤となる「促進緑色一帯一路指導」（グリーン一帯一路推進に関する指針）を発表した。中国は構想を口先だけではなく行動で示しており、アジア全域でグリーンインフラ事業の拡大に着手している。読者にもこの「指針」をダウンロードして、ご自身でその目的と利点を評価していただきたい[14]。

私はかつて、国家発展改革委員会や国務院、中国科学院、工業情報化部で、グリーン一帯一路構想の推進に関する初期の議論に数回にわたり参加し、欧州委員会やEUの加盟国と地域における第三次産業革命への転換に対する取り組みについて、中国の指導者に説明を行った。二〇一七年には、中国工業情報化部からの要請で、ユーラシアの国と地域によるグリーンインフラ転換に政府が一兆ドル超を投資して支援する構想について書かれた『デジタル・シルクロード――一帯一路に沿ったデジタル経済開発の機会と課題』という本の序文を執筆した[15]。

一帯一路構想は、今後五〇年をかけて地球上の全人類を結びつける大変革の始まりにすぎない。再生可能エネルギーを共有するために、デジタル的に強化された高電圧スマートグリッドをすべての大陸に整備するプランについての実現可能性調査や実施計画は、すでに始まっている。アメリカ大陸では、アラスカからチリまで延び、早ければ二〇三〇年までに運用が開始される汎アメリカ地域間送電網が計画されているが、二〇一九年にこの計画に関する実現可能性調査が行われたことを受け、大陸間の技術連携がこの地域の経済・社会生活や国民国家のガバナンスに与える影響について南北アメリカ全域で議論されている。[16] 二〇一九年に発表された別の報告書には、ヨーロッパと北米間に海底電力ケーブルを敷設し、太陽光・風力発電によるグリーン電力を大西洋をまたいで売買する計画が詳述されている。[17] さらにはアフリカ全土に広がる送電網やヨーロッパとアフリカをつなぐ送電網の敷設についても、同様の実現可能性調査や実施計画が進行している。

私たちは現在、世界中が相互につながる送電網――いわば「デジタル・パンゲア」〔パンゲアとは現在の各大陸が分裂・移動する前の巨大な超大陸〕――構築の初期段階にあり、二〇三〇年代末までに少しずつ運用が始まる。これによって、人類史上初めてすべての人間がつながることになる。個人や家庭、コミュニティそして国全体が、紛争や戦争のゼロサムゲームに明け暮れた石油時代の地政学から解放され、人類全体が地球を包み込む無料の太陽光や風を分かちあい、深い協力関係を結ぶ生物圏政治へとしだいに移行していくのだ。

人類がスマートなデジタルインフラでグローカルに結ばれるというのは、人間の経済活動、社会生活、ガバナンスの手法においてまたとない出来事である。それでも、中国がこの歴史的瞬間に乗じてスマートなインフラの構築に資金を出し、監視や介入という形で自らの力を増強することに利用するのではないかという懸念や不安を口にする人が増えている。最終的には人類の大半の生活を支配しようともくろんでいるのではないかと。私個人の中国での経験から言わせてもらえば、そんな意図があるとは思えない。もし仮にそうだとしても、一帯一路構想に関わる地方や地域や国がスタート時点から注意を払い、インフラ構築とその後の所有と管理が、それぞれの政府の厳しい管理下におかれるようにすれば、そんなもくろみは失敗するに決まっている。

そして忘れてならないのは、第三次産業革命のデジタルインフラはその性質上、中央集権型ではなく分散型の管理になじみ、ネットワークの効果を実現するには、そのネットワークがクローズドで独占的ではなく、オープンで透明性をもつ場合に最もよく機能し、垂直ではなく水平方向に拡大することで総合エネルギー効率と循環性が最適化されるということである。こうしてつくられたプラットフォームは、柔軟性と冗長性（余裕）という、気候変動世界において地域のレジリエンスを高めるのに重要な二つの要素を好むのだ。

たとえ国家や反乱集団がネットワークを監視あるいは支配したり、機能を損なわせたり停止させたりしようともくろんでも、エンドユーザーのシステムにシンプルで安価な技術要素が組み込まれていれば、家庭や地区、コミュニティ、企業、そして地方や地域の政府は即座にオフグリッドに切り替え、分散化・再統合することで被害を避けることができる。地区やコミュニティが大陸送電網、あるいは国際送電網とのつながりを断って、個別に太陽光や風力エネルギーによる発電を行えば、超大国が何百万ものコミュニティに暮らす何十億もの人々を人質に取ることなど起こりようがないのだ。

人類はグローカルで、相互にデジタル的につながったグリーンな世界へと向かっている。目下、その先頭を走っているのはEUと中国である。アメリカはまず、話し合いのテーブルにつく必要がある。この三頭のゾウが協力し、グリーン・ニューディールへの移行を可能にするさまざまな保護策や保証を整備しなければならない。生物圏時代の政治は必然的に、新しいデジタルインフラとそれに伴うネットワークの透明性を確保する運用の規則や規制、基準を整備することを中心とし、その重点は常に、すべての地方や地域がそのインフラを公的なコモンズとして管理する自由をもつことにおかれる。

最後にひと言いっておこう。もし三頭のゾウが、人類が危機に瀕した地球に暮らす危機に瀕した種であるという認識に立って地政学と決別し、生物圏が徐々に形成されるに伴って協力関係を築いていかなければ、人類に未来はない。私たちは、それぞれ異なる信念や忠誠心をもっているが、気候変動によって初めて自分たちが「絶滅危惧種」であることを思い知らされている。この新しい現実と生きることが、人類をかつて経験したことのない共通の絆で結ぼうとしているのだ。

若い世代はよくわかっている。彼らは環境崩壊の淵を覗き込み、危機感を募らせている。現実的で頭が固く、冷笑的でさえある年長者たちが、グリーン・ニューディールを非現実的なおとぎ話だと片づけたり、人生はゼロサムゲームだなどと言うのを聞くのはまっぴらだと思っているのだ。今という歴史のこの瞬間に、私たち全人類は政治的な境界を越えて互いを信頼し、一つの種として知恵を集めていかなければならない。

ではこのことは、グリーン・ニューディールの物語（ナラティブ）もプロセスもまだ十分に浸透していない、アメリカをはじめとした国々における熱意の形成にとって、何を意味するのだろうか？　何か教訓は得られるのだろうか？　まず何より重要なのは、気候変動はすでに現実であり、待ったなしの状況であること、したがって排出ゼロ社会への転換を急がなければならないということだ。しかし二つ目に、一九三二年と現在とでは大きな違いがあるということを理解する必要がある。一九三〇年代のニューディール政策の再現をと訴える活動家にとっては耳が痛いかもしれないが、今回は同じ展開にはならない。今日、化石燃料文明を崩壊させているのは市場の力である。しかも崩壊は未曽有のスピードと範囲で進んでおり、化石燃料エネルギーは、これまでに起きたどんな経済崩壊とも異なるカーボンバブルを生じさせている。ＩＣＴ／通信／インターネット、電力、輸送、建築という経済の主要部門では急速に化石燃料からの離脱が進み、再生可能エネルギーと結びついて第三次産業革命への道を確立しつつあるのだ。

各部門が次々に化石燃料と訣別し、よりクリーンな再生可能エネルギーやグリーン技術と結びつくことで、化石燃料文明からの脱却が加速している。臨界点は二〇二三年にくるとの予想もあれば、二〇三五年になるという予想もある。さまざまなシナリオと予想を比較すると、決定的なポイントはどうやらその中間あたり、すなわち二〇二八年あたりに化石燃料文明が崩壊することになりそうだ。

肝に銘じなければならないのは、化石燃料文明の崩壊は、化石燃料産業がどんなにそれを食い止めようとしても避けられないということだ。市場の力のほうが、化石燃料産業が考えつく、いかなるロビー活動よりもはるかに強力である。これもまた、市場は決して人間の側にはつかないという考えにとらわれている活動家には、信じがたいことかもしれない。たしかに市場はしばしばそうした面をみせるし、私自身もこれまで市場資本主義のさまざまな側面について批判してきた。だが今回のこの崩壊においては、市場は人類を見守る守護天使なのだ。

とはいえ、「見えざる手」だけではレジリエンスの時代に導くことはできない。廃墟から新しいエコロジカルな文明を築くには、今のレベルをはるかに上回る集団的対応や行動によって、あらゆる統治レベルにおいて公的資本、市場資本、社会資本を結集し、国民全体を深い関与へと引き込むことが必要である。

「進歩の時代」には、人々は市場での活動を各自が独力でやろうとすることができた——少なくとも時の権力者は、私たちがそうできると信じることを望んでいた。ところが気候変動が現実となった今、私たちは進歩の時代がすでに過去のものであり、未来はレジリエンスの時代にしかないことを知っている。そしてそこではすべてのコミュニティにおいて、かつて人類が経験したことのない規模の集団的努力が求められるのだ。

この先、何より大切なのは「思慮に富んだスピード」である。各部門が化石燃料から脱却することでもたらされるグリーン時代への転換を促進し、アメリカと世界全体でグリーン・ニューディールのインフラの構築を加速させなければならない。

グリーン・ニューディールのカギを握る二三の方策

グリーン・ニューディールのプロセスを始めるにあたって、同時に実現する必要のある二三の重要な課題と方策については、合意が生まれつつある。それらを以下に示そう。

1　連邦政府は、大幅に上昇する一律の炭素税を即座に課し、税収の相当部分を一括払い戻しによりアメリカ国民に還元する。これによって、とくに低所得層の家庭がエネルギー代の値上がり分を上回る還付金を受け取れるようにし、残った税収は連邦政府や州のグリーン・ニューディールのインフラ構築資金に充てる。

2　連邦政府は、化石燃料産業への補助金年間一五〇億ドルを短期間のうちに段階的に減額または廃止する。

3　連邦政府は五〇州と協力して全米にシームレスなスマートグリッドの準備と設置を行い、全国に広がる第三次産業革命のスマートなインフラを賄える十分なグリーン電力を提供する。スマートグリッド構築の相当部分は連邦政府が資金提供し、残りを州が負担する。二〇三〇年までに、完全ではないが必要最低限のスマートグリッドの運用を開始し、二〇四〇年までにフル稼働できる状態にする。

4　連邦や州、市町村、郡の各当局はアメリカを排出ゼロの自然エネルギーへと転換させるため、税額控除などのインセンティブを導入することによって、建造物か自然のなかかを問わず実行可能な場所に太陽光・風力発電設備の迅速な設置を促進する。太陽光発電と風力発電の混合比率は、その地区やコミュニティのマイクログリッドのインフラの柔軟性とレジリエンスを高めることを最優先にして決定する。気候関連事象やサイバーテロ攻撃が発生した場合には、マイクログリッドを管理する協同組合が、容易にマイクログリッドを主送電網から切り離し、地元で発電された太陽光・風力エネルギーによる電力をその地域内で分かちあえるようにしなければならない。連邦政府はまた公有地の利用における優先順位を見直し、ただちにすべての化石燃料関連事業の段階的廃止に着手し、太陽光・風力発電設備を大幅に増強させていかなければならない。

5　連邦や州、市町村、郡の各当局は、居住用、商業用、工業用、および公共機関の建物におけるエネルギー貯蔵技術の導入に対して、税額控除などのインセンティブを提供する。これは気候災害やサイバーテロ攻撃で送電線が損傷した場合に、電力の安定的な供給を図り、必要に応じて緊急供給するためのバックアップ電力を確保することが目的である。

6　連邦や州、市町村、郡の各当局は、ケーブル接続とワイヤレス接続が健康や環境に与える影響を比較検討したうえで、ブロードバンドとＩｏＴを導入する。州政府は農村部や低所得コミュニティへのブロードバンドの導入を優先させる。

7　データセンターを利用するすべての企業は、二〇三〇年までにデータセンター設備およびその周囲に一〇〇％再生可能エネルギーを導入することで連邦税の控除を受ける。これにより、各企業は気候関連事象やサイバーテロ攻撃で送電網が損傷または機能低下した場合、データの安全性確保のために完全に送電網から切り離して稼働することが可能になる。

8　電気自動車の購入に対しては連邦および州による税額控除を適用し、内燃自動車の購入に対しては、累進課税を適用する。この措置の迅速化を図るため、内燃自動車を下取りする際に電気自動車の購入に使える商品券を発行する。商品券の金額は、内燃自動車の下取り価格を上回らなければならない。連邦政府はすみやかに、乗用車やトラック、バスなど内燃自動車すべての新規の販売および登録を禁止する期日を二〇三〇年に設定する。

9 連邦政府や州、市町村、郡の各当局は、居住用、商業用、および工業用の建物やその周辺への電気自動車用充電スタンドの設置に対し、税額控除を適用する。複数の居住用住宅を所有する不動産会社や地主には、十分な数の充電スタンドを設置するよう促し、設置した場合には税額控除を適用し、設置しない場合は税率を引き上げる。

10 連邦政府は、二〇三〇年までにすべての連邦資産を排出ゼロの資産およびインフラに転換することを義務づけ、資金を提供する。これにはグリーン事業推進のための調達を利用する。また、連邦政府および州、市町村、郡の各当局は、すみやかに手厚い税額控除や所得控除、助成金、低利融資を一律で導入することにより、居住用、商業用、工業用、および公共機関の建物群の改修や、天然ガスや石油による暖房から再生可能エネルギーによる電気暖房への切り替えを奨励する。その目的は、エネルギー効率の向上や温室効果ガスの排出削減、気候関連災害に対するレジリエンスの強化を目指すことにある。さらに、低・中所得者用の賃貸住宅や持ち家に改修を促すため、補足的な税額控除や所得控除、助成金、低利融資を行う。連邦税額控除はすべて、州が以下の目標――二〇三〇年までに既存の居住用および商業用建物の温室効果ガス排出量を一九九〇年比で四〇％削減し、二〇四〇年までにエネルギー消費を実質ゼロにすること、またすべての新築住宅を二〇二五年までに、新築商業用建物を二〇三〇年までにエネルギー消費実質ゼロにすること——をすみやかに義務づけた場合を条件として適用する。

11

連邦政府および州政府は、向こう二〇年間に石油化学系の肥料や農薬を使った農業の段階的廃止と、オーガニックでエコロジカルな農業の導入、および農産物の地産地消を進める計画を立案・展開し、二〇四〇年までにオーガニック認証の農作物を一〇〇%にすることを目指す。連邦政府および州政府は、迅速な変革を促すために大規模な助成金と力強いインセンティブを導入する。

12

連邦政府および州政府は、税額控除などのインセンティブを用いて農家に炭素固定農法（カーボン・ファーミング）の実践を促し、耕作限界地の再植林や再自然化を図って大気中のCO_2を回収・貯留する炭素吸収源を増やす。また、連邦政府は公有地の利用法の優先順位も見直し、該当する場合にはCO_2の回収・貯留のために再森林化を行う。

13

連邦政府や州、市町村、郡の各当局は、公衆衛生にとって大きな脅威になりつつある気候変動に起因するハリケーンや暴風雨、洪水に対するレジリエンスを高めるため、二〇四〇年までにすべての上下水道や雨水排水溝の改善を優先し、これに資金を提供する。旱ばつが発生しやすい地域では、気候関連事象やサイバー攻撃によって送電網の機能が低下した場合に、緊急避難的に水が入手できるよう、構築環境に貯水設備を設置する対策を講じる。必要な場合には、これまで長年の間に民営化された水関連システムをすべて再公営化し、水に対する公的監視と管理を確保する。

14　連邦政府や州、市町村、郡の各当局は、CO_2排出量を大幅に削減し、経済と市民社会、ガバナンスのあらゆる側面において気候変動に対するレジリエンスを確立するため、二〇三〇年までにすべてのサプライチェーンと全産業に循環型プロセスを組み込むこと義務づけ、適切なインセンティブと罰則を導入する。

15　連邦政府は州と協力して、軍事支出の一部を国や州の安全保障に支障をきたすことのない範囲で移転させ、初期対応から長期の復興事業まで、気候関連災害の対応と救援任務を管理する連邦軍および州兵部隊に資金を――しだいに増額しながら――提供する。

16　連邦政府は、州や郡、市町村のグリーン銀行への資金提供が可能な国営グリーン銀行を設立するための法律を制定する。州や郡、市町村のグリーン銀行はその資金を使って、グリーンインフラ構築の拡大のために十分な資金――とりわけ公的年金基金や民間年金基金などの投資資本――を確保する。国営グリーン銀行から州や市町村、郡のグリーン銀行への資金提供は、州や地域などの自治体が二〇三〇年までに全発電量の五〇％を太陽光や風力などの再生可能エネルギーで賄い、二〇四〇年までに一〇〇％にすることを義務づけている場合に限られる。

17　労働組合の年金基金を使って、連邦や州、市町村、郡の第三次産業革命インフラ事業の資金調達を行う場合には、可能なかぎり組合員の雇用を条件とする。アメリカでは労働組合組織率はわずか一一％であるため、第三次産業革命のインフラ事業全般において、労働者の団結権と団体交渉権を守ることも求められる。さらに州や市町村、郡の各当局は、化石燃料の採掘や精製、流通に経済的に依存しているコミュニティに対して「公正な転換」のための資金提供を行い、これらの座礁産業から第三次産業革命の新しいグリーン事業やグリーン雇用機会への転換を優先させなければならない。

18

学生世代の若者は、グリーン・ニューディールの経済で新たなビジネスを創造し、就業するためのスキルを習得し、能力を開発することが求められており、連邦政府および州政府は、平和部隊（ピースコー）やＶＩＳＴＡ〔貧困地区の生活向上のため、ボランティアを派遣する政府プロジェクト〕、アメリコーなどの先例にならったサービスプログラムを創設する必要がある。連邦や州が資金を提供するこれらのプログラム——グリーン部隊、環境保護部隊、気候部隊、インフラ部隊など——は、全米のコミュニティで労働実習に参加し、二一世紀のスマートな労働力を結集するのに必要なスキルを学ぶ高校や大学を卒業した若者に、生活手当を支給する。連邦や州が管理するこうした新しい実習プログラムでは、新たに習得したスキルを災害時の対応や救援活動においても生かし、地域コミュニティにおける初期対応や復興事業に連邦政府軍や州兵とともに携わることができるよう訓練を行う。

19

連邦政府や州、市町村、郡当局は、最も低所得のコミュニティにおけるグリーン・ニューディールのビジネス機会を優先して創出し、グリーンインフラの拡大によって生じる新たな雇用機会に向けた適切な訓練を行う。あらゆる公衆衛生サービスを改善するための手厚い税額控除や助成金、低利融資などのインセンティブも、気候変動による公衆衛生リスクに直面する最も貧しいコミュニティを優先する。

20　より公平かつ公正な社会を築くために、連邦や州、地方レベルでより公平な税法を制定し、超富裕層とその他の人々の間の巨大な格差を縮めていかなければならない。その結果得られた税収は、グリーン・ニューディールの各分野での転換を促進するために用いる。

21　連邦政府および州政府の省庁や機関は、資金提供の優先順位を見直し、グリーン技術への転換や第三次産業革命のインフラ整備に関わるすべての領域での研究開発資金を大幅に増加する。政府のあらゆるレベルで、排出削減が困難な部門における研究や開発、整備のための資金提供を特別な注意を払って行い、化石燃料依存からバイオ由来の方法や製品への転換を加速させる。政府は、公立および私立大学や研究機関の共同研究開発における卓越した専門知識や能力を活用して、第三次産業革命の自然エネルギーや持続可能な技術への転換を促進する。

22　連邦政府の省庁や機関は州政府と協力し、ブロードバンド、再生可能エネルギーによる発電と送電、自動運転の電気自動車および燃料電池自動車による輸送、ＩｏＴの接続点（ノード）となる排出ゼロのビルのシームレスな統合を促進するのに必要な規則や規制、基準を短期間で整備するための期限を設定する。さらに、スマートな第三次産業革命のＩｏＴインフラがアメリカ全土で相互接続し、途切れずに機能するために必要な、その他の規則や規制、基準も同様である。

23　連邦政府は、ＥＵ、中国、その他の意欲的な国々の間で現在行われている公式の連携に加わり、スマートでグリーンなグローカルインフラの整備および運用において、グローバルな相互接続と透明性の実現のために整備されるべき世界共通の規則や規制、基準およびインセンティブや罰則は何かを見きわめ、支持し、実施する。

これらの二三の方策は、全米に排出ゼロの第三次産業革命グリーンインフラを二〇年の短期間で構築するために必要なものだ。新しい大統領と連邦議会のもとでスタートする二〇二一年の前半六カ月のうちに、連邦議会はこれらの方策すべてを網羅したグリーン・ニューディール関連法を、アメリカ合衆国大統領の署名を得て成立させなければならない。

ピア・アセンブリーによるガバナンス

すでに指摘したように、ビジネスモデルとそれに伴うガバナンスの形態は、インフラの設計と運用によって可能になりもすれば、抑制もされる。第一次および第二次産業革命の場合を思い出してほしい。石炭や石油、天然ガスの埋蔵場所を探し出して採掘、出荷、精製し、エンドユーザーに配送するまでには膨大な直接費用がかかる。したがって十分な利益を投資家に還元する必要から、スケールメリットを得るために、インフラは中央集権的で知的財産権によって保護され、垂直方向に統合されるように設計されていた。そして他のすべての部門も、サプライチェーンやバリューチェーン、および財やサービスの生産を同様のやり方で展開しなければならなかった。なぜなら、すべてが同じエネルギー源とインフラの力学に依存していたからである。第一次産業革命インフラの時間的／空間的広がりによって、国民経済市場とそれを管理する国民国家のガバナンスが発展し、第二次産業革命インフラによって、グローバル市場と国連や世界銀行、ＯＥＣＤ（経済協力開発機構）やＷＴＯ（世界貿易機関）などの国際機関が誕生し、それらが国民国家とともに共同でガバナンスを行うようになったのだ。

　先に述べたように、第三次産業革命のインフラは、これまでとは設計と運用の構造が異なる。第一に、プラットフォームは中央集権型ではなく分散型である度合いが大きい。第二に、システムは知的財産権で守られたクローズドなものではなく、ネットワーク効果を生み出せるようオープンで透明であるとき、最適化される。そして第三に、分散型でオープンかつ透明なシステムの特性は、垂直方向ではなく水平方向に広がる運用によって、最も効率的で高い生産性を発揮する。

　巨大インターネット企業は早くから、垂直方向に広がるグローバル独占企業のプラットフォームの多くを掌握している。だが、こうした状況が長く続くとは思えない。なぜならこれらの企業は最終的に、分散ネットワーク（ブロックチェーン）化され、コモンズによるガバナンスで管理された協同組合の形をとる何百万もの中小規模のハイテク企業と競争できないからだ。後者の組織形態のほうがずっと機動的で、諸経費もはるかに少なくてすむうえに、収益の大半が利益という形で外部投資家に流出するのではなく、協同組合を構成する企業や地元コミュニティの内部にとどまる。

　とはいえ公平な条件を確保するために、連邦政府は積極的に独占禁止法を適用し、これまで企業が繁栄するためのオープンな商業空間の確保に使われてきたのと同じ基準を、ＩＣＴや電力、輸送／ロジスティクスなどの企業活動の規制にも適用すべきである。

第三次産業革命インフラに組み込まれている分散型でオープンソースの、水平方向に広がる設計および運用の原則にとっては、この新しいビジネスへのアプローチを促進し調整するための規制制度も、同じく分散型かつオープンで透明な、水平方向に広がるものであることが好ましい。EUにおける二〇年の経験から考えると、ヨーロッパ大陸全域でグリーンインフラを運用するために整備すべき規則や規制、基準は、今後もEU加盟国と欧州委員会の責任下におかれると思われる。しかし、グリーン・ニューディール経済の構築や拡大は、最終的には三五〇の地域および各都市が担うことになる。それぞれの地域や都市が自らの目標や実行可能性、そして熱意に即してインフラをカスタマイズし、それをEU全体の規則や規制、基準の制約のなかで行うことによって、境界を越えて、大陸全体の　貫したスマートインフラで相互接続することが可能になるのだ。

これはフランクリン・D・ルーズヴェルトのニューディール政策とは異なる。ニューディール政策では連邦政府が巨大ダムを建設、稼働させることで、アメリカ全土に水力発電による安価な電力を供給していたのに対し、これは地元で生産される再生可能エネルギーを中心とし、Wi-Fiのように境界を越えて接続する地域インフラで管理される二一世紀の分散型グリーン・ニューディールなのだ。二一世紀には、アメリカのすべての州や市、郡、そして世界中のあらゆる地域で、グリーン電力の生産でもレジリエンスにおいても自前で調達できる割合が高まる。太陽はどこでも輝き、風はどこでも吹く。だが地域によって、また日や週、月、季節によって、得られる太陽光と風の量には差がある。余剰電力は貯蔵しておいて、あとから天候に恵まれない他の地域に分けるようにすれば、世界のすべての大陸に電力を供給するのに十分すぎるほどのエネルギーを確保することができる。

第三次産業革命インフラは、水平方向に拡大し、無数の小規模なプレーヤーを結ぶことで最も効果的かつ効率的に機能する。これは机上の空論ではない。第2章で述べたように、ドイツの四大電力会社は苦い経験を通じてこの教訓を学んだ。太陽光・風力エネルギー発電が稼働開始してから一二年足らずで、数十億ドルの座礁資産を抱えることになったのだ。思い出してほしい。ドイツでは農業従事者や中小の企業、地域の住民組織などの小規模プレーヤーが、電力協同組合を設立して銀行ローンを組み、太陽光・風力エネルギー発電を導入した。自家発電のグリーン電力を使用し、余剰分は送電網を通じて売却している。今日、ドイツで供給されている電力のうち、太陽光・風力エネルギーが二五％近くを占め、こうした自然エネルギーの多くは小規模協同組合が生産している。[18]四大電力企業が生産する二一世紀の自然エネルギーは五％にも満たず、大部分において再生可能エネルギー発電からは排除されてきたといえる。[19]

どの地域であれ、分散型のエネルギーには分散型のガバナンスが伴う。「パワー・トゥ・ザ・ピープル（人々に力／電力を）」が意味するのはまさにそのことだ。水平方向に広がる協同組合の形をとったスマートなハイテク中小企業で構成される五〇州の経済で、すべてが第三次産業革命のグリーンインフラに接続され、低い固定費とほぼゼロの限界費用、そして排出量ほぼゼロで、バリューチェーン全体における財とサービスの管理や電力供給、移動を行うのだ。第三次産業革命の基盤づくりと拡大の作業は各州が担うことになり、目標や実行可能性は州それぞれのニーズに合わせてカスタマイズされる。これが効果をあげるには、すべての州が境界を越えてつながり、スマートな全国送電網上で互いに協力し、横広がりのスケールメリットとネットワーク効果を生み出すことが必要である。

この点を念頭において、全米知事協会や全米州議会議員連盟、全米市長会議、全米郡協議会は、市や郡の職員や議員、地元商工会議所や労働組合、経済開発局、公立および私立大学、市民団体の代表から成るグリーン・ニューディール「ピア・アセンブリー」を自発的に設立するよう、各州に求めることを決議すべきである。こうしたピア・アセンブリーは、州や市町村、郡の当局の管理下で、経済やコミュニティをグリーン時代に移行させるグリーン・ニューディールのロードマップを策定する任務を負う。最初からすべての州が参加する必要はないが、閾値（いきち）効果〔ある一定の水準を超えることで、物事が始まる、あるいは変化する現象〕を生むために、少なくとも相当数の州が先行して一歩を踏み出す必要がある。他の州も、住民の間にグリーン・ニューディールを求める圧力が高まるにつれて、早晩参加することになろう。

政府の上層部は、国全体のスマートなグリーンインフラ転換の計画や実施を、州や市町村、郡が掌握していることに、いい顔をしないかもしれない。だがそれは、すでに始まっているのだ。この数年間、国のレーダーが探知しないところで、州による静かな革命は進行していた。連邦政府は見向きもしなかったが、二九の州と三つの準州が、公益事業体が販売する電力のうち一定割合を再生可能エネルギーで発電するよう求める再生可能エネルギー利用割合基準（ＲＰＳ）を採用している。[20] 州は再生可能エネルギー証書でＲＰＳを後押しし、風力・太陽光発電の導入を奨励しているのだ。

アメリカ政府は気候変動に関するパリ協定から離脱したものの、一九の州とプエルトリコは今までのところ同協定を遵守することで合意しており、他の州もこれに続くとみられている。[21] 現在、多くの知事がCO_2排出ゼロのエネルギー源から電力を一〇〇%調達する計画を立てている。カリフォルニアとハワイの両州ではすでに、これを達成する期限を二〇四五年に設定しており、コロラドやニューヨーク、ニュージャージー、イリノイの各州の知事も、あとに続くと表明している。[22] 州はじっとしてはいないのだ。

連邦政府がこの勢いを維持するためにできることがある。連邦議員の合意に基づいて、各州に三年間を対象とする一度限りの補助金六〇〇〇万ドルを交付し、それに見合った成果を出すよう州に約束させるのだ。これらの資金は、グリーン・ニューディールのロードマップを準備するという明確な目的のために、市や郡にピア・アセンブリーを組織し調整することを唯一の任務とする運営センターを設立し、そのセンターに人員を配置するためにのみ用いる。このロードマップは、各自治体の目標やニーズ、および既存の持続可能性プログラムや取り組みに合わせてカスタマイズされたものとする。

この場合も、インフラ構築資金は連邦政府がその一部を負担するものの、七五%は州や市町村、郡の負担とする。アメリカのような連邦共和国におけるインフラ整備は、そのほとんどが州によって個々に進められる。このことを知らず、連邦政府が一方的にインフラ転換を指揮し、それを州に強いるものと思い込んでいる人にとっては驚きかもしれない。

州による管理という考えから、第三次産業革命の分散型インフラ構築のための理想的なガバナンスの枠組みが生まれる。アメリカ合衆国ができたそのときから、州と州民は自由意志に基づく統治を自らの基本的権利と見なし、それを熱意をもって守ってきた。連邦政府が自分たちの自由を侵害することに対して、警戒を怠らなかったのである。それと同時に、各州は他の州を常にライバルと見なし、新しいビジネスチャンスや雇用、その他の住民に対する恩恵において競争に勝とうとしのぎを削っている。現在、ニューヨーク、カリフォルニア、テキサスの三大州はグリーン経済とグリーン社会の達成に向けて競争を繰り広げており、他の州も近いうちに加わることが予想される。何も無理強いする必要などないのだ。

EUの前例からいえるのは、第三次産業革命インフラは分散型という特性ゆえに、それが整備されるコミュニティや地域によって概念化され導入された場合には、迅速に採用され、拡大する可能性が高まるということだ。それでも、州は他の州や連邦政府とも協力し、分散型のグリーンインフラが迅速に形成され、州を越えて接続できるように運用の規則や規制、基準を定める必要がある。

分散型グリーン・ニューディールを成功させるカギは、エネルギーサービス企業（ESCO）の拡大と、五〇州すべてにおいてESCOを事業展開させるのに必要な金融メカニズムにある。この目標の達成に向けて、二〇二〇年の国政選挙後、全米知事協会や全米州議会議員連盟、全米市長会議、全米郡協議会は、第三次産業革命インフラの構築や拡大に必要な能力をもつ主要産業や企業――中小企業から「フォーチュン500」企業まで――を集めて、一週間にわたる緊急会議を開くべきである。会議には、国内の金融、銀行、保険業界からの代表に加え、ICT部門や通信部門、エレクトロニクス業界、電力会社、輸送／ロジスティクス部門、不動産部門、ファシリティ・マネジメント（業務用不動産設備の管理・運用）部門、建設部門、製造業、農業・生命科学部門、旅行・観光業界からも参加を促す。

州や市町村、郡およびすべての経済部門の業界で構成されるこの緊急会議の目的は、ESCO事業モデルを確立し、州や地方のグリーン銀行を設立して第三次産業革命のインフラ整備に資金を提供することにある。

二〇一七年の時点で、世界のESCO市場は約一五〇億ドルである。年平均成長率八・三％で、二〇二六年には三〇八億ドルにまで成長すると予想されている[23]。平時であれば評価に値する成長といえるが、気候変動の急速な進行による時間的制約を考えると、アメリカそして世界のインフラを排出ゼロに転換するという目標を達成するには不十分だ。

必要なのは、一〇年間で一〇倍の成長を遂げることである。これは第二次世界大戦時にアメリカが平時経済から戦時経済へ移行した際のスピードに匹敵する。今回の目的は五〇州すべてでESCO事業を稼働させるということだが、そのために力を結集する必要のある産業や部門、能力は当時と同様、今日もすでに存在している。あとは、それぞれの産業や部門がその特性を超えて、新しいESCOパフォーマンス契約のビジネスモデルのもとで再結集することだけである。

市町村や郡、州でのインフラ構築の拡大を加速させるための手厚い税額控除および規則や規制、基準の周到な合理化は、新しいビジネスモデルへの移行を――戦時体制下に匹敵する速度で――

進めるには不可欠だ。

手厚い税額控除の適用に反対する人には、こう伝えるべきだ。毎年、州や地方政府によってスポーツ競技場や会議場への助成金に加え、数千人の雇用と引き換えに工場や商業施設を誘致するために、数十億ドルの金が税額控除や他のインセンティブの形でばらまかれているが、それによる経済や税収への見返りは決して多くはないのだと。州や地方にとっては、税額控除を適用して排出ゼロのスマートなグリーン経済への転換を加速させ、その結果、中小企業に大きなビジネスチャンスがもたらされ、すべてのコミュニティで労働力の再配置が行われるほうが、はるかに有益である。

ＥＵでピア・アセンブリーの設立に携わった経験からいうと、ピア・アセンブリーの最適な形は、地域を問わず三〇〇人が特定の目的のために関与し、各段階でインプットとフィードバックを提供するというものだ。ピア・アセンブリーはフォーカスグループでも利害関係者のグループでもなく、地域住民の代表であり、その地域のグリーン・ニューディールのロードマップに組み込まれる提案や構想について進行中の審議や準備に密接に携わる。

州知事や市長、郡長がファシリテーターとなり、ピア・アセンブリーに参加する住民代表の選考と会議の運営管理に責任を負う。

それぞれのピア・アセンブリーは必要に応じて外部に技術支援を求め、確保する。州立大学が大きな役目を果たす可能性もある。同校はもちろん、私立大学、コミュニティカレッジ、商工専門学校、シンクタンク、研究機関、地元慈善団体などから専門家や技術者を集め、さまざまな学問分野や専門領域の専門知識を提供するのである。

ピア・アセンブリーの設置から六カ月以内に、各州の知事と議会は、市や郡のピア・アセンブリーから数千人の代表を集め、一週間にわたる会議を開催する。この会議では市や郡のロードマップ準備、その実施と資金調達、州内外からのベストプラクティス（最良の実践モデル）と専門家による技術支援を求めることなど、グリーン・ニューディールの準備に関わるあらゆる側面について話し合う。

グリーン・ニューディールは、まず第三次産業革命の詳細なロードマップを準備することから始まる。これには通常一〇カ月を要する。市や郡のピア・アセンブリーは、州のロードマップに合わせてそれぞれのロードマップを準備する。ロードマップの成否は、その作成に着手した時点からプロセスそのものが真に協調的で、オープンかつ領域横断的なものだと見なされているかどうかにかかっている。市や郡が選考したピア・アセンブリーメンバーは、事前に社会的責任倫理合意書に署名し、互いに競いあうのではなく協力し、特定の利益や目的のためのロビー活動ではなく公平な立場で活動することを約束することが望ましい。ピアメンバーは何より、公共心に富むコミュニティ精神をもって任務に臨まなければならない。ロードマップはコミュニティにチームスピリットを醸成し、ピアメンバーは個人の枠を超えて、家族やコミュニティ、ひいては未来の世代に影響を及ぼす大きな仕事に関わっているという実感を手にすることができる。

市や郡のピア・アセンブリーの議長は州知事や州議会と定期的に会見して、ロードマップに関する協議の進捗状況を報告し、フィードバックや支援を受ける。一〇カ月後、市町村や郡の各ピア・アセンブリーは、カスタマイズされたグリーン・ニューディール計画の詳細を盛り込んだロードマップを発表する。そこには次の段階として、グリーンインフラ・プロジェクトの資金調達と具体的な整備を開始するにあたっての計画も提示される。また、州全体が迅速に第三次産業革命パラダイムに転換できるよう州知事や州議会が整備すべき規則や規制、基準、インセンティブ、罰則に関する見解も示すこととする。

ロードマップとは、単なるお気に入りのグリーン・プロジェクトの寄せ集めではない。その使命は二〇年という期間で州全域に整備できる、包括的かつ組織的な第三次産業革命のインフラ計画を開発することにある。インフラ拡大に向けたこのような統合的アプローチは、これまでのグリーン・ニューディールの提案では著しく欠けていた。第三次産業革命のインフラ構築は、州全域にわたって数世代という時間をかけて進化し、状況に応じてさまざまな方向に広がっていく壮大な建設現場だとイメージすることが重要だ。このことが十分理解できなければプロジェクトは断片化し、最終的には個別の小規模なグリーン事業に逆戻りし、なんら変革を起こすことはできない。オー＝ド＝フランスの工業地域、二三の都市を含むオランダのロッテルダム・デン・ハーグ大都市圏、そしてルクセンブルクで準備され、現在展開されている第三次産業革命の三つのロードマップは、オープンソースで誰でも手に入れることができる。[24]

多くのアメリカの市や郡は、これまでに持続可能性を達成するためのグリーン・ロードマップを準備しており、なかにはその審議に、ある種のピア・アセンブリーが関わっているケースもいくつかある。これらの自治体は今後、ベストプラクティスを共有する際に専門知識の重要な情報源となる。市町村や郡、州レベルですでに進行している既存のグリーン開発計画は、今後、第三次産業革命ロードマップの作成プロセスや実施の段階で破棄されることは決してない。既存のプロジェクトはシームレスな新しい経済パラダイムにおいて結びつけられ、グリーンインフラに組み込まれるのだ。個々の市や郡、州全域にこうした統一的なビジョンがなければ、滅びゆく化石燃料インフラと結びついたままの何千という、「善意」に基づいたグリーンプログラムの集合に逆戻りしてしまう。

市や郡、州の各行政府はウェブサイトを開設し、グリーン・ニューディールのロードマップに関する審議や実施の情報をリアルタイムで全米に伝えることが望ましい。ベストプラクティスやグリーンインフラ整備に伴うビジネスチャンスや課題に関する議論を全国規模で行うことで、従来の政治的境界を越えた多様な協力関係が派生し、選挙で候補者に投票するだけにとどまらない、まったく新しい政治的ダイナミズムを生み出すことができる。これこそがピア・アセンブリーによるガバナンスの真骨頂だ。

ピア・アセンブリーはロードマップ作成段階が終わったあとも、グリーンインフラ転換のスケールアップが行われている間は活動を継続する。その間、ピア・アセンブリーのメンバーは必要に応じて、世代をまたいで交代し、二年または四年ごとに議員や首長が入れ替わっても一貫性が保たれるようにする。どの政党や首長が統治することになっても、ピア・アセンブリーの活動が人質に取られたりしないようにするためだ。

気候変動による生存の危機の大きさは、人類がかつて直面したことのないものである。それに対処するには何世代にもわたって、無期限の未来まで継続するコモンズによるガバナンスが必要だ。気候変動の恐怖はまさしく現実であり、地球上の生物にとっての環境は遠い未来まで、われわれの想像を超えて悪化しつづける。市、郡、州、連邦のすべてのレベルで、行政府は最終期限なくこの問題に取り組まなければならない。

私たちがこれまでに関わった七つの地域でのロードマップ作成とその後の実施プロセスでわかったのは、行政府がピア・アセンブリーを設置しても、関係省庁や官僚組織、そして特定の利害関係者は、自分たちの縄張りをピア・アセンブリーと共有することを不快に思ったり、反発したりしがちだということだ。そのことを公言はしないまでも（そもそもピア・アセンブリーに反対だなどと言う人はいない）、しばしば巧妙なやり方で全体のプロセスや提言や配備について横やりを入れようとする。彼らにとっては、フォーカスグループや利害関係者団体のほうが、自分たちのやりたいようにするのにはるかに都合がいいのだ。

一方、ピア・アセンブリーを始動させ管理するのは、市町村や郡、州政府の行政および立法部門で、ピア・アセンブリーの出した提言やプロジェクト、構想などを法律や指令、計画の形にする最終的な責任を負う。ピア・アセンブリーは、一般市民の声を一連のプロセスに反映させると同時に、議員や行政機関に対し、より迅速かつ統合的に任務を遂行し、地域住民から寄せられる多様な意見に、より体系的かつ思慮深く対応するよう促す非公式の組織である。ピア・アセンブリーは、市民を継続的に政府と関わらせることによって水平型のガバナンスを実現し、公共の福利を増大させるのだ。ピア・アセンブリーを成立させるには、排他的な縄張り統治を行うのではなく、選挙と選挙の間のガバナンスを快く市民と分かちあう、新しい世代の議員や政府職員がいなくてはならない。

気候変動に対応するには、国民全体が継続して取り組むことが必須である。これはどんな議員や政府機関のトップでも、一人でできることではない。緊急時の災害対応や救助を思い浮かべていただきたい。災害が起きたときには、コミュニティ全体――地元団体やNGO、宗教団体、学校、地域の住民組織、企業など――が一つになる。災害への備えや緊急事態は、議員や担当職員が管理するが、災害はしばしば予期しないときに起きてあらゆるものを奪い、場合によって数週間、数カ月、さらには数年にもわたって、すべての人が全力で対応することが求められる。次の災害が起こるまでの間に、市民社会組織と実業界は公権力と協力して、公共の利益を守るという目的のもとで継続的に議論を行い、過去の緊急事態から学び、ベストプラクティスを共有し、新しいアイデアやプログラム、対応メカニズムを計画立案に組み入れ、今後の緊急事態に備えるのだ。

現在、気候変動によって危険な状況におかれた世界中のすべてのコミュニティは、連続的な災害モードになっている。これが現実だ。世界中のコミュニティが暴走する気候に直面することになれば、ピア・アセンブリーが近いうちにあらゆる場所で不可欠な存在になるにちがいない。元カリフォルニア州知事のジェリー・ブラウンは退任の直前、荒れ狂う気候は「新たな異常事態」だといみじくも語った。[25]

最後に一つだけ言わせていただきたい。ピア・アセンブリーがなければ、アメリカをはじめ世界中の人々は、政治からの疎外感を深めるだろう――誰も自分の声に耳を貸してくれず、見捨てられ、自分の知恵に頼るしかないのだと。恐怖と孤立、この二つが合わさってくすぶりつづければ、いずれは爆発し、市民生活の基盤そのものをばらばらに壊しかねない。ピア・アセンブリーは気候変動に直面してコミュニティが抱える無力感を、この先何十年、いや何百年にもわたって人類がもちつづけなければならない生物圏に対する責任感へと導く道なのだ。

ここで、グローカルなグリーン・ニューディールを導入し、スマートな第三次産業革命へ転換する時間的枠組みを明確にしておこう。第一次産業革命の〝若い〟インフラは、一八六〇年から一八九〇年までの三〇年間でアメリカ全域に整備された。第二次産業革命の〝若い〟インフラは、一九〇八年から一九三三年までの二五年間で構築された。期間が短縮できた一因は、第二次産業革命のインフラが既存の第一次産業革命のインフラを基に構築された点にある。とすれば第三次産業革命のインフラは、二つの産業革命のインフラ――その一部は転換を促進するうえで役に立つ――をつくり直すことで、二〇年、つまり一世代の間に構築できると予想される。

そんなことは無理だとは誰にも言わせないでほしい。私たち一人ひとりが強い意志と決意をもち、コミュニティの一員として、国全体の取り組みの一部として自らの役割を十分に果たしていけば、二〇四〇年には現実になるはずだ。

グリーン・ニューディールは、ただ単に市民を動かして政府に圧力をかけ、財布の紐をゆるめ、法案を通し、地球環境を守るための取り組みにインセンティブを適用するようにさせるためだけのものではない。地球上の生命の歴史が暗黒の局面を迎えている今、新しい種類の「仲間（ピア）」による政治運動とコモンズによるガバナンスを実現させることで、コミュニティ全体に未来への直接的な責任を負う力を与えようという、人類史上初めての試みなのだ。

二世紀以上にわたって石炭紀（約三億五八九〇万〜二億九八九〇万年前）の化石燃料埋蔵物に頼って生きてきた私たちは、この先もあらゆることが可能で、代償を払う必要もほとんどない未来が無限に続いていくという誤った感覚にとらわれていた。自分の運命は自分でコントロールでき、人類は地球から好きなだけ奪ってもいいと思い込んでいたのだ。この惑星で起きることには必ずエントロピーのツケが伴うことを理解していなかった。その時代を私たちは「進歩の時代」と呼んだ。だが今や、気候変動というツケの支払い期限が迫っている。新しい時代、新しい旅が始まろうとしている。私たちを待ち構えるのは「レジリエンスの時代」だ。私たちに突きつけられた新たな現実にどう適応するかで、私たちの種としての命運は決まる。私たちは生物圏意識へと急速に近づきつつある。手遅れになる前にそこへたどり着けるという希望を抱こうではないか。それが私が信じるグリーン・ニューディールにほかならない。

[原注]

【イントロダクション】

1 Intergovernmental Panel on Climate Change, "Summary for Policymakers," in *Global Warming of 1.5° C: An IPCC Special Report* (Geneva:World Meteorological Organization, 2018),6.

2 Edward O. Wilson, "The 8 Million Species We Don't Know," *New York Times*, March 3, 2018, https://www.nytimes.com/2018/03/03/opinion/sunday/species-conservation-extinction.html (2019年2月4日にアクセス).

3 Gerta Keller et al., "Volcanism, Impacts and Mass Extinctions (Long Version)," *Geoscientist Online*, November 2012, https://www.geolsoc.org.uk/Geoscientist/Archive/November-2012/Volcanism-impacts-and-mass-extinctions-2 (2019年3月12日にアクセス).

4 Intergovernmental Panel on Climate Change, "Summary for Policymakers," 14.

5 Ryan Grim and Briahna Gray, "Alexandria Ocasio-Cortez Joins Environmental Activists in Protest at Democratic Leader Nancy Pelosi's Office," *The Intercept*, November 13, 2018, https://theintercept.com/2018/11/13/alexandria-ocasio-cortez-sunrise-activists-nancy-pelosi/ (2019年2月1日にアクセス).

6 Sunrise Movement, "Green New Deal," updated March 26, 2019, https://www.sunrisemovement.org/gnd (2019年4月5日にアクセス).

7 Anthony Leiserowitz et al., *Climate Change in the American Mind: December 2018,* Yale University and George Mason University(New Haven, CT: Yale University Program on Climate Change Communication, 2018), 3.

8 Kevin E. Trenberth, "Changes in Precipitation with Climate Change," *Climate Research* 47 (March 2011) : 123,doi: 10.3354/cr00953.

9 Kim Cohen et al., "The ICS International Chronostratigraphic Chart," *Episodes* 36, no.3 (2013):200-201.

10 Abel Gustafson et al., "The Green New Deal Has Strong Bipartisan Support," Yale Program on Climate Change Communication, December 14, 2018, http://climatecommunication.yale.edu/publications/the-green-new-deal-has-strong-bipartisan-support/ (2019年2月7日にアクセス).

11 Aengus Collins, *The Global Risks Report 2019* (Geneva: World Economic Forum, 2019),6.

12 Gillian Tett, "Davos Climate Obsessions Contain Clues for Policymaking," *Financial Times,* January 17, 2019,
https://www.ft.com/content/369920f2-19b4-11e9-b93e-f4351a53f1c3 (2019年1月28日にアクセス).

13 Leslie Hook, "Four Former Fed Chairs Call for US Carbon Tax," *Financial Times,* January 16, 2019, https://www.ft.com/content/e9fd0472-19de-11e9-9e64-d150b3105d21 (2019年1月28日にアクセス).

14 "Economists' Statement on Carbon Dividends," *Wall Street Journal,* January 16, 2019, https://www.wsj.com/articles/economists-statement-on-carbon-dividends-11547682910?mod=searchresults&page=1&pos=1 (2019年2月5日にアクセス).

15 Damian Carrington, "School Climate Strikes: 1.4 Million People Took Part, Say Campaigners," *The Guardian,* March 19, 2019, https://www.theguardian.com/environment/2019/mar/19/school-climate-strikes-more-than-1-million-took-part-say-campaigners-greta-thunberg (2019年3月20日にアクセス).

16 *Lazard's Levelized Cost of Energy Analysis — Version 12.0,* 2018, https://www.lazard.com/media/450784/lazards-levelized-cost-of-energy-version-120-vfinal.pdf (2019年3月12日にアクセス); Naureen S. Malik, "Wind and Solar Costs Keep Falling, Squeezing Nuke, Coal Plants," Bloomberg *Quint,* November 8, 2018, https://www.bloombergquint.com/technology/wind-and-solar-costs-keep-falling-squeezing-nuke-coal-plants (2019年3月12日にアクセス).

17 "Cost of Electricity by Source," Wikipedia, https://en.wikipedia.org/wiki/Costofelectricitybysource#Levelizedcostofelectricity (2019年4月5日にアクセス).

18 *Lazard's Levelized Cost of Energy Analysis — Version 12.0,* 2018, https://www.lazard.com/media/450784/lazards-levelized-cost-of-energy-version-120-vfinal.pdf (2019年3月12日にアクセス).

19 Carbon Tracker Initiative, "Fossil Fuels Will Peak in the 2020s as Renewables Supply All Growth in Energy Demand," news release, September 11, 2018, https://www.carbontracker.org/fossil-fuels-will-peak-in-the-2020s-as-renewables-supply-all-growth-in-energy-demand/ (2019年2月5日にアクセス).

20 Jason Channell et al., *Energy Darwinism II: Why a Low Carbon Future Doesn't Have to Cost the Earth,* report (Citi, 2015), 8.

21 Carbon Tracker Initiative, "Fossil Fuels Will Peak in the 2020s."

22 Candace Dunn and Tim Hess, "The United States Is Now the Largest Global Crude Oil Producer," US Energy Information Administration, September 12, 2018, https://www.eia.gov/todayinenergy/detail.php?id=37053 (2019年2月5日にアクセス).

23 Willis Towers Watson, Thinking Ahead Institute, *Global Pension Assets Study 2018,* https://www.thinkingaheadinstitute.org/en/Library/Public/Research-and-Ideas/2018/02/Global-Pension-Asset-Survey-2018 (2019年4月5日にアクセス), 9.

24 "1,000+ Divestment Commitments," Fossil Free, https://gofossilfree.org/divestment/commitments/ (2019年3月15日にアクセス).

第1章　要はインフラだ

1 Brian Merchant, "With a Trillion Sensors, the Internet of Things Would Be the 'Biggest Business in the History of Electronics,' " *Motherboard,* October 29, 2013, https://motherboard.vice.com/enus/article/8qx4gz/the-internet-of-things-could-be-the-biggest-business-in-the-history-of-electronics (2019年2月6日にアクセス).

2 "Wikipedia.org Traffic Statistics," Alexa, https://www.alexa.com/siteinfo/wikipedia.org (2019年2月2日にアクセス).

3 Lester Salamon, "Putting the Civil Society Sector on the Economic Map of the World," *Annals of Public and Cooperative Economics* 81(2) (June 2010): 187-88, http://ccss.jhu.edu/wp-content/uploads/downloads/2011/10/Annals-June-2010.pdf (2013年5月3日にアクセス).

4 Robert U. Ayres and Benjamin Warr, *The Economic Growth Engine: How Energy and Work Drive Material Prosperity* (Northampton, MA: Edward Elgar Publishing,

2009),334-37; John A. "Skip" Laitner, "Linking Energy Efficiency to Economic Productivity: Recommendations for Improving the Robustness of the U. S. Economy," *WIREs Energy and Environment* 4 (May/June2015):235.

5 John A. "Skip" Laitner et al., *The Long-Term Energy Efficiency Potential: What the Evidence Suggests* (Washington, DC: American Council for an Energy-Efficient Economy, 2012), 65.

6 Global Covenant of Mayors for Climate & Energy, "About the Global Covenant of Mayors for Climate & Energy," https://www.globalcovenantofmayors.org/about/（2019年2月9日にアクセス）.

7 David E. Nye, *Electrifying America: Social Meanings of a New Technology, 1880 - 1940* (Cambridge, MA: MIT Press,1991), 239-321.

8 Xavier Sala-i-Martin, chief adviser, and Klaus Schwab, ed., *The Global Competitiveness Report 2017-2018* (Geneva: World Economic Forum, 2017), 329.

9 Jonathan Woetzel et al., *Bridging Global Infrastructure Gaps: Has the World Made Progress?* McKinsey Global Institute report, 2017, 5.

10 Sala-i-Martin and Schwab, *The Global Competitiveness Report 2017-2018,* 303.

11 The White House "Remarks by the Presidentata Campaign Event in Roanoke, Virginia," July 13, 2012, https://obamawhitehouse.archives.gov/the-press-office/2012/07/13/remarks-president-campaign-event-roanoke-virginia（2019年2月27日にアクセス）, 強調は引用者による.

12 Sterling Beard, "Republicans Take Dig at Obama with 'We Built It' Convention Theme," *The Hill,* August 21, 2012, https://thehill.com/blogs/blog250-briefing-room/news/244633-republicans-take-dig-at-obama-with-qwe-built-itq-convention-theme（2019年5月10日にアクセス）.

13 Joan Claybrook, "Reagan Ballooned 'Big Government,' " *New York Times,* November 1, 1984, https://www.nytimes.com/1984/11/01/opinion/reagan-ballooned-big-government.html（2019年2月8日にアクセス）.

14 Frank Newport, "Trump Family Leave, Infrastructure Proposals Widely Popular," Gallup, April 7, 2017, https://news.gallup.com/poll/207905/trump-family-leave-infrastructure-proposals-widely-popular.aspx（2019年2月4日にアクセス）.

15 American Society of Civil Engineers, *The 2017 Infrastructure Report Card: A Comprehensive Assessment of America's Infrastructure,* https://www.infrastructurereportcard.org/wp-content/uploads/2017/01/2017-Infrastructure-Report-Card.pdf（2019年3月12日にアクセス）, 5-7.

16 American Society of Civil Engineers, *Failure to Act: Closing the Infrastructure Investment Gap for America's Economic Future,* 2016, https://www.infrastructurereportcard.org/wp-content/uploads/2016/05/ASCE-Failure-to-Act-Report-for-Web-5.23.16.pdf（2019年3月19日にアクセス）, 4-6.

17 American Society of Civil Engineers, *The 2017 Infrastructure Report Card,* 7-8.

18 Werling and Horst, *Catching Up,* 9.

19 Woetzel et al., *Bridging Global Infrastructure Gaps,* 2.

20 "First Telegraph Messages from the Capitol," US Senate, https://www.senate.gov/artandhistory/history/minute/FirstTelegraphMessages_fromtheCapitol.htm（2019年2月7日にアクセス）.

21 Lee Ann Potter and Wynell Schamel, "The Homestead Act of 1862," *Social Education*

61, no.6 (October 1997): 359-64.

22 Richard Walker and Gray Brechin, "The Living New Deal: The Unsung Benefits of the New Deal for the United States and California," UC Berkeley Institute for Research on Labor and Employment Working Paper 220-10, August 2010, 14.

23 Work Projects Administration, *Final Report on the WPA Program, 1935-43* (Washington,DC:USGPO,1947).

24 Patrick Kline and Enrico Moretti, "Local Economic Development, Agglomeration Economies, and the Big Push: 100 Years of Evidence from the Tennessee Valley Authority," *Quarterly Journal of Economics* 129, no.1 (February 2014): 276.

25 Erica Interrante and Bingxin Yu, *Contributions and Crossroads: Our National Road System's Impact on the U. S. Economy and Way of Life (1916-2016)* (Washington, DC: US Department of Transportation, Federal Highway Administration, 2017), 20.

26 "Servicemen's Readjustment Act (1944)," US National Archives and Records Administration, http://www.ourdocuments.gov/doc.php?doc=76（2019年2月27日にアクセス）.

27 "GDP (Current US$)," World Bank, https://data.worldbank.org/indicator/NY.GDP.MKTP.CD（2019年2月26日にアクセス）; "Fortune Global 500 List 2018: See Who Made It," *Fortune,* May 21, 2018, http://fortune.com/global500/（2019年2月14日にアクセス）; "Labor Force, Total," World Bank, https://data.worldbank.org/indicator/sl.tlf.totl.in（2019年2月15日にアクセス）.

28 World Bank Group, *Piecing Together the Poverty Puzzle* (Washington, DC: World Bank, 2018),7.

29 Deborah Hardoon, *An Economy for the 99%,* Oxfam International Briefing Paper, January 2017, https://www-cdn.oxfam.org/s3fs-public/fileattachments/bp-economy-for-99-percent-160117-en.pdf（2019年3月12日にアクセス）, 1.

30 "Company Info," Facebook Newsroom, https://newsroom.fb.com/company-info/（2019年2月12日にアクセス）.

31 Benny Evangelista, "Alphabet, Toronto Partner to Create Tech-Infused Neighborhood," *San Francisco Chronicle,* October 18, 2017, http://www.govtech.com/news/Alphabet-Toronto-Partner-to-Create-Tech-Infused-Neighborhood.html（2019年2月12日にアクセス）.

32 North Carolina State University, "Mayday 23: World Population Becomes More Urban Than Rural," *Science Daily,* May 25, 2007, https://www.sciencedaily.com/releases/2007/05/070525000642.htm（2019年3月12日にアクセス）.

33 Jim Balsillie, "Sidewalk Toronto Has Only One Beneficiary, and It Is Not Toronto," *Globe and Mail,* October 5, 2018, https://www.theglobeandmail.com/opinion/article-sidewalk-toronto-is-not-a-smart-city/（2019年2月14日にアクセス）.

34 同上.

35 同上.

36 Vipal Monga and Jacquie McNish, "Local Resistance Builds to Google's 'Smart City' in Toronto," *Wall Street Journal,* August 1, 2018, https://www.wsj.com/articles/local-resistance-builds-to-googles-smart-city-in-toronto-1533135550（2019年2月2日にアクセス）.

37 同上; Ava Kofman, "Google's 'Smart City of Surveillance' Faces New Resistance in Toronto," *The Intercept,* November 13, 2018, https://theintercept.com/2018/11/13/google-

quayside-toronto-smart-city/ (2019年2月2日にアクセス).
38 Jennings Brown, "Privacy Expert Resigns from Alphabet-Backed Smart City Project over Surveillance Concerns," *Gizmodo,* October 23, 2018, https://gizmodo.com/privacy-expert-resigns-from-alphabet-backed-smart-city-1829934748 (2019年2月14日にアクセス).
39 "Les Hauts-de-France envoient du rev3, " Région Hauts-de-France, October 18, 2018, http://www.hautsdefrance.fr/les-hauts-de-france-envoient-du-rev3/ (2019年2月14日にアクセス).

第2章 パワー・トゥ・ザ・ピープル――太陽と風は無料だ

1 "2020 Climate & Energy Package," European Commission, https://ec.europa.eu/clima/policies/strategies/2020en (2019年2月20日にアクセス).
2 "About the Group," Green New Deal Group, https://www.greennewdealgroup.org/?pageid=2 (2019年2月9日にアクセス).
3 New Economics Foundation, *A Green New Deal: Joined-Up Policies to Solve the Triple Crunch of the Credit Crisis, Climate Change and High Oil Prices,* July 20, 2008, https://neweconomics.org/2008/07/green-new-deal (2019年3月12日にアクセス)
4 Katy Nicholson, ed., *Toward a Transatlantic Green New Deal: Tackling the Climate and Economic Crises,* prepared by the Worldwatch Institute for the Heinrich Böll Foundation (Brussels: Heinrich-Böll-Stiftung, 2009),6 (引用).
5 "Countdown to Copenhagen: Germany's Responsibility for Climate Justice," Oxfam Deutschland, November 2009, https://www.oxfam.de/system/files/20091111Programm.pdf (2019年2月7日にアクセス).
6 Philipp Schepelmann et al., *A Green New Deal for Europe: Towards Green Modernisation in the Face of Crisis,* ed. Jacki Davis and Geoff Meade, vol.1 (Brussels: Green European Foundation, 2009).
7 Edward B. Barbier, *Rethinking the Economic Recovery: A Global Green New Deal,* report prepared for the United Nations Environment Programme, April 2009, https://www.cbd.int/development/doc/UNEP-global-green-new-deal.pdf (2019年3月12日にアクセス).
8 同上,16.
9 Enric Ruiz-Geli and Jeremy Rifkin, *A Green New Deal: From Geopolitics to Biosphere Politics,* bilingual ed. (Barcelona, Basel, and NewYork: Actar, 2011).
10 New Deal 4 Europe, "Petition to the European Parliament," http://www.newdeal4europe.eu/en/petition (2019年2月5日にアクセス).
11 Jill Stein and Ajamu Baraka campaign, "The Green New Deal," 2016, https://d3n8a8pro7vhmx.cloudfront.net/jillstein/pages/27056/attachments/original/1478104990/green-new-deal.pdf?1478104990 (2019年3月12日にアクセス).
12 Greg Carlock and Emily Mangan, *A Green New Deal: A Progressive Vision for Environmental Sustainability and Economic Stability,* Data for Progress, September 2018, http://filesforprogress.org/pdfs/Green_New_Deal.pdf (2019年3月12日にアクセス).
13 "Draft Text for Proposed Addendum to House Rules for 116th Congress of the United States," November 2018, https://docs.google.com/document/d/1jxUzp9SZ6-VB-

4wSm8sselVMsqWZrSrYpYC9slHKLzo/edit#heading=h.z7x8pz4dydey（2019年1月3日にアクセス）.

14 Jason Channell et al., *Energy Darwinism II: Why a Low Carbon Future Doesn't Have to Cost the Earth,* Citi GPS report, 2015, https://cusdi.org/wp-content/uploads/2016/02/ENERGY-DARWINISM-II-Why-a-Low-Carbon-Future-Doesn%E2%80%99t-Have-to-Cost-the-Earth.-Citi-GPSI.pdf（2019年3月24日にアクセス）, 8.

15 Pilita Clark, "Mark Carney Warns Investors Face 'Huge' Climate Change Losses," *Financial Times,* September 29, 2015, https://www.ft.com/content/622de3da-66e6-11e5-97d0-1456a776a4f5（2019年1月8日にアクセス）.

16 Mario Pickavet et al., "Worldwide Energy Needs for ICT: The Rise of Power-Aware Networking," paper presented at the 2008 International Conference on Advanced Networks and Telecommunication Systems, 2, doi:10.1109/ants.2008.4937762; Lotfi Belkhir and Ahmed Elmeligi, "Assessing ICT Global Emissions Footprint: Trends to 2040 & Recommendations," *Journal of Cleaner Production* 177（2018年1月2日）:448,doi:10.1016/j.jclepro.2017.12.239.

17 Belkhir and Elmeligi, "Assessing ICT Global Emissions Footprint," 458.

18 同上, 458-59.

19 Apple, "Apple Now Globally Powered by 100 Percent Renewable Energy," news release, April 9, 2018, https://www.apple.com/newsroom/2018/04/apple-now-globally-powered-by-100-percent-renewable-energy/（2019年1月15日にアクセス）.

20 Urs Hölzle, "100% Renewable Is Just the Beginning," Google news release, December 12, 2016, https://sustainability.google/projects/announcement-100（2019年2月7日にアクセス）.

21 Facebook, "2017 Year in Review: Data Centers," news release, December 11, 2017, https://code.fb.com/data-center-engineering/2017-year-in-review-data-centers/（2019年2月7日にアクセス）.

22 "Companies," RE100, http://there100.org/companies（2019年2月22日にアクセス）.

23 "The AT & T Issue Brief on Energy Management," August 2018, https://about.att.com/ecms/dam/csr/issuebriefs/IssueBriefs2018/environment/energy-management.pdf（2019年2月22日にアクセス）; "Intel Climate Change Policy Statement," December 2017, https://www.intel.com/content/www/us/en/corporate-responsibility/environment-climate-change-policy.html（2019年2月22日にアクセス）; Cisco, "CSR Environmental Sustainability," https://www.cisco.com/c/en/us/about/csr/impact/environmental-sustainability.html（2019年2月22日にアクセス）.

24 Steven Levy, "The Brief History of the ENIAC Computer: A Look Back at the Room-Size Government Computer That Began the Digital Era," *Smithsonian Magazine,* November 2013, https://www.smithsonianmag.com/history/the-brief-history-of-the-eniac-computer-3889120/（2019年3月12日にアクセス）.

25 Simon Kemp, *Digital in 2018: Essential Insights into the Internet, Social Media, Mobile, and Ecommerce Use Around the World,* Hootsuite and We Are Social Global Digital Report, 3.

26 Peter Diamandis, "Solar Energy Revolution: A Massive Opportunity," *Forbes,* September 2, 2014, https://www.forbes.com/sites/peterdiamandis/2014/09/02/solar-energy-revolution-a-massive-opportunity/#7f88662d6c90（2019年3月12日にアクセス）; Solarponics, *The Complete Homeowners' Guide to Going Solar,* 2016, https://

solarponics.com/wp-content/uploads/2017/02/chgtgs.pdf（2019年3月24日にアクセス）, 1.

27 LeAnne Graves, "Record Low Bids Submitted for Abu Dhabi's 350MW Solar Plant in Sweihan," *The National,* September 19, 2016,https://www.thenational.ae/business/record-low-bids-submitted-for-abu-dhabi-s-350mw-solar-plant-in-sweihan-1.213135（2019年3月3日にアクセス）.

28 IRENA, *Renewable Power Generation Costs in 2018,* International Renewable Energy Agency (Abu Dhabi, 2019): 18.

29 *Lazard's Levelized Cost of Energy Analysis— Version 12.0,* 2018, https://www.lazard.com/media/450784/lazards-levelized-cost-of-energy-version-120-vfinal.pdf（2019年3月19日にアクセス）.

30 Ramez Namm, "Smaller, Cheaper, Faster: Does Moore's Law Apply to Solar Cells?" *Scientific American* Guest Blog, March 16, 2011, https://blogs.scientificamerican.com/guest-blog/smaller-cheaper-faster-does-moores-law-apply-to-solar-cells/（2019年3月14日にアクセス）.

31 Cristina L. Archer and Mark Z. Jacobson, "Evaluation of Global Wind Power," *Journal of Geophysical Research* 110 (2005): 1, doi:10.1029/2004JD005462.

32 Mark Z. Jacobson et al., "100% Clean and Renewable Wind, Water, and Sunlight All-Sector Energy Roadmaps for 139 Countries of the World," *Joule* 1 (September 6, 2017). 35.

33 Richard J. Campbell, *The Smart Grid: Status and Outlook,* Congressional Research Service, April 10, 2018, https://fas.org/sgp/crs/misc/R45156.pdf, 8.

34 Electric Power Research Institute, *Estimating the Costs and Benefits of the Smart Grid: A Preliminary Estimate of the Investment Requirements and the Resultant Benefits of a Fully Functioning Smart Grid,* March 2011, https://www.smartgrid.gov/files/Estimating_Costs_Benefits_Smart_Grid_Preliminary_Estimate_In_201103.pdf（2019年3月24日にアクセス）, 1-2.

35 Electric Power Research Institute, *Estimating the Costs and Benefits of the Smart Grid, 4;* Electric Power Research Institute, *The Power to Reduce CO_2 Emissions: The Full Portfolio,* October 2009, https://www.smartgrid.gov/files/The_Power_to_Reduce_CO2_Emission_Full_Portfolio_Technical_R_200912.pdf（2019年3月23日にアクセス）, 2-1.

36 Pieter Gagnon et al., *Rooftop Solar Photovoltaic Technical Potential in the United States: A Detailed Assessment,* National Renewable Energy Laboratory, January 2016, vii-viii.

37 Jürgen Weiss, J. Michael Hagerty, and María Castañer, *The Coming Electrification of the North American Economy" : Why We Need a Robust Transmission Grid,* Brattle Group, 2019, 2.

38 Kerstine Appunn, Felix Bieler, and Julian Wettengel, "Germany's Energy Consumption and Power Mix in Charts," *Clean Energy Wire,* February 6, 2019; Rob Smith, "This Is How People in Europe Are Helping Lead the Energy Charge," World Economic Forum, April 25, 2018, https://www.weforum.org/agenda/2018/04/how-europe-s-energy-citizens-are-leading-the-way-to-100-renewable-power/（2019年3月5日にアクセス）.

39 Sören Amelang, Benjamin Wehrmann, and Julian Wettengel, "Climate, Energy and Transport in Germany's coalition treaty," *Clean Energy Wire,* February 7, 2018, https://www.cleanenergywire.org/factsheets/climate-and-energy-germanys-government-coalition-draft-treaty（2019年6月28日にアクセス）.

40 Edith Bayer, *Report on the German Power System, Version 1.2,* ed. Mara Marthe Kleine, アゴラ・エネルギーヴェンデの委託による調査, 9.

41 Appunn, Bieler, and Wettengel, "Germany's Energy Consumption and Power Mix in Charts."

42 Melissa Eddy, "Germany Lays Out a Path to Quit Coal by 2038," *New York Times,* January 26, 2019, https://www.nytimes.com/2019/01/26/world/europe/germany-quit-coal-2038.html (2019年3月4日にアクセス).

43 Sharan Burrow, "Climate: Towards a Just Transition, with No Stranded Workers and No Stranded Communities," OECD Insights, May 23, 2017, http://oecdinsights.org/2017/05/23/climate-towards-a-just-transition-with-no-stranded-workers-and-no-stranded-communities/ (2019年3月27日にアクセス).

44 同上.

45 Energie Baden-Württemberg, "International Committee of Experts Presents Road-Map for Climate Protection," news release, September 21, 2006, https://www.enbw.com/company/press/press-releases/press-release-details9683.html (2019年2月7日にアクセス).

46 BW, *Integrated Annual Report 2017,* https://www.enbw.com/enbwcom/downloadcenter/annual-reports/enbw-integrated-annual-report-2017.pdf (2019年5月14日にアクセス), 3.

47 E.ON, "Separation of E.ON Business Operations Completed on January 1: Uniper Launched on Schedule," news release, January 1, 2016, https://www.eon.com/en/about-us/media/press-releases/2016/2016-01-04-separation-of-eon-business-operations-completed-on-january-1-uniper-launched-on-schedule.html (2019年2月7日にアクセス).

48 Vattenfall, "Fossil-Free Living Within a Generation," in German, https://fossilfreedom.vattenfall.com/de/ (2019年2月28にアクセス); RWE, "Comprehensive Approach to Energy Transition Needed," news release, April 9, 2018, http://www.rwe.com/web/cms/en/3007818/press-releases/amer/ (2019年2月28日にアクセス).

49 International Renewable Energy Agency, *A New World: The Geopolitics of the Energy Transformation,* 2019, https://www.irena.org/publications/2019/Jan/A-New-World-The-Geopolitics-of-the-Energy-Transformation (2019年3月24日にアクセス), 28.

50 Jeremy Rifkin, *The Third Industrial Revolution: How Lateral Power Is Transforming Energy, the Economy, and the World* (New York: Palgrave Macmillan, 2011) [邦訳：『第三次産業革命――原発後の次代へ、経済・政治・教育をどう変えていくか』(田沢恭子訳、インターシフト、2012年)]; Paul Panckhurst and Peter Hirschberg, eds., "China's New Leaders Burnish Image by Revealing Personal Details," *Bloomberg News,* December 24, 2012, https://www.bloomberg.com/news/articles/2012-12-24/china-s-new-leaders-burnish-image-by-revealing-personal-details (2019年3月13日にアクセス).

51 Liu Zhenya, "Smart Grid Hosting and Promoting the Third Industrial Revolution," in Chinese, *Science and Technology Daily,* December 5, 2013, http://h.wokeji.com/pl/kjjy/201312/t20131205598738.shtml (2019年2月7日にアクセス).

52 The White House, "U.S.-China Joint Announcement on Climate Change," news release, November 11, 2014, https://obamawhitehouse.archives.gov/the-press-office/2014/11/11/us-china-joint-announcement-climate-change (2019年2月1日にアクセス).

53 Seb Henbest et al., *New Energy Outlook 2018: BNEF's Annual Long-Term Economic Analysis of the World's Power Sector out to 2050,* Bloomberg- NEF, 2018, https://bnef.

turtl.co/story/neo2018?teaser=true（2019年1月16日にアクセス）.

54 Li Hejun, *China's New Energy Revolution: How the World Super Power Is Fostering Economic Development and Sustainable Growth Through Thin Film Solar Technology* (New York: McGraw Hill Education, 2015), x-16.

55 Hanergy Holding Group Limited, "Hanergy and the Climate Group Host Forum on 'The Third Industrial Revolution & China' with Dr. Jeremy Rifkin," news release, Cision PR Newswire, September 9, 2013, https://www.prnewswire.com/news-releases/hanergy-and-the-climate-group-host-forum-on-the-third-industrial-revolution—china-with-dr-jeremy-rifkin-222930411.html（2019年3月23日にアクセス）.

56 Hanergy and APO Group—Africa Newsroom, "Running Without Charging: Hanergy Offers New Solar-Powered Express Delivery Cars to China's Top Delivery Companies," news release, December 2018, https://www.africa-newsroom.com/press/running-without-charging-hanergy-offers-new-solarpowered-express-delivery-cars-to-chinas-top-delivery-companies?lang=en（2019年3月5日にアクセス）.

57 "Hanergy's Alta Devices Leads the Industry, Setting New Efficiency Record for Its Solar Cell," PV Europe, November 15, 2018, https://www.pveurope.eu/Company-News/Hanergy-s-Alta-Devices-Leads-the-Industry-Setting-New-Efficiency-Record-for-Its-Solar-Cell（2019年3月5日にアクセス）.

58 Michael Renner et al., *Renewable Energy and Jobs: Annual Review 2018,* International Renewable Energy Agency, https://www.irena.org/-/media/Files/IRENA/Agency/Publication/2018/May/IRENA_RE_Jobs_Annual_Review_2018.pdf（2019年3月13日にアクセス）, 15.

59 CPS Energy, "Who We Are," https://www.cpsenergy.com/en/about-us/who-we-are.html（2019年2月22日にアクセス）.

60 Greg Harman, "Jeremy Rifkin on San Antonio, the European Union, and the Lessons Learned in Our Push for a Planetary-Scale Power Shift," *San Antonio Current,* September 27, 2011, https://www.sacurrent.com/sanantonio/jeremy-rifkin-on-san-antonio-the-european-union-and-the-lessons-learned-in-our-push-for-a-planetary-scale-power-shift/Content?oid=2242809（2019年3月24日にアクセス）.

61 Business Wire, "RC Accepts Application for Two New Nuclear Units in Texas," news release, November 30, 2007, https://www.businesswire.com/news/home/20071130005184/en/NRC-Accepts-Application-Nuclear-Units-Texas（2019年3月14日にアクセス）.

62 "NRG, CPS Energy Meet with Toshiba on Nuclear Cost," Reuters, November 12, 2009, https://www.reuters.com/article/utilities-nuclear-nrg/nrg-cps-energy-meet-with-toshiba-on-nuclear-cost-idUSN1250181920091112（2019年3月23日にアクセス）.

63 Lazard, "*Lazard's Levelized Cost of Energy Analysis— Version 12.0.*"

64 Gavin Bade, "Southern Increases Vogtle Nuke Price Tag by $1.1 Billion," *Utility Dive,* August 8, 2018, https://www.utilitydive.com/news/southern-increases-vogtle-nuke-pricetag-by-11-billion/529682/（2019年5月8日にアクセス）; Grace Dobush, "The Last Nuclear Power Plant Under Construction in the U.S. Lives to See Another Day," *Fortune,* September 27, 2018, http://fortune.com/2018/09/27/vogtle-nuclear-power-plant-construction-deal/（2019年3月28日にアクセス）.

65 Rye Druzin, "Texas Wind Generation Keeps Growing, State Remains at No. 1," *Houston Chronicle,* August 23, 2018, https://www.houstonchronicle.com/business/energy/

article/Texas-wind-generation-keeps-growing-state-13178629.php（2019年3月24日にアクセス）.

66 Mark Reagan, "CPS Energy Sets One-Day Record for Wind Energy Powering San Antonio," *San Antonio Current,* May 31, 2016, https://www.sacurrent.com/the-daily/archives/2016/03/31/cps-energy-sets-one-day-record-for-wind-energy-powering-san-antonio（2019年3月24日にアクセス）.

67 Gavin Bade, "Chicago's REV: How ComEd Is Reinventing Itself as a Smart Energy Platform," *Utility Dive,* March 31, 2016, https://www.utilitydive.com/news/chicagos-rev-how-comed-is-reinventing-itself-as-a-smart-energy-platform/416623/（2019年2月7日にアクセス）.

68 同上.

69 Ben Caldecott et al., *Stranded Assets and Renewables: How the Energy Transition Affects the Value of Energy Reserves, Buildings and Capital Stock,* International Renewable Energy Agency, 2017, 5.

70 同上, 6.

71 同上, 7.

第3章 ゼロ炭素社会の暮らし――自動化された電気車両による移動、接続点となるIoT建築物、スマートなエコロジカル農業

1 Isabella Burch and Jock Gilchrist, *Survey of Global Activity to Phase Out Internal Combustion Engine Vehicles,* ed. Ann Hancock and Gemma Waaland, Center for Climate Change, September 2018 revision, https://climateprotection.org/wp-content/uploads/2018/10/Survey-on-Global-Activities-to-Phase-Out-ICE-Vehicles-FINAL-Oct-3-2018.pdf（2019年3月24日にアクセス）, 2.

2 Alex Longley, "BofA Sees Oil Demand Peaking by 2030 as Electric Vehicles Boom," Bloomberg, January 22, 2018, https://www.bloomberg.com/news/articles/2018-01-22/bofa-sees-oil-demand-peaking-by-2030-as-electric-vehicles-boom（2019年3月24日にアクセス）; *Batteries Update: Oil Demand Could Peak by 2030,* Fitch Ratings, 2018, http://cdn.roxhillmedia.com/production/email/attachment/660001670000/FitchOil%20Demand%20Could%20Peak%20by%202030.pdf（2019年3月24日にアクセス）, 2.

3 Eric Garcetti, *L.A.'s Green New Deal: Sustainable City pLAn,* 2019, http://plan.lamayor.org/sites/default/files/pLAn2019final.pdf（2019年5月9日にアクセス）, 11.

4 Ron Bousso and Karolin Schaps, "Shell Sees Oil Demand Peaking by Late 2020s as Electric Car Sales Grow," Reuters, July 27, 2017, https://www.reuters.com/article/us-oil-demand-shell/shell-sees-oil-demand-peaking-by-late-2020s-as-electric-car-sales-grow-idUSKBN1AC1MG（2019年3月24日にアクセス）.

5 James Osborne, "Peak Oil Demand, a Theory with Many Doubters," *Houston Chronicle,* March 9, 2018, https://www.chron.com/business/energy/article/Peak-oil-demand-a-theory-with-many-doubters-12729734.php（2019年3月24日にアクセス）.

6 "Daimler Trucks Is Connecting Its Trucks with the Internet," Daimler Global Media Site, March 2016, https://media.daimler.com/marsMediaSite/en/instance/ko/Daimler-Trucks-is-connecting-its-trucks-with-the-internet.xhtml?oid=9920445（2019年2月7日にアクセス）.

7 同上.

8 Steven Montgomery, "The Future of Transportation Is Driverless, Shared and Networked," Ford Social, https://social.ford.com/enUS/story/ford-community/move-freely/the-future-of-transportation-is-driverless-shared-and-networked.html（2019年3月23日にアクセス）.

9 Barbora Bondorová and Greg Archer, *Does Sharing Cars Really Reduce Car Use?* Transport & Environment, 2017, https://www.transportenvironment.org/sites/te/files/publications/Does-sharing-cars-really-reduce-car-use-June%202017.pdf（2019年3月23日にアクセス）, 1.

10 Lawrence D. Burns, "Sustainable Mobility: A Vision of Our Transport Future," *Nature* 497 (2013): 182, doi:10.1038/497181a.

11 Navigant Research, *Transportation Forecast: Light Duty Vehicles,* 2017, https://www.navigantresearch.com/reports/transportation-forecast-light-duty-vehicles（2019年3月24日にアクセス）.

12 Burns, "Sustainable Mobility," 182.

13 Gunnela Hahn et al., *Framing Stranded Asset Risks in an Age of Disruption,* Stockholm Environment Institute, February 14, 2018, https://www.sei.org/publications/framing-stranded-assets-age-disruption/（2019年3月24日にアクセス）, 31.

14 Colin McKerracher, *Electric Vehicles Outlook 2018,* BloombergNEF, https://about.bnef.com/electric-vehicle-outlook/（2019年1月16日にアクセス）.

15 同上.

16 同上.

17 Edward Taylor and Jan Schwartz, "Bet Everything on Electric: Inside Volkswagen's Radical Strategy Shift," Reuters, February 6, 2019, https://www.reuters.com/article/us-volkswagen-electric-insight/bet-everything-on-electric-inside-volkswagens-radical-strategy-shift-idUSKCN1PV0K4（2019年6月28日にアクセス）; Paul A. Eisenstein, "Volkswagen boosts electric vehicle production by 50% with 22 million BEVs by 2029," *CNBC,* March 13, 2019, https://www.cnbc.com/2019/03/12/vw-boosts-electric-production-by-50percent-with-22-million-bevs-by-2029.html（2019年6月28日にアクセス）.

18 Edward Taylor and Jan Schwartz, "Bet Everything on Electric: Inside Volkswagen's Radical Strategy Shift," Reuters; Eric C. Evarts, "BMW plans 12 all-electric models by 2025," Green Car Reports, March 21, 2019, https://www.greencarreports.com/news/1122188_bmw-plans-12-all-electric-models-by-2025（2019年6月28日にアクセス）.

19 Evarts, "BMW plans 12 all-electric models by 2025."

20 Peter Campbell, "BMW electric profits to rival traditional engines by 2025," Financial Times, June 27, 2019, https://www.ft.com/content/2f7bd1e8-9821-11e9-8cfb-30c211dcd229（2019年7月1日にアクセス）.

21 Taylor and Schwartz, "Bet Everything on Electric."

22 "Volkswagen plans 36,000 charging points for electric cars throughout Europe," Volkswagen Newsroom, press release, June 6, 2019, https://www.volkswagen-newsroom.com/en/press-releases/volkswagen-plans-36000-charging-points-for-electric-cars-throughout-europe-5054（2019年6月28日にアクセス）.

23 同上; Hahn et al., *Framing Stranded Asset Risks in an Age of Disruption,* 12.

24 Henbest et al., *New Energy Outlook 2018.*

25 Eisenstein, "Volkswagen boosts electric vehicle production by 50% with 22 million BEVs by 2029."

26 Wood Mackenzie, *The Rise and Fall of Black Gold,* 2018, https://www.qualenergia.it/wp-content/uploads/2017/10/Thought_Leadership_Peak_Oil_Demand_LowRes.pdf（2019年3月23日にアクセス）, 4.

27 James Arbib and Tony Seba, *Rethinking Transportation 2020-2030: The Disruption of Transportation and the Collapse of the Internal-Combustion Vehicle and Oil Industries,* a RethinkX Sector Disruption Report, May 2017, https://static1.squarespace.com/static/585c3439be65942f022bbf9b/t/591a2e4be6f2e1c13df930c5/1494888038959/RethinkX+Report051517.pdf (accessed March 23, 2019年3月23日にアクセス), 7.

28 同上, 7.

29 同上.

30 INRIX, "Los Angeles Tops INRIX Global Congestion Ranking," news release, 2017, http://inrix.com/press-releases/scorecard-2017/（2019年3月23日にアクセス）.

31 Arbib and Seba, *Rethinking Transportation 2020-2030,* 8.

32 同上, 15, 32.

33 Longley, "BofA Sees Oil Demand Peaking by 2030 as Electric Vehicles Boom"; Bousso and Schaps, "Shell Sees Oil Demand Peaking by Late 2020s."

34 Tom DiChristopher, "Big Oil Is Sowing the Seeds for a 'Super-Spike' in Crude Prices Above $150, Bernstein Warns," CNBC, July 6, 2018, https://www.cnbc.com/2018/07/06/big-oil-sowing-the-seeds-for-crude-prices-above-150-bernstein-warns.html（2019年5月10日にアクセス）.

35 同上.

36 Assembly Bill No. 3232, Chapter 373 (Cal. 2018),https://leginfo.legislature.ca.gov/faces/billTextClient.xhtml?billid=201720180AB3232（2019年3月23日にアクセス）.

37 "Zero Net Energy," California Public Utilities Commission, http://www.cpuc.ca.gov/zne/（2019年2月8日にアクセス）.

38 Yolande Barnes, Paul Tostevin, and Vladimir Tikhnenko, *Around the World in Dollars and Cents,* Savills World Research, 2016, http://pdf.savills.asia/selected-international-research/1601-around-the-world-in-dollars-and-cents-2016-en.pdf（2019年3月23日にアクセス）, 5.

39 Mike Betts et al., *Global Construction 2030: A Global Forecast for the Construction Industry to 2030,* Global Construction Perspectives and Oxford Economics, 2015, https://www.globalconstruction2030.com/（2019年3月23日にアクセス）, 6.

40 Heidi Garrett-Peltier, *Employment Estimates for Energy Efficiency Retrofits of Commercial Buildings,* University of Massachusetts Political Economy Research Institute, 2011, https://www.peri.umass.edu/publication/item/426-employment-estimates-for-energy-efficiency-retrofits-of-commercial-buildings（2019年3月24日にアクセス）, 2.

41 "Questions and Answers: Energy Efficiency Tips for Buildings and Heating," Federal Ministry for the Environment, Nature Conservation and Nuclear Safety (Germany), https://www.bmu.de/en/topics/climate-energy/energy-efficiency/buildings/questions-and-answers-energy-efficiency-tips-for-buildings-and-heating/（2019年2月1日にアクセス）; John Calvert and Kaylin Woods, "Climate Change, Construction and Labour in Europe: A Study of the Contribution of Building Workers and Their Unions to 'Greening' the Built Environment in Germany, the United Kingdom and Denmark," W3 (Work in a Warming Warld)の調査員によるワークショップで提出された資料 "Greening

Work in a Chilly Climate," Toronto, November 2011, http://warming.apps01.yorku.ca/wp-content/uploads/WP2011-04CalvertClimate-Change-Construction-Labour-in-Europe.pdf（2019年3月23日にアクセス）, 15.

42 *The Internet of Things Business Index: A Quiet Revolution Gathers Pace,* Economist Intelligence Unit, 2013, http://fliphtml5.com/atss/gzeh/basic（2019年5月9日にアクセス）, 10.

43 Jeremy Rifkin, *The Zero Marginal Cost Society: The Internet of Things, the Collaborative Commons, and the Eclipse of Capitalism* (New York: Palgrave Macmillan, 2014)［邦訳：『限界費用ゼロ社会――〈モノのインターネット〉と共有型経済の台頭』(柴田裕之訳、NHK出版、2015年)］.

44 Haier, "Haier Group Announces Phase 2.0 of Its Cornerstone 'Rendanheyi' Business Model," Cision PR Newswire, September 21, 2015, https://www.prnewswire.com/news-releases/haier-group-announces-phase-20-of-its-cornerstone-rendanheyi-business-model-300146135.html（2019年3月9日にアクセス）.

45 Jim Stengel, "Wisdom from the Oracle of Qingdao," *Forbes,* November 13, 2012, https://www.forbes.com/sites/jimstengel/2012/11/13/wisdom-from-the-oracle-of-qingdao/#3439fecd624f（2019年3月5日にアクセス）; Haier, "Zhang Ruimin: Nine Years' Exploration of Haier's Business Models for the Internet Age," February 25, 2015, http://www.haier.net/en/about_haier/news/201502/t20150225262109.shtml（2019年3月5日にアクセス）.

46 Garrett-Peltier, *Employment Estimates for Energy Efficiency Retrofits of Commercial Buildings,* 2.

47 Kevin Muldoon-Smith and Paul Greenhalgh, "Understanding Climate-related Stranded Assets in the Global Real Estate Sector," in *Stranded Assets and the Environment: Risk, Resilience and Opportunity,* ed. Ben Caldecott (London: Routledge, 2018), 154; Kevin Muldoon-Smith and Paul Greenhalgh, "Suspect Foundations: Developing an Understanding of Climate-Related Stranded Assets in the Global Real Estate Sector," *Energy Research & Social Science* 54 (August 2019): 62.

48 M. J. Kelly, *Britain's Building Stock—A Carbon Challenge* (London: DCLG, 2008).

49 Ben Caldecott, "Introduction: Stranded Assets and the Environment," in Caldecott, ed., *Stranded Assets and the Environment,* 6.

50 "More Than 250 US Mayors Aim at 100% Renewable Energy by 2035," United Nations, June 28, 2017, https://unfccc.int/news/more-than-250-us-mayors-aim-at-100-renewable-energy-by-2035（2019年3月24日にアクセス）.

51 Muldoon-Smith and Greenhalgh, "Understanding Climate-related Stranded Assets in the Global Real Estate Sector," 157.

52 同上, 158.

53 同上, 159.

54 Lara Ettenson, "U.S. Clean Energy Jobs Surpass Fossil Fuel Employment," NRDC, February 1, 2017, https://www.nrdc.org/experts/lara-ettenson/us-clean-energy-jobs-surpass-fossil-fuel-employment（2019年2月25日にアクセス）; US Department of Energy, *2017 U.S. Energy and Employment Report,* https://www.energy.gov/downloads/2017-us-energy-and-employment-report（2019年3月24日にアクセス）.

55 Ettenson, "U.S. Clean Energy Jobs Surpass Fossil Fuel Employment."

56 Brookings Institution, *Advancing Inclusion Through Clean Energy Jobs,* April 2019,

https://www.brookings.edu/wp-content/uploads/2019/04/2019.04metroClean-Energy-JobsReportMuro-Tomer-Shivaran-Kane.pdf#page=14.

57 同上.

58 "Mayor Bowser Opens the DC Infrastructure Academy," press release, March 12, 2018, https://dc.gov/release/mayor-bowser-opens-dc-infrastructure-academy.

59 Fabio Monforti-Ferrario et al., *Energy Use in the EU Food Sector: State of Play and Opportunities for Improvement,* ed. Fabio Monforti-Ferrario and Irene Pinedo Pascua, European Commission Joint Research Centre, 2015, http://publications.jrc.ec.europa.eu/repository/bitstream/JRC96121/ldna27247enn.pdf（2019年3月23日にアクセス）, 7.

60 Pierre J. Gerber et al., *Tackling Climate Change Through Livestock: A Global Assessment of Emissions and Mitigation Opportunities* (Rome: Food and Agriculture Organization of the United Nations, 2013), xii.

61 Food and Agricultural Organization of the United Nations, *Livestock and Landscapes,* 2012, http://www.fao.org/3/ar591e/ar591e.pdf（2019年3月23日にアクセス）, 1.

62 Timothy P. Robinson et al., "Mapping the Global Distribution of Livestock," *PLoS ONE* 9, no. 5 (2014): 1, doi:10.1371/journal.pone.0096084; Susan Solomon et al., *AR4 Climate Change 2007: The Physical Science Basis,* Intergovernmental Panel on Climate Change, https://www.ipcc.ch/report/ar4/wg1/（2019年3月24日にアクセス）, 33.

63 H. Steinfeld et al., *Livestock's Long Shadow* (Rome: FAO, 2006), xxi.

64 Emily S. Cassidy et al., "Redefining Agricultural Yields: From Tonnes to People Nourished per Hectare," *Environmental Research Letters* 8, no. 3 (2013): 4, doi:10.1088/1748-9326/8/3/034015.

65 Janet Ranganathan et al., "Shifting Diets for a Sustainable Food Future," World Resources Institute Working Paper, 2016, https://www.wri.org/sites/default/files/Shifting_Diets_for_a_Sustainable_Food_Future_0.pdf（2019年3月23日にアクセス）, 21.

66 Alyssa Newcomb, "From Taco Bell to Carl's Jr., Grab-and- Go Vegetarian Options Are on the Rise," NBC News, February 6, 2019, https://www.nbcnews.com/business/consumer/taco-bell-mcdonald-s-vegetarian-options-are-rise-n966986（2019年3月6日にアクセス）; Danielle Wiener-Bronner, "Burger King Plans to Roll Out Impossible Whopper Across the United States," CNN, April 29, 2019, https://www.cnn.com/2019/04/29/business/burger-king-impossible-rollout/index.html（2019年5月9日にアクセス）.

67 Monforti-Ferrario et al., *Energy Use in the EU Food Sector,* 7.

68 Helga Willer and Julia Lernoud, eds., *The World of Organic Agriculture: Statistics and Emerging Trends 2018,* FiBL and IFOAM-Organics International, https://shop.fibl.org/CHde/mwdownloads/download/link/id/1093/?ref=1（2019年3月24日にアクセス）.

69 Organic Trade Association, "Maturing U.S. Organic Sector Sees Steady Growth of 6.4 Percent in 2017," news release, May 18, 2018, https://ota.com/news/press-releases/20236（2019年2月14日にアクセス）.

70 Karlee Weinmann, "Thanks to Co-op, Small Iowa Town Goes Big on Solar," Institute for Local Self-Reliance, February 3, 2017, https://ilsr.org/thanks-to-co-op-small-iowa-town-goes-big-on-solar（2019年2月14日にアクセス）.

71 Debbie Barker and Michael Pollan, "A Secret Weapon to Fight Climate Change: Dirt," *Washington Post,* December 4, 2015, https://www.washingtonpost.com/opinions/2015/12/04/fe22879e-990b-11e5-8917-653b65c809ebstory.html?utmterm=.b2aa65cc4e76（2019年3月7日にアクセス）.

72 Jeff Stein, "Congress Just Passed an $867 Billion Farm Bill. Here's What's in It," *Washington Post,* December 12, 2018, https://www.washingtonpost.com/business/2018/12/11/congresss-billion-farm-bill-is-out-heres-whats-it/?utmterm=.042ac7ab46fa（2019年3月6日にアクセス）.
73 April Reese, "Public Lands Are Critical to Any Green New Deal," *Outside,* April 8, 2019, https://www.outsideonline.com/2393257/green-new-deal-public-lands-clean-energy（2019年4月8日にアクセス）.
74 Matthew D. Merrill et al., *Federal Lands Greenhouse Gas Emissions and Sequestration in the United States: Estimates for 2005-14,* US Geological Survey, 2018, https://pubs.usgs.gov/sir/2018/5131/sir20185131.pdf（2019年5月9日にアクセス）.
75 同上.
76 同上.
77 Marie-Jean- Antoine- Nicolas Caritat, Marquis de Condorcet, *Outlines of an Historical View of the Progress of the Human Mind* (Philadelphia: M. Carey, 1796), https://oll.libertyfund.org/titles/1669（2019年5月11日にアクセス）.

第4章 臨界点——二〇二八年前後にやってくる化石燃料文明の崩壊

1 J.-F. Mercure et al., "Macroeconomic Impact of Stranded Fossil Fuel Assets," *Nature Climate Change* 8, no. 7 (2018): 588-93, doi:10.1038/ s41558-018-0182-1.
2 "Declaration of the European Parliament on Establishing a Green Hydrogen Economy and a Third Industrial Revolution in Europe Through a Partnership with Committed Regions and Cities, SMEs and Civil Society Organisations," 2007, https://eur-lex.europa.eu/legal-content/EN/TXT/?uri=CELEX%3A52007IP0197（2019年3月23日にアクセス）.
3 "Directive 2009/28/EC of the European Parliament and of the Council on the Promotion of the Use of Energy from Renewable Sources," *Official Journal of the European Union* (2009): L 140/17.
4 "Renewable Energy: Are Feed-in Tariffs Going out of Style?" *Power-Technology,* January 18, 2017, https://www.power-technology.com/features/featurerenewable-energy-are-feed-in-tariffs-going-out-of-style-5718419/（2019年3月24日にアクセス）.
5 David Coady et al., "How Large Are Global Fossil Fuel Subsidies?" *World Development* 91 (March 2017): 11, doi:10.1016/j.worlddev.2016.10.004.
6 Kingsmill Bond, *2020 Vision: Why You Should See the Fossil Fuel Peak Coming,* Carbon Tracker, September 2018, https://www.carbontracker.org/reports/2020-vision-why-you-should-see-the-fossil-fuel-peak-coming/（2019年3月24日にアクセス）, 31.
7 Kingsmill Bond, *Myths of the Energy Transition: Renewables Are Too Small to Matter,* Carbon Tracker, October 30, 2018, https://www.carbontracker.org/myths-of-the-transition-renewables-are-too-small/（2019年3月24日にアクセス）, 1.
8 Roger Fouquet, *Heat, Power and Light: Revolutions in Energy Services* (New York: Edward Elgar, 2008).
9 Bond, *Myths of the Energy Transition,* 3-4.
10 Bond, *2020 Vision,* 4.
11 同上, 5.
12 同上, 32.
13 Bobby Magill, "2019 Outlook: Solar, Wind Could Hit 10 Percent of U.S. Electricity,"

Bloomberg Environment, December 26, 2018, https://news.bloombergenvironment.com/environment-and-energy/2019-outlook-solar-wind-could-hit-10-percent-of-us-electricity（2019年3月24日にアクセス）; Bond, *2020 Vision,* 18, 22.

14 Bond, *2020 Vision,* 31.

15 同上.

16 同上, 32.

17 Magill, "2019 Outlook."

18 Megan Mahajan, "Plunging Prices Mean Building New Renewable Energy Is Cheaper Than Running Existing Coal," *Forbes,* December 3, 2018, https://www.forbes.com/sites/energyinnovation/2018/12/03/plunging-prices-mean-building-new-renewable-energy-is-cheaper-than-running-existing-coal/#3918a07731f3（2019年3月24日にアクセス）.

19 Justin Wilkes, Jacopo Moccia, and Mihaela Dragan, *Wind in Power: 2011 European Statistics,* European Wind Energy Association, February 2011, https://windeurope.org/about-wind/statistics/european/wind-in-power-2011/（2019年3月23日にアクセス）, 6.

20 T. W. Brown et al., "Response to 'Burden of Proof: A Comprehensive Review of the Feasibility of 100% Renewable-Electricity Systems," *Renewable and Sustainable Energy Reviews* 92 (2018): 834-47; Ben Elliston, Iain MacGill, and Mark Diesendorf, "Least Cost 100% Renewable Electricity Scenarios in the Australian National Electricity Market," *Energy Policy* 59 (August 2013): 270-82.

21 Kathryn Hopkins, "Fuel Prices: Iran Missile Launches Send Oil to $147 a Barrel Record," *The Guardian,* July 11, 2008, https://www.theguardian.com/business/2008/jul/12/oil.commodities（2019年3月24日にアクセス）.

22 Gebisa Ejeta, "Revitalizing Agricultural Research for Global Food Security," *Food Security* 1, no. 4 (2018): 395, doi:10.1007/s12571-009-0045-8.

23 Jad Mouawad, "Exxon Mobil Profit Sets Record Again," *New York Times,* February 1, 2008, https://www.nytimes.com/2008/02/01/business/01cnd-exxon.html（2019年3月24日にアクセス）.

24 Gunnela Hahn et al., *Framing Stranded Asset Risks in an Age of Disruption,* Stockholm Environment Institute, March 2018, https://f88973py3n24eoxbq1o3o0fz-wpengine.netdna-ssl.com/wp-content/uploads/2018/03/stranded-assets-age-disruption.pdf（2019年3月24日にアクセス）, 14.

25 同上, 12, 15.

26 US Energy Information Administration, *Annual Energy Outlook 2019,* January 2019, https://www.eia.gov/outlooks/aeo/（2019年3月24日にアクセス）, 72.

27 Christopher Arcus, "Wind & Solar + Storage Prices Smash Records," CleanTechnica, January 11, 2018, https://cleantechnica.com/2018/01/11/wind-solar-storage-prices-smash-records/（2019年3月24日にアクセス）.

28 "Tumbling Costs for Wind, Solar, Batteries Are Squeezing Fossil Fuels," BloombergNEF, March 28, 2018, https://about.bnef.com/blog/tumbling-costs-wind-solar-batteries-squeezing-fossil-fuels（2019年3月24日にアクセス）.

29 Gavin Bade, " 'Eyes Wide Open': Despite Climate Risks, Utilities Bet Big on Natural Gas," *Utility Dive,* September 27, 2016, https://www.utilitydive.com/news/eyes-wide-open-despite-climate-risks-utilities-bet-big-on-natural-gas/426869/（2019年3月24日にアクセス）.

30 International Renewable Energy Agency, *A New World: The Geopolitics of the Energy Transition,* January 2019, https://www.irena.org/publications/2019/Jan/A-New-World-The-Geopolitics-of-the-Energy-Transformation (2019年3月24日にアクセス), 40.

31 Enerdata, "Natural Gas Production," *Global Energy Statistical Yearbook 2018,* https://yearbook.enerdata.net/natural-gas/world-natural-gas-production-statistics.html (2019年2月19日にアクセス).

32 Mark Dyson, Alexander Engel, and Jamil Farbes, *The Economics of Clean Energy Portfolios: How Renewables and Distributed Energy Resources Are Outcompeting and Can Strand Investment in Natural Gas-Fired Generation,* Rocky Mountain Institute, May 2018, https://www.rmi.org/wp-content/uploads/2018/05/RMI_Executive_Summary_Economics_of_Clean_Energy_Portfolios.pdf (2019年3月24日にアクセス), 6.

33 同上.

34 同上, 8-9.

35 同上, 10.

36 Enerdata, "Crude Oil Production," *Global Energy Statistical Yearbook 2018,* https://yearbook.enerdata.net/crude-oil/world-production-statitistics.html[sic] (2019年2月19日にアクセス).

37 Julie Gordon and Jessica Jaganathan "UPDATE 5 Massive Canada LNG Project Gets Green Light as Asia Demand for Fuel Booms," CNBC, October 2, 2018, https://www.cnbc.com/2018/10/02/reuters-america-update-5-massive-canada-lng-project-gets-green-light-as-asia-demand-for-fuel-booms.html (2019年3月22日にアクセス).

38 "Coastal GasLink," TransCanada Operations, https://www.transcanada.com/en/operations/natural-gas/coastal-gaslink/ (2019年2月19日にアクセス).

39 Gordon and Jaganathan, "UPDATE 5."

40 Jurgen Weiss et al., *LNG and Renewable Power: Risk and Opportunity in a Changing World,* Brattle Group, January 15, 2016, https://brattlefiles.blob.core.windows.net/files/7222_lng_and_renewable_power_-_risk_and_opportunity_in_a_changing_world.pdf (2019年3月22日), iii.

41 International Renewable Energy Agency, *A New World,* 40.

42 Weiss et al., *LNG and Renewable Power,* v.

43 同上, vi-viii.

44 Akshat Rathi, "The EU has spent nearly $500 million on technology to fight climate change—with little to show for it," *Quartz,* October 23, 2018, https://qz.com/1431655/the-eu-spent-e424-million-on-carbon-capture-with-little-to-show-for-it/ (2019年4月9日にアクセス); European Court of Auditors, *Demonstrating Carbon Capture and Storage and Innovative Renewables at Commercial Scale in the EU: Intended Progress Not Achieved in the Past Decade,* October 23, 2018, https://www.eca.europa.eu/Lists/ECADocuments/SR1824/SRCCSEN.pdf (2019年5月10日にアクセス).

45 Vaclav Smil, "Global Energy: The Latest Infatuations," *American Scientist* 99 (May-June 2011): 212, doi: 10.1511/2011.90.212.

46 Joe Room, "Mississippi Realizes How to Make a Clean Coal Plant Work: Run It on Natural Gas," *ThinkProgress,* June 22, 2017, https://thinkprogress.org/clean-coal-natural-gas-kemper-24e5e6db64fd/ (2019年4月5日).

47 "Why Aren't All Commercial Flights Powered by Sustainable Fuel?" *The Economist,* March 15, 2018, https://www.economist.com/the-economist-explains/2018/03/15/why-

arent-all-commercial-flights-powered-by-sustainable-fuel（2019年5月2日にアクセス）.

48 Bioways, *D2.1 Bio-based products and applications potential,* May 31, 2017, http://www.bioways.eu/download.php?f=150&l=en&key=441a4e6a27f83a8e828b802c37adc6e1, 8-9.

49 Glenn-Marie Lange, Quentin Wodon, and Kevin Carey, eds., *The Changing Wealth of Nations 2018: Building a Sustainable Future* (Washington, DC: World Bank, 2018), 103, http://hdl.handle.net/10986/29001.

50 同上, 14.

51 Lange, Wodon, and Carey, *The Changing Wealth of Nations,* 111.

52 Lazard, "Lazard Releases Annual Levelized Cost of Energy and Levelized Cost of Storage Analyses," news release, November 8, 2018, https://www.lazard.com/media/450781/11-18-lcoelcos-press-release-2018_final.pdf（2019年3月22日にアクセス）.

53 同上.

54 Bank of England, "PRA Review Finds That 70% of Banks Recognise That Climate Change Poses Financial Risks," news release, September 26, 2018, https://www.bankofengland.co.uk/news/2018/september/transition-in-thinking-the-impact-of-climate-change-on-the-uk-banking-sector（2019年3月19日にアクセス）.

55 Task Force on Climate-Related Financial Disclosures, *Recommendations of the Task Force on Climate-Related Financial Disclosures,* June 2017, https://www.fsb-tcfd.org/wp-content/uploads/2017/06/FINAL-TCFD-Report-062817.pdf（2019年3月24日にアクセス）, iii.

56 同上, ii, citing *Economist* Intelligence Unit, *The Cost of Inaction: Recognising the Value at Risk from Climate Change,* 2015, 41.

57 Task Force on Climate-Related Financial Disclosures, *Recommendations,* ii, citing International Energy Agency, "Chapter 2: Energy Sector Investment to Meet Climate Goals," in *Perspectives for the Energy Transition: Investment Needs for a Low-Carbon Energy System,* OECD/IEA and IRENA, 2017, 51.

58 *Economist* Intelligence Unit, *The Cost of Inaction: Recognising the Value Notes at Risk from Climate Change,* 2015, https://eiuperspectives.economist.com/sites/default/files/The%20cost%20of%20inaction_0.pdf（2019年4月10日）, 17.

59 Task Force on Climate-Related Financial Disclosures, *2018 Status Report,* September 2018, https://www.fsb-tcfd.org/wp-content/uploads/2018/09/FINAL-2018-TCFD-Status-Report-092618.pdf（2019年4月23日にアクセス）, 2.

60 Bloomberg Philanthropies, "TCFD Publishes First Status Report While Industry Support Continues to Grow," news release, September 26, 2019, https://www.bloomberg.org/press/releases/tcfd-publishes-first-status-report-industry-support-continues-grow/（2019年3月24日にアクセス）.

第5章 巨人を目覚めさせる——声を上げる年金の力

1 Tom Harrison et al., *Not Long Now: Survey of Fund Managers' Responses to Climate-Related Risks Facing Fossil Fuel Companies,* Climate Change Collaboration and UK Sustainable Investment and Finance Association, April 2018, http://uksif.org/wp-content/uploads/2018/04/UPDATED-UKSIF-Not-Long-Now-Survey-report-2018-ilovepdf-compressed.pdf（2019年3月24日にアクセス）, 3, 5; Felicia Jackson, "Three Risks That Are Haunting Big Oil," *Forbes,* April 26, 2018, https://www.forbes.com/

sites/feliciajackson/2018/04/26/three-risks-that-are-haunting-big-oil/#335c06212739 (2019年3月24日にアクセス).

2 Thinking Ahead Institute, *Global Pension Assets Study 2018,* Willis Towers Watson, February 5, 2018, https://www.thinkingaheadinstitute.org/en/Library/Public/Research-and-Ideas/2018/02/Global-Pension-Asset-Survey-2018 (2019年3月23日にアクセス), 3, 5, 11.

3 International Trade Union Confederation, "Just Transition Centre," https://www.ituc-csi.org/just-transition-centre (2019年2月19日にアクセス).

4 Pension Rights Center, "How Many American Workers Participate in Workplace Retirement Plans?" January 18, 2018, http://www.pensionrights.org/publications/statistic/how-many-american-workers-participate-workplace-retirement-plans (2019年3月24日にアクセス).

5 *Congressional Record,* May 13, 1946, 4891-911.

6 Personal interview with William Winpisinger, July 18, 1977.

7 Nicholas Lemann, *The Promised Land: The Great Black Migration and How It Changed America* (New York: Vintage Books, 1992) [邦訳：ニコラス・レマン『約束の土地——現代アメリカの希望と挫折』(松尾弌之訳、桐原書店、1993年)], 5.

8 Willis Peterson and Yoav Kislev, "The Cotton Harvester in Retrospect: Labor Displacement or Replacement?" University of Minnesota, Department of Agricultural and Applied Economics, Staff Paper P81-25, September 1991, 1-2.

9 Lemann, *The Promised Land* [前掲『約束の土地』], 6.

10 Marcus Jones, *Black Migration in the United States: With Emphasis on Selected Central Cities* (Saratoga, CA: Century 21 Publishing, 1980), 46.

11 William Julius Wilson, *The Declining Significance of Race* (Chicago: University of Chicago Press, 1978), 93; Thomas J. Sugrue, "The Structures of Urban Poverty: The Reorganization of Space and Work in Three Periods of American History," in *The Underclass Debate: Views from History,* ed. Michael Katz (Princeton: Princeton University Press, 1993), 102.

12 UAW data submitted to *Hearings Before the United States Commission on Civil Rights,* held in Detroit, December 14-15, 1960 (Washington, DC: USGPO, 1961), 63-65.

13 John Judis, "The Jobless Recovery," *New Republic,* March 15, 1993, 20.

14 Will Barnes, "The Second Industrialization of the American South," 2007, posted by IDP August 1, 2013, https://libcom.org/library/second-industrialization-american-south (2019年4月16日にアクセス).

15 Jeremy Rifkin and Randy Barber, *The North Will Rise Again: Pensions, Politics and Power in the 1980s* (Boston: Beacon Press, 1978), 7.

16 同上, 10-11.

17 同上, 13.

18 同上.

19 Michael Decourcy Hinds, "Public Pension Funds Tempt States in Need," *New York Times,* December 2, 1989, https://www.nytimes.com/1989/12/02/us/public-pension-funds-tempt-states-in-need.html (2019年2月28日にアクセス); Jeffery Kaye, "Unions Map Investment Guidelines," *Washington Post,* March 9, 1980, https://www.washingtonpost.com/archive/business/1980/03/09/unions-map-investment-guidelines/2008e77d-5e0a-42bf-99fb-6980854f0b77/?utmterm=.a04a4b604fbf (2019年4月

10日にアクセス).

20 Owen Davis, "All Roads Lead to Wall Street," *Dissent Magazine,* October 16, 2018, https://www.dissentmagazine.org/onlinearticles/working-class-shareholder-labor-activism-finance (2019年2月19日にアクセス).

21 Richard Marens, "Waiting for the North to Rise: Revisiting Barber and Rifkin After a Generation of Union Financial Activism in the U.S.," *Journal of Business Ethics* 52, no. 1 (2004): 109.

22 同上.

23 Richard Marens, "Extending Frames and Breaking Windows: Labor Activists as Shareholder Advocates," *Ephemera* 7, no. 3 (2007): 457, http://www.ephemerajournal.org/sites/default/files/7-3marens.pdf (2019年3月23日にアクセス).

24 "1,000+ Divestment Commitments," Fossil Free, https://gofossilfree.org/divestment/commitments/ (2019年3月15日にアクセス).

25 ICLEI, *New York City Moves to Divest Pension Funds from Billions of Dollars in Fossil Fuel Reserves,* 2018, http://icleiusa.org/wp-content/uploads/2018/09/NYC-Divestment-Case-Study-ICLEI-USA.pdf (2019年3月23日にアクセス), 9.

26 Oliver Milman, "New York City Plans to Divest $5bn from Fossil Fuels and Sue Oil Companies," *The Guardian,* January 10, 2018, https://www.theguardian.com/us-news/2018/jan/10/new-york-city-plans-to-divest-5bn-from-fossil-fuels-and-sue-oil-companies (2019年2月4日にアクセス).

27 City of New York, Community Development Block Grant Disaster Recovery, "Impact of Hurricane Sandy," https://www1.nyc.gov/site/cdbgdr/about/About%20Hurricane%20Sandy.page (2019年2月26日にアクセス).

28 Emily Cassidy, "5 Major Cities Threatened by Climate Change and Sea Level Rise," *City Fix,* October 15, 2018, https://thecityfix.com/blog/5-major-cities-threatened-climate-change-sea-level-rise-emily-cassidy/ (2019年3月23日にアクセス).

29 ICLEI, *New York City Moves to Divest,* 13.

30 City of New York, *One New York: The Plan for a Strong and Just City,* 2015, http://www.nyc.gov/html/onenyc/downloads/pdf/publications/OneNYC.pdf (2019年3月23日にアクセス), 166.

31 Bill de Blasio and Sadiq Khan, "As New York and London Mayors, We Call on All Cities to Divest from Fossil Fuels," *The Guardian,* September 10, 2018, https://www.theguardian.com/commentisfree/2018/sep/10/london-new-york-cities-divest-fossil-fuels-bill-de-blasio-sadiq-khan (2019年3月24日にアクセス).

32 同上.

33 Gail Moss, "Biggest US Pension Funds 'Must Consider Climate-Related Risks,'" *Investments & Pensions Europe,* September 3, 2018, https://www.ipe.com/news/esg/biggest-us-pension-funds-must-consider-climate-related-risks-updated/10026446.article (2019年3月23日にアクセス).

34 California State Legislature, "Bill Information," SB-964, Public Employees' Retirement Fund and Teachers' Retirement Fund: Investments: Climate-Related Financial Risk (2017-18), https://leginfo.legislature.ca.gov/faces/billStatusClient.xhtml?billid=201720180SB964 (2019年3月23日にアクセス).

35 同上.

36 California State Teachers' Retirement System, "CalSTRS at a Glance," fact sheet,

January 2019, https://www.calstrs.com/sites/main/files/file-attachments/calstrsataglance.pdf（2019年2月26日にアクセス）.

37 CalPERS, "CalPERS Board Elects Henry Jones as President, Theresa Taylor as Vice President," news release, January 22, 2019, https://www.calpers.ca.gov/page/newsroom/calpers-news/2019/board-elects-president-vice-president（2019年3月24日にアクセス）.

38 Ivan Penn and Peter Eavis, "PG&E Is Cleared in Deadly Tubbs Fire of 2017," *New York Times,* January 24, 2019, https://www.nytimes.com/2019/01/24/business/energy-environment/pge-tubbs-fire.html（2019年3月4日にアクセス）.

39 Rob Smith, "The World's Biggest Economies in 2018," World Economic Forum, April 18, 2018, https://www.weforum.org/agenda/2018/04/the-worlds-biggest-economies-in-2018/（2019年3月23日にアクセス）.

40 Patrick Collinson and Julia Kollewe, "UK Pension Funds Get Green Light to Dump Fossil Fuel Investments," *The Guardian,* June 18, 2018, https://www.theguardian.com/business/2018/jun/18/uk-pension-funds-get-green-light-to-dump-fossil-fuel-investments（2019年2月26日にアクセス）.

41 同上.

42 Department for Work and Pensions, United Kingdom, *Consultation on Clarifying and Strengthening Trustees' Investment Duties: The Occupational Pension Schemes (Investment and Disclosure) (Amendment) Regulations 2018,* June 2018, https://assets.publishing.service.gov.uk/government/uploads/system/uploads/attachment_data/file/716949/consultation-clarifying-and-strengthening-trustees-investment-duties.pdf（2019年4月10日にアクセス）, 19.

43 UNISON, *Local Government Pension Funds—Divest from Carbon Campaign: A UNISON Guide,* January 2018, https://www.unison.org.uk/content/uploads/2018/01/Divest-from-carbon-campaign.pdf（2019年3月23日にアクセス）, 2.

44 Nina Chestney, "Ireland Commits to Divesting Public Funds from Fossil Fuel Companies," Reuters, July 12, 2018, https://www.reuters.com/article/us-ireland-fossilfuels-divestment/ireland-commits-to-divesting-public-funds-from-fossil-fuel-companies-idUSKBN1K22AA（2019年2月19日にアクセス）.

45 Richard Milne and David Sheppard, "Norway's $1tn Wealth Fund Set to Cut Oil and Gas Stocks," *Financial Times,* March 8, 2019, https://www.ft.com/content/d32142a8-418f-11e9-b896-fe36ec32aece（2019年3月8日にアクセス）.

46 Douglas Appell, "South Korean Pension Funds Declare War on Coal," *Pensions & Investments,* October 5, 2018, https://www.pionline.com/article/20181005/ONLINE/181009888/south-korean-pension-funds-declare-war-on-coal（2019年2月19日にアクセス）.

47 Korea Sustainability Investing Forum, "Two Korean Pension Funds Worth US$22 Billion Exit Coal Finance," 350.org, October 4, 2018, http://world.350.org/east-asia/two-korean-pension-funds-worth-us22-billion-exit-coal-finance/（2019年2月19日にアクセス）.

48 Peter Bosshard, *Insuring Coal No More: The 2018 Scorecard on Insurance, Coal, and Climate Change,* Unfriend Coal, December 2018, https://unfriendcoal.com/2018scorecard/（2019年3月23日にアクセス）, 4-6.

49 Consumer Watchdog, "Top Ten U.S. Insurance Companies' Investment in Climate Change," https://www.consumerwatchdog.org/top-ten-us-insurance-companies-

investment-climate-change（2019年3月18日 に ア ク セ ス）; Aon Benfield, *Weather, Climate & Catastrophic Insight: 2017 Annual Report,* http://thoughtleadership.aonbenfield.com/Documents/20180124-ab-if-annual-report-weather-climate-2017.pdf（2019年3月23日にアクセス）, 30.

50 Vitality Katsenelson, "Stocks Are Somewhere Between Tremendously and Enormously Overvalued," *Advisor Perspectives,* October 30, 2018, https://www.advisorperspectives.com/articles/2018/10/30/stocks-are-somewhere-between-tremendously-and-enormously-overvalued（2019年2月19日にアクセス）.

51 Pew Charitable Trusts, "The State Pension Funding Gap: 2015," April 20, 2017, https://www.pewtrusts.org/en/research-and-analysis/issue-briefs/2017/04/the-state-pension-funding-gap-2015（2019年2月19日にアクセス）.

52 Tom Sanzillo, "IEEFA Update: 2018 Ends with Energy Sector in Last Place in the S&P 500," Institute for Energy Economics and Financial Analysis, January 2, 2019, http://ieefa.org/ieefa-update-2018-ends-with-energy-sector-in-last-place-in-the-sp-500/（2019年4月8日にアクセス）.

53 Alison Moodie, "New York Pension Fund Could Have Made Billions by Divesting from Fossil Fuels—Report," *The Guardian,* March 4, 2016, https://www.theguardian.com/sustainable-business/2016/mar/04/fossil-fuel-divestment-new-york-state-pension-fund-hurricane-sandy-ftse（2019年2月19日にアクセス）.

第6章 経済改革——新しい社会資本主義

1 Morgan Stanley Institute for Sustainable Investing, *Sustainable Signals: New Data from the Individual Investor,* 2017, https://www.morganstanley.com/pub/content/dam/msdotcom/ideas/sustainable-signals/pdf/Sustainable_Signals_Whitepaper.pdf（2019年3月23日にアクセス）, 1.

2 Forum for Sustainable and Responsible Investment, "Sustainable Investing Assets Reach $12 Trillion as Reported by the US SIF Foundation's Biennial Report on US Sustainable, Responsible and Impact Investing Trends," news release, October 31, 2018, https://www.ussif.org/files/US%20SIF%20Trends%20Report%202018%20Release.pdf（2019年2月19日にアクセス）.

3 George Serafeim, *Public Sentiment and the Price of Corporate Sustainability,* Harvard Business School Working Paper 19-044, 2018, https://www.hbs.edu/faculty/Publication%20Files/19-044_a9bbfba2-55e1-4540-bda5-8411776a42ae.pdf（2019年3月4日にアクセス）; Nadja Guenster et al., "The Economic Value of Corporate Eco-Efficiency," *European Financial Management* 17, no. 4 (September 2011): 679-704, doi:10.1111/ j.1468-036X.2009.00532.x; Gordon Clark, Andreas Finer, and Michael Viehs, *From the Stockholder to the Stakeholder: How Sustainability Can Drive Financial Outperformance,* University of Oxford and Arabesque Partners, March 2015, https://arabesque.com/research/From_the_stockholder_to_the_stakeholder_web.pdf（2019年3月24日にアクセス）.

4 Jessica Taylor, Alex Lake, and Christina Weimann, *The Carbon Scorecard,* S&P Dow Jones Indices, May 2018, https://us.spindices.com/documents/research/research-the-carbon-scorecard-may-2018.pdf（2019年3月23日）, 1.

5 同上.

6 Jonathan Woetzel et al., *Bridging Infrastructure Gaps: Has the World Made Progress?* McKinsey & Company, October 2017, https://www.mckinsey.com/industries/capital-projects-and-infrastructure/our-insights/bridging-infrastructure-gaps-has-the-world-made-progress（2019年3月24日にアクセス）, 5; Jeffery Stupak, *Economic Impact of Infrastructure Investment,* Congressional Research Service, https://fas.org/sgp/crs/misc/R44896.pdf（2019年3月24日にアクセス）, 1.

7 Ipsos, "Global Infrastructure Index—Public Satisfaction and Priorities 2018," 2018, https://www.ipsos.com/en/global-infrastructure-index-public-satisfaction-and-priorities-2018（2019年2月27日にアクセス）, 5.

8 Lydia DePillis, "Trump Unveils Infrastructure Plan," CNN, February 12, 2018, https://money.cnn.com/2018/02/11/news/economy/trump-infrastructure-plan-details/index.html（2019年2月27日にアクセス）.

9 Ed O'Keefe and Steven Mufson, "Senate Democrats Unveil a Trump-Size Infrastructure Plan," *Washington Post,* January 24, 2017, https://www.washingtonpost.com/politics/democrats-set-to-unveil-a-trump-style-infrastructure-plan/2017/01/23/332be2dc-e1b3-11e6-a547-5fb9411d332cstory.html?utmterm=.0c4ac52f5d8c（2019年2月27日にアクセス）.

10 "America's Splurge," *The Economist,* February 14, 2008, https://www.economist.com/briefing/2008/02/14/americas-splurge（2019年2月27日にアクセス）.

11 "The Interstate Highway System," History (TV network), May 27, 2010, https://www.history.com/topics/us-states/interstate-highway-system（2019年2月27日にアクセス）.

12 KEMA, *The U.S. Smart Grid Revolution: KEMA's Perspectives for Job Creation,* January 13, 2009, https://www.smartgrid.gov/files/TheUS_Smart_Grid_Revolution_KEMA_Perspectives_for_Job_Cre_200907.pdf（2019年4月3日にアクセス）, 1.

13 U.S. Department of Transportation Federal Highway Administration, "Why President Dwight D. Eisenhower Understood We Needed the Interstate System," updated July 24, 2017, https://www.fhwa.dot.gov/interstate/brainiacs/eisenhowerinterstate.cfm（2019年4月3日にアクセス）.

14 Electric Power Research Institute, Estimating the Costs and Benefits of the Smart Grid: A Preliminary Estimate of the Investment Requirements and the Resultant Benefits of a Fully Functioning Smart Grid, March 2011, https://www.smartgrid.gov/files/Estimating_Costs_Benefits_Smart_Grid_Preliminary_Estimate_In_201103.pdf（2019年3月24日にアクセス）, 1-4.

15 Terry Dinan, *Federal Support for Developing, Producing, and Using Fuels and Energy Technologies,* Congressional Budget Office, March 29, 2017,https://www.cbo.gov/system/files/115th-congress-2017-2018/reports/52521-energytestimony.pdf（2019年4月10日にアクセス）, 3; David Funkhouser, "How Much Do Renewables Actually Depend on Tax Breaks?" Earth Institute, Columbia University, March 16, 2018, https://blogs.ei.columbia.edu/2018/03/16/how-much-do-renewables-actually-depend-on-tax-breaks/（2019年3月28日にアクセス）.

16 *The Plug-In Electric Vehicle Tax Credit,* Congressional Research Service, November 6, 2018, https://fas.org/sgp/crs/misc/IF11017.pdf（2019年4月10日にアクセス）.

17 *United States Building Energy Efficiency Retrofits: Market Sizing and Financing Models,* Rockefeller Foundation and Deutsche Bank Group, March 2012, http://web.mit.edu/cron/project/EESP-Cambridge/Articles/Finance/Rockefeller%20and%20DB%20-%20March%202012%20-%20Energy%20Efficiency%20Market%20Size%20and%20

Finance%20Models.pdf (2019年4月10日にアクセス), 3.

18 Jürgen Weiss, J. Michael Hagerty, and María Castañer, *The Coming Electrification of the North American Economy: Why We Need a Robust Transmission Grid,* Brattle Group, March 1, 2019, https://manitobaenergycouncil.ca/information/the-coming-electrification-of-the-north-american-economy (2019年4月10日にアクセス).

19 Elizabeth McNichol, *It's Time for States to Invest in Infrastructure,* Center on Budget and Policy Priorities, 2017, https://www.cbpp.org/sites/default/files/atoms/files/2-23-16sfp.pdf (2019年3月23日にアクセス), 5.

20 Woetzel et al., *Bridging Infrastructure Gaps,* 5.

21 Jeffery Werling and Ronald Horst, *Catching Up: Greater Focus Needed to Achieve a More Competitive Infrastructure,* report to the National Association of Manufacturers, September 2014, https://www.nam.org/Issues/Infrastructure/Surface-Infrastructure/Infrastructure-Full-Report-2014.pdf (2019年3月12日にアクセス), 9.

22 Jeff Stein, "Ocasio-Cortez Wants Higher Taxes on Very Rich Americans. Here's How Much Money That Could Raise," *Washington Post,* January 5, 2019, https://www.washingtonpost.com/business/2019/01/05/ocasio-cortez-wants-higher-taxes-very-rich-americans-heres-how-much-money-could-that-raise/?utmterm=.bcc9d21df1ca (2019年3月28日にアクセス).

23 "The World's Billionaires, 2018 Ranking," *Forbes,* https://www.forbes.com/billionaires/list/ (2019年3月5日にアクセス).

24 Kathleen Elkins, "Bill Gates Suggests Higher Taxes on the Rich—The Current System Is 'Not Progressive Enough,' He Says," CNBC, February 14, 2019, https://www.cnbc.com/2019/02/13/bill-gates-suggests-higher-taxes-on-those-with-great-wealth.html (2019年3月1日にアクセス).

25 Emmie Martin, "Warren Buffett and Bill Gates Agree That the Rich Should Pay Higher Taxes—Here's What They Suggest," CNBC, February 26, 2019, https://www.cnbc.com/2019/02/25/warren-buffett-and-bill-gates-the-rich-should-pay-higher-taxes.html (2019年3月1日にアクセス).

26 American Society of Civil Engineers, *The 2017 Infrastructure Report Card: A Comprehensive Assessment of America's Infrastructure,* https://www.infrastructurereportcard.org/wp-content/uploads/2017/01/2017-Infrastructure-Report-Card.pdf (2019年3月12日にアクセス), 7.

27 Adam B. Smith, "2017 U.S. Billion-Dollar Weather and Climate Disasters: A Historic Year in Context," NOAA, January 8, 2018, https://www.climate.gov/news-features/blogs/beyond-data/2017-us-billion-dollar-weather-and-climate-disasters-historic-year (2019年2月27日にアクセス).

28 Jeff Stein, "U.S. Military Budget Inches Closer to $1 Trillion Mark, as Concerns over Federal Deficit Grow," *Washington Post,* June 19, 2018, https://www.washingtonpost.com/news/wonk/wp/2018/06/19/u-s-military-budget-inches-closer-to-1-trillion-mark-as-concerns-over-federal-deficit-grow/?utmterm=.1f2b242af129 (2019年2月27日にアクセス).

29 Congressional Budget Office, "Weapon Systems," https://www.cbo.gov/topics/defense-and-national-security/weapon-systems (2019年2月27日にアクセス).

30 "U.S. Defense Spending Compared to Other Countries," Peter G. Peterson Foundation, May 7, 2018, https://www.pgpf.org/chart-archive/0053_defense-comparison (2019年3月

27日にアクセス).

31 Dana Nuccitelli, "America Spends over $20bn per Year on Fossil Fuel Subsidies. Abolish Them," *The Guardian,* July 30, 2018, https://www.theguardian.com/environment/climate-consensus-97-per-cent/2018/jul/30/america-spends-over-20bn-per-year-on-fossil-fuel-subsidies-abolish-them (2019年5月13日にアクセス); Janet Redman, *Dirty Energy Dominance: Dependent on Denial,* Oil Change International, October 2017, http://priceofoil.org/content/uploads/2017/10/OCI_US-Fossil-Fuel-Subs-2015-16_Final_Oct2017.pdf (2019年5月4日にアクセス), 5.

32 Ingo Walter and Clive Lipshitz, "Public Pensions and Infrastructure: A Match Made in Heaven," *The Hill,* February 14, 2019, https://thehill.com/opinion/finance/430061-public-pensions-and-infrastructure-a-match-made-in-heaven (2019年3月27日にアクセス).

33 Green Bank Network, "Green Bank Network Impact Through July 2018," https://greenbanknetwork.org/gbn-impact/ (2019年4月19日にアクセス).

34 International Trade Union Confederation, *What Role for Pension Funds in Financing Climate Change Policies?* May 23, 2012, https://www.ituc-csi.org/what-role-for-pension-funds-in,12358 (2019年4月19日にアクセス).

35 Devashree Saha and Mark Muro, "Green Bank Bill Nods to States," Brookings blog *The Avenue,* May 20, 2014, https://www.brookings.edu/blog/the-avenue/2014/05/20/green-bank-bill-nods-to-states/ (2019年4月19日にアクセス). この法案の本文は以下を参照:https://www.congress.gov/bill/113th-congress/house-bill/4522/text.

36 Coalition for Green Capital, "Example Green Banks," http://coalitionforgreencapital.com/green-banks/ (2019年4月19日にアクセス).

37 Chijioke Onyekwelu, "Will a National Green Bank Act Win Support?" Clean Energy Finance Forum, July 18, 2017, https://www.cleanenergyfinanceforum.com/2017/07/18/will-national-green-bank-act-win-support (2019年4月9日にアクセス).

38 James Murray, "Green Bank Design Summit: Developing Nations Join Forces to Explore Green Bank Plans," *BusinessGreen,* March 18, 2019, https://www.businessgreen.com/bg/news/3072689/green-bank-design-summit-developing-nations-join-forces-to-explore-green-bank-plans (2019年4月19日にアクセス).

39 United Nations Industrial Development Organization (UNIDO), published November 29, 2011, YouTube video, https://www.youtube.com/watch?feature=playerembedded&v=wJYuMTKG8bc (2019年5月6日にアクセス).

40 PwC and GIAA, *Global Infrastructure Investment: The Role of Private Capital in the Delivery of Essential Assets and Services,* 2017, https://www.pwc.com/gx/en/industries/assets/pwc-giia-global-infrastructure-investment-2017-web.pdf (2019年3月23日にアクセス), 5.

41 Caisse de dépôt et placement du Québec, "Construction of the Réseau express métropolitain Has Officially Started," news release, April 12, 2018, https://www.cdpq.com/en/news/pressreleases/construction-of-the-reseau-express-metropolitain-has-officially-started (2019年5月10日にアクセス).

42 Ingo Walter and Clive Lipshitz, "Public Pensions and Infrastructure: A Match Made in Heaven," *The Hill,* February 14, 2019, https://thehill.com/opinion/finance/430061-public-pensions-and-infrastructure-a-match-made-in-heaven (2019年5月13日にアクセス).

43 Attracta Mooney, "Pension Funds Crave More Infrastructure Projects," *Financial Times*, October 21, 2016, https://www.ft.com/content/a05fe960-95ec-11e6-a1dc-bdf38d484582（2019年2月27日にアクセス）.

44 同上.

45 David Seltzer, "Potential New Federal Policy Tools to Encourage Pension Fund Investment in Public Infrastructure," lecture, National Conference on Public Employee Retirement Systems, San Francisco, September 11, 2017.

46 Maryland Energy Administration, *Guide to Energy Performance Contracting for Local Governments*, July 2014, https://energy.maryland.gov/Documents/FINALEPCAPLocalGovernmentEPCGuide071014.pdf（2019年3月22日にアクセス）.

47 Hawaii State Energy Office, "Pros & Cons of Guaranteed Energy Savings vs. Shared Savings Performance Contracts," fact sheet, February 2013, https://energy.hawaii.gov/wp-content/uploads/2012/06/Pros-and-Cons-of-guaranteed-vs.-shared-energy-savings-2013.pdf（2019年3月23日にアクセス）.

48 "Study: Climate Change Damages U.S. Economy, Increases Inequality," *Rutgers Today*, June 29, 2017, https://news.rutgers.edu/news/study-climate-change-damages-us-economy-increases-inequality/20170628#.XNxoVbh7l-U（2019年3月15日にアクセス）.

49 Tom Machinchick and Benjamin Freas, *Navigant Research Leaderboard: ESCOs: Assessment of Strategy and Execution for 14 Energy Service Companies*, Navigant Research, 2017, 11.

第7章 市民の力を結集せよ——地球上の生命を救うために

1 European Commission, *Communication from the Commission to the European Parliament, the Council, the European Economic and Social Committee, the Committee of the Regions, and the European Investment Bank: A Clean Planet for All—A European Strategic Long-Term Vision for a Prosperous, Modern, Competitive, and Climate Neutral Economy*, November 28, 2018, 5.

2 "7th European Summit of Regions and Cities," European Committee of the Regions, July 8-9, 2016, https://cor.europa.eu/en/events/Pages/7th-European-Summit-of-Regions-and-Cities.aspx（2019年4月4日にアクセス）.

3 Jeremy Rifkin, "A History of the Future— The World in 2025," lecture, European Central Bank, Frankfurt, January 31, 2019, https://www.youtube.com/watch?v=TUVeg-x9Za4&t=1s（2019年3月24日にアクセス）.

4 "Investing in Europe: Building a Coalition of Smart Cities & Regions," European Committee of the Regions, https://cor.europa.eu/de/events/Pages/Investing-in-Europe-building-a-coalition-of-smart-cities-regions.aspx（2019年3月1日にアクセス）.

5 European Commission, "The Commission Calls for a Climate Neutral Europe by 2050," news release, November 28, 2018, https://ec.europa.eu/clima/news/commission-calls-climate-neutral-europe-2050en（2019年2月27日にアクセス）.

6 European Commission, *Communication from the Commission*, 4.

7 同上, 5.

8 同上.

9 Jeremy Rifkin, *The Empathic Civilization* (New York: Tarcher/Penguin, 2009).

10 European Commission Directorate-General for Trade, "Countries and Regions: China,"

last modified April 16, 2018, http://ec.europa.eu/trade/policy/countries-and-regions/countries/china/ (2019年2月27日にアクセス).

11 State Council of the People's Republic of China, "Chronology of China's Belt and Road Initiative," http://english.gov.cn/news/topnews/2015/04/20/content281475092566326.htm (2019年3月1日にアクセス).

12 Pan Xiang-chao, "Research on Xi Jinping's Thought of Ecological Civilization and Environment Sustainable Development," *IOP Conf. Series: Earth and Environmental Science* 153, no. 5 (2018), doi:10.1088/1755- 1315/153/6/062067.

13 European Commission, *Joint Communication to the European Parliament, the Council of the European Economic and Social Committee, the Committee of the Regions and the European Investment Bank: Connecting Europe and Asia—Building Blocks for an EU Strategy,* September 19, 2018.

14 "MEP Issues the Guidance on Promoting Green Belt and Road with Three Line Ministries," Belt and Road Portal, May 8, 2017, accessed February 27, 2019, https://eng.yidaiyilu.gov.cn/qwyw/rdxw/12484.htm (2019年2月27日にアクセス); Belt and Road Portal, "Guidance on Promoting Green Belt and Road," May 8, 2017, http://eng.yidaiyilu.gov.cn/zchj/qwfb/12479.htm (2019年2月27日にアクセス).

15 Long Yongtu, *Digital Silk Road: The Opportunities and Challenges to Develop a Digital Economy Along the Belt and Road* (Beijing: Post & Telecom Press, 2017), 1-8; Morgan Stanley, "Inside China's Plan to Create a Modern Silk Road," March 14, 2018,https://www.morganstanley.com/ideas/china-belt-and-road (2019年3月1日にアクセス).

16 Arman Aghahosseini et al., "Analysing the Feasibility of Powering the Americas with Renewable Energy and Inter-Regional Grid Interconnections by 2030," *Renewable and Sustainable Energy Reviews* 105 (2019): 187-204, doi:10.1016/j.rser.2019.01.046.

17 Arturs Purvin et al., "Submarine Power Cable Between Europe and North America: A Techno-economic Analysis," *Journal of Cleaner Production* 186 (2018): 131-45, doi:10.1016/j.jclepro.2018.03.095.

18 Kerstine Appun, Felix Bieler, and Julian Wettengel, "Germany's Energy Consumption and Power Mix in Charts," *Clean Energy Wire,* February 6, 2019; Rob Smith, "This Is How People in Europe Are Helping Lead the Energy Charge," World Economic Forum, April 25, 2018, https://www.weforum.org/agenda/2018/04/how-europe-s-energy-citizens-are-leading-the-way-to-100-renewable-power/ (2019年3月5日にアクセス).

19 Edith Bayer, *Report on the German Power System, Version 1.2,* ed. Mara Marthe Kleine, アゴラ・エネルギーヴェンデの委託による調査, 2015, 9.

20 "State Renewable Portfolio Standards and Goals," National Conference of State Legislatures, February 1, 2019, http://www.ncsl.org/research/energy/renewable-portfolio-standards.aspx (2019年3月27日にアクセス).

21 Brad Plummer, "A 'Green New Deal' Is Far from Reality, but Climate Action Is Picking Up in the States," *New York Times,* February 8, 2019, https://www.nytimes.com/2019/02/08/climate/states-global-warming.html (2019年3月27日にアクセス).

22 同上.

23 Tom Machinchick and Benjamin Freas, *Navigant Research Leaderboard: ESCOs: Assessment of Strategy and Execution for 14 Energy Services Companies,* Navigant Research, 2017, 7.

24 TIR Consulting Group, "Office of Jeremy Rifkin," https://www.foet.org/about/tir-

consulting-group/（2019年2月19日にアクセス）.

25 " 'The New Abnormal': Gov. Brown Warns of 'Changed World' as Fires Ravage California," CBS Los Angeles, November 11, 2018, https://losangeles.cbslocal.com/2018/11/11/gov-brown-abnormal-fire/（2019年2月19日にアクセス）.

※URLは2019年の原書刊行時のものです。

［著者］
ジェレミー・リフキン
Jeremy Rifkin

文明評論家。経済動向財団代表。過去3代の欧州委員会委員長、メルケル独首相をはじめ、世界各国の首脳・政府高官のアドバイザーを務める。また、合同会社TIRコンサルティング・グループ代表として、ヨーロッパとアメリカで協働型コモンズおよびIoTインフラ造りに寄与する。1995年よりペンシルヴェニア大学ウォートンスクールの経営幹部教育プログラムの上級講師。『エントロピーの法則』（祥伝社）、『水素エコノミー』『ヨーロピアン・ドリーム』『限界費用ゼロ社会』（以上、NHK出版）、『エイジ・オブ・アクセス』（集英社）、『第三次産業革命』（インターシフト）などの著書が世界的ベストセラーとなる。『ヨーロピアン・ドリーム（*The European Dream*）』はCorine International Book Prize受賞。広い視野と鋭い洞察力で経済・社会を分析し、未来構想を提示する手腕は世界中から高い評価を得る。

［訳者］
幾島幸子（いくしま・さちこ）

翻訳家。早稲田大学政経学部卒業。訳書にM・サートン『総決算のとき』『74歳の日記』（以上みすず書房）、B・クシュナー『ラーメンの歴史学』（明石書店）、A・ネグリ／M・ハート『マルチチュード』『コモンウェルス』（共訳）、S・ピンカー『思考する言語』（共訳、以上NHK出版）、『暴力の人類史』（共訳、青土社）、N・クライン『ショック・ドクトリン』『これがすべてを変える』『NOでは足りない』（共訳、以上岩波書店）他多数。

［校正］
酒井清一

［本文組版］
天龍社

グローバル・グリーン・ニューディール

2028年までに化石燃料文明は崩壊、大胆な経済プランが地球上の生命を救う

2020年2月20日　第1刷発行

［著　者］ジェレミー・リフキン

［訳　者］幾島幸子

［発行者］森永公紀

［発行所］NHK出版
〒150-8081 東京都渋谷区宇田川町41-1
TEL 0570-002-245（編集）
0570-000-321（注文）
ホームページ　http://www.nhk-book.co.jp
振替　00110-1-49701

［印　刷］亨有堂印刷所／大熊整美堂

［製　本］ブックアート

乱丁・落丁本はお取り替えいたします。定価はカバーに表示してあります。

Printed in Japan ISBN978-4-14-081810-7 C0098